HACKERS

TOEFL®

VOCABULARY

LC SW RC ESSAY

David Cho

최신 토플 공략용 동의어, 반의어 및
CBT 토플 출제 단어집 HackersVoca

Hackers 어학연구소

저자

David 조
언어학박사
前. UCLA교수.
1998년 7월 Hackers TOEFL Program을 만듦.

2001년 5월　1일 초판 1쇄 발행
2001년 8월 27일 초판 4쇄 발행
지은이 David Cho
펴낸곳 해커스 어학연구소
펴낸이 해커스 어학연구소 출판팀
주소 서울시 중구 광희동 1동 89-1 금호트윈빌딩 202호
전화 2269-4071 **FAX** 2268-6243
홈페이지 www.goHackers.com
등록번호 89-951517-2-2 13740
값 13,900 원

제2외국어인 영어를 접하면서 많은 사람들이 영어 독해나 문법 혹은 청취 분야를 독립적인 분야로 생각하여 이 각각의 분야를 분리하여 공부하여 성취할 수 있다고 생각하는 오류에 빠지게 됩니다. 더 나아가 독해를 하다보면 단어는 저절로 해결된다고 생각하는 오류에 빠집니다. 그러나 독해나 문법 혹은 청취가 기본적인 단어의 바탕 없이는 어느 한계 이상을 나아갈 수 없는 '모래위의 성 쌓기'에 불과합니다. 모든 문장이 단어로 구성되어 있기 때문입니다.

그렇다면 정상적인 독해에 요구되는 단어는 어느 선까지일까요? 토플과 토익의 주관사인 ETS에서 수많은 전문가들을 통하여 이 기준에 대한 연구와 시험을 계속해 왔고, 이러한 기준의 충족여부를 확인하기 위하여 TOEFL이라는 시험을 개발하여 시행을 해왔던 것입니다. 즉, 토플이라는 시험에서 출제되는 단어들은 미국을 포함한 기타 영어권 대학에서 수학 능력을 위한 기본이 되는 단어일 뿐만 아니라, 기타 영어로 표현된 모든 학문 분야의 기본이 되는 단어라는 뜻입니다. HackersVoca는 이러한 TOEFL 시험에서 최근 수년간에 걸쳐 제시된 단어들과 이 수준의 단어들을 분석하여 이루어진 단어집으로 영어 수학능력을 키움과 동시에 이러한 영어 수학능력 측정시험에 대비할 수 있는 '표준단어집'이라고 할 수 있을 것입니다.

Hackers Voca의 근간은 기출 단어를 중심으로 한 동의어군을 통한 단어 학습입니다.
이러한 접근법이 실제 토플 시험에서 적응력을 향상시켜 왔고, 이 책의 전신인 Hacker Voca로 공부해온 많은 수험생등이 대변하는 실전에서의 높은 정답률이 그 동안 Hacker Voca를 검증해 왔습니다. 기존의 단어책들이 꼭 필요한 단어가 빠져 있거나 불필요한 단어를 싣는 경우가 많은데 비하여 이책은 강의 기간을 포함하여 약 3년에 걸쳐 토플 시험등을 검토하여 필요한 단어만을 선택하여 실은 것이 특징입니다.

저는 영어를 공부하는 여러분에게 영어공부에 고전을 제시한다는 마음으로 책을 썼고, 해커스 졸업생들이 이에 동참을 해 주었음을 자랑스럽게 여겨갑니다. 이 책이 나오기까지 넓게는 저와 함께 공부하며 HackersVoca에 조언을 준 해커스 졸업생들과 실제로 이책의 작업에 직접 참여를 한 우리 해커스 가족들에게 감사를 표합니다. 유학준비에 바쁘면서도 책의 표지 디자인을 예쁘게 해 준 남희(5기), 혼동되는 단어를 보내온 7기 오후반 C팀(팀장 방세진), 삽화를 그려준 유미(16기), 교정을 도와준 면히(10기), 승신(11.5)기, '추자' 정하(12기), 수아(13기), 상훈(13기), 하나(14기), 세원(14.5기), '하워타' 신우(14.5기), 도환(15기), 판준(15기), 태동(15기), 은영(15.5기), '짐탱' 지경(16기), 참신한 책구성의 공로자 역석(11.5기), 수시로 책 작업을 도와준 지원(7.5기) 그리고 창헌(5기)에게 다시 한번 감사를 표합니다. 은혜(2기), 수경(13기)은 연구소 일을 맡아 이 책의 마무리까지 최선을 다해주었습니다. 특히 신선한 아이디어, 정열, 그리고 책임감으로 이 책의 처음부터 끝까지 함께 해 준 혜진(10기)은 이 책이 나오는데 크나큰 힘이 되었습니다. 더불어 연구소에서 교정작업을 도와준 승원, 수경 그리고 이 책의 편집과 출판에 조언을 아끼지 않은 혜정님의 도움에 감사드립니다.
Academia의 철학의 실천인 이 책이 진정으로 토플과 영어를 공부하는 이들에게 작은 빛과 길잡이가 되기를 기원합니다.

남산 아래 해커스 어학연구소에서 David 조 드림.

Hacker's Vocabulary

C o n t e n t s

Hackers
Vocabulary

헤 커 스 보 카 의   구 성

1. 표제어

왼쪽에 가장 큰 글씨로 표시된 것이 바로 표제어입니다.
검정 볼드로 된 표제어는 1차단어로 ETS가 주관한 토플 시험에 출제
된 기출단어와 토플 최중요 단어입니다. 흰색 볼드로 된 표제어는
2차단어로 토플 중요단어입니다.

2. 반의어

표제어 아래부분에 작은 글씨로 표시된 것은 표제어의 반의어입니다.

3. 동의어

표제어의 오른쪽에 일직선으로 표시된 것은 동의어입니다.
동의어에는 출제어와 최중요 단어가 컴마로 연결되어 있으며,
컴마없이 나온 부분은 부가 단어입니다.
부가 단어가 중요하지 않은 것은 아니며, 시간이 촉박할 경우
학습의 효율성을 높이기 위한 것입니다.
모두 함께 암기하는 것이 가장 좋습니다.

4. 기출단어

표제어 오른쪽에 별표가 한 개 붙은 것은 한 번,
두 번 붙은 것은 두 번 이상 출제된 단어입니다.
기출 단어의 정답은 오른쪽 동의어 중 파란 볼드체로 표시되어 있습니다.

5. 주석

예문의 이해를 돕고자 예문 단어에 번호를 매겨 주석을 달았습니다.

6. 연습문제

매일 미니테스트를, 3일마다 그 3일치에 해당하는 종합테스트를
수록하였습니다.

7. 쉬어가는 페이지

3일마다 미국역사, 영시, 재미있는 그림 등을 수록하였습니다.
여러분들의 고된 학습에 편한 쉼터가 되어줄 것입니다

Hackers
Vocabulary
학습방법

- 매일 정해진 분량에서 모르는 단어의 앞에 체크하면서 외워나갑니다. 예문 내에서 그 단어의 뜻과 쓰임새를 확인하도록 합니다. 동의어도 한꺼번에 외워두는 것이 좋습니다.

- 하루치의 분량이 끝나면, 미니 테스트를 통하여 확인합니다. 추가로 자료실 (www.goHackers.com)에 저장되어 있는 다양한 테스트를 통하여 더욱 철저히 확인할 수 있습니다.

- 다음날이 되면, 같은 방식으로 진행합니다. 물론 처음부터 그 이전 날의 단어까지 누적하여 계속적으로 확인하는 것이 좋습니다. 시간적으로 불가능하다면, 적어도 전날의 단어까지는 확인하는 습관을 들입니다. 이것은 단기간에 확실하게 단어를 암기할 수 있는 가장 좋은 방법입니다.

● 개 별 학 습 방 법

1. 단어는 스터디를 통하여 공부하는 것이 가장 좋습니다. 그러나 여건상 이것이 힘들다면, 자신에게 가장 알맞는 분량을 정하여 꾸준히 해나가야 합니다. 이 경우 다음과 같은 여러 가지 방식이 있습니다.

2. 개별학습 예시
   - **1차단어부터 암기** : 시험일까지의 시간이 촉박하다면 우선 최우선 단어인 1차단어부터 암기하는 것도 좋습니다. 이 경우, 이틀치씩 암기하도록 합니다.
   - **1, 2차 단어를 함께 날짜별 순서대로 암기** : 나누어진 날짜에 맞추어 차근차근 암기하는 방법이 있습니다.
   - **표제어의 최중요 동의어부터** : 각 표제어에는 출제단어와 최중요 동의어가 따로 표시되어 있습니다. 시간이 정말로 촉박하다면, 이것부터 외우는것도 한 방법입니다. 파란 볼드체로 표시된 단어는 기출 단어의 정답, 검정 볼드체로 표시된 단어는 최중요 동의어, 작은 글씨로 표시된 단어는 부가 단어입니다.

● 스 터 디 학 습   방 법

1. 해커스보카는 스터디에 가장 적합하게 짜여진 단어책입니다. 다양한 멀티 학습이 가능하므로 반복하여 단어 스터디를 하면서도 지루하지 않고 가장 효율적인 방식으로 단어 암기를 할 수 있을 것입니다. 스터디시에는 좀더 집중적으로 단어에 시간을 투자하여 확실한 성과를 거두도록 하는 것이 좋습니다.

2. 스터디를 하게 될 경우, 마찬가지로 각 스터디팀에서 어느만큼의 분량을 해야할지를 정해야 합니다. 개별학습시보다는 좀 더 많은 분량을 정하는 것이 좋습니다. 해커스보카에 나온 테스트는 개인이 단어를 암기하고 확인하기 위해 사용합니다.

3. 돌아가면서 매일매일 암기해야 하는 부분에서 단어를 출제하여 시험을 보는 것이 가장 효과적입니다. 이 경우, 틀린 단어에 대해서는 엄격하게 벌칙을 정하여야 합니다. HackerVoca를 외우는 가장 효과적이었던 방법은 '벌금'이었습니다.

4. 해커스 홈페이지(www.goHackers.com)의 '해커스북 자료실'에 가면 다양한 유형의 문제들이 있을 것입니다. 이것을 참조하여 출제자는 허를 찌르는 단어시험이 되도록, 그리고 문제를 푸는 사람은 그럼에도 불구하고 완벽한 답안이 되도록 단어를 외웁니다.

5. 스터디 방법 예시
   - 60일에 세 번을 마스터 한다: 스터디는 위에서 이야기했듯이 많은 분량을 소화하도록 하는 것이 좋습니다. 처음에는 이틀치씩, 두번째 확인에서는 삼일치씩, 세번째 확인에서는 육일치씩 정한다면, 처음에는 30일, 두번째는 20일, 마지막에는 10일, 즉 60일동안 세 번 마스터가 가능합니다.
   - 40일에 두 번을 마스터 한다: 첫번째는 1차 단어를 3일치씩, 두번째는 1, 2차 단어를 합쳐서 3일치씩 공부한다면 40일만에 두 번 마스터가 가능합니다.

Hackers
Vocabulary

특징

1. 영어학습의 최강자 '해커스보카'

TOEFL은 영어권에서 공부하고자 하는 외국인이 반드시 거쳐야 하는, ETS의 검증된 제 분야의 전문가와 많은 박사들이 만들어 내는 시험입니다. 다시말해 TOEFL의 출제단어들은 미국을 포함한 기타 영어권 대학에서 수학 능력을 위한 기본이 되는 단어일뿐만 아니라, 기타 영어로 표현된 모든 학문 분야의 기본이 되는 단어임을 알 수 있습니다. 따라서 HackersVoca는 TOEIC, TEPS, GRE, 고시영어를 포함한 모든 형태의 영어시험에 가장 효과적이며 동시에 필수적인 책입니다.

2. 확실한 업그레이드 : 기존의 해커 보카와는 확실하게 다르다.

HakersVoca는 그동안 여러분들께 널리 인정받았던 해커보카 + 가장 최근의 기출문제 + 새로운 문제 유형인 반의어 포함 + 단어 암기를 확실하게 돕는 정선된 예문 + 그간 문제가 되었던 동의어로 업그레이드되어 해커보카와 확실한 차별점을 보여주고 있습니다.

3. 최근 기출문제 및 정답 완벽 수록

토플의 제1법칙. 출제되었던 문제가 다시 출제된다는 사실이죠. HackersVoca는 기출문제 및 정답을 완벽 수록하였을뿐 아니라, 두 번 이상 출제된, ETS의 사랑을 받는 단어들을 알아보기 쉽게 표시하였습니다.

4. 암기하기 쉽다 : 1, 2차 단어를 구별한 편집

토플을 단기간에 끝내야 하거나, 영어를 공부한 것이 언제인지 몰라 걱정이신 분들이 있으시겠죠. 걱정하지 마십시오. 중요단어(토플 기출문제 + 토플의 기본단어)를 1차 암기 단어로 정하여 먼저 암기할 수 있도록 했습니다. 어느 정도 실력을 쌓았다고 생각하신다면, 1, 2차 단어를 한꺼번에 암기해도 좋겠죠.

5. CBT 토플의 새로운 문제유형, 반의어 수록

CBT유형으로 바뀐 후, 동의어 중심으로 출제되던 토플 어휘 문제에 반의어가 포함되었다는 사실을 아실 것입니다. 새로운 HackersVoca는 현재까지의 모든 반의어 기출 문제를 포함하여, 보기 쉬운 형태로 반의어를 업그레이드 하였습니다.

6. 보카 암기의 필수 : 토플 유형에 가장 가까운 연습문제

HackersVoca에는 매일매일 그날의 암기 단어를 확인할 수 있도록 기본 연습문제를 수록하였으며, 3일마다 토플 유형에 가장 가까운 방식의 문제를 풀 수 있도록 하였습니다. 뿐만 아니라 해커스 홈페이지 (www.goHackers.com)를 통하여 계속적으로 업그레이드 되는 다양한 문제들은, 여러분들의 단어 암기를 더욱 쉽게 도와줄 것입니다. 지금 확인해 보십시오.

7. 단어의 의미 파악 및 암기를 도와주는 정선된 예문

해커스 어학연구소에서 상당한 기간에 걸쳐 엄선하여 수록한 예문들은, 여러분이 문장을 통해 단어의 의미를 파악하고 확실하게 기억할 수 있도록 도와줄 것입니다.

8. 멀티 학습이 가능하다 : 단조로운 보카 암기는 이제 그만

60일치로 보기쉽게 구별되어 있을 뿐 아니라, 1, 2차 단어로 나뉘어 있는 편집으로 인하여, 개인이 공부하기에도, 스터디를 하기에도 아주 편리합니다. HackersVoca 학습방법에서 보여주듯이, 몇 번을 공부해도 새로운 방식으로 접근할 수 있는 멀티 학습이 가능하여, 기존의 단어책들과는 확실히 구별됩니다.

9. 해커스만의 최대 장점 : 확실한 에프터서비스

Hackers TOEFL Grammar를 통해 확실하게 증명된 해커스의 에프터 서비스는 HackersVoca에도 계속됩니다. 해커스 홈페이지를 통하여 다양한 연습문제를 제공할 뿐 아니라, 해커스보카 Q&A란을 마련하여 신속한 답변을 통해 여러분들의 학습을 돕고 건의사항을 수용할 수 있도록 하였습니다.

1 일

1 **apt**	adj.	1. **inclined, prone, disposed**	~하는 경향이 있는
[æpt] disinclined		Pessimists are *apt* to lack vigor① and enthusiasm.	
inept	adj.	2. **proper, appropriate, suitable**	적당한
		Hotels are *apt* places to give a dinner party.	

2 **astonish**	v.	**surprise, astound, shock** startle, daze	놀라게 하다
[əstániʃ]		The strange episode *astonished* the civilized world.	

3 **chronic**	adj.	**habitual, confirmed, inveterate**	만성적인
[kránik] acute		She suffers a *chronic* stomachache every morning.	

4 **dirty**	adj.	**foul, unclean, filthy**	더러운
[də́:rti] clean		They never knew they were making their town *dirty*.	

5 **domain***	n.	1. **region, area, territory**	영토
[douméin]		Sinchi Roca, the second emperor, made no military campaigns to add lands to the Inca *domain*.	
	n.	2. **sphere, field**	분야
		Sociologists saw the *domain* of sociology as the study of social facts and not individuals.	

① vigor 활기

6 enthusiastic	adj.	**ardent, zealous, passionate**	열성적인
[enθùːziǽstik] apathetic		There was an *enthusiastic* response from all sections of the nation.	

7 extend**	v.	**1. go, run, range** outspread, stretch	(어떤거리까지) 걸쳐있다
[iksténd]		The desert *extends* far and wide.	
shorten	v.	**2. expand, enlarge, lengthen**	늘리다
		The frontiers tried to *extend* the border line② of the early settlement.	

8 feat*	n.	**achievement, accomplishment, exploit**	업적
[fiːt]		The *feat* established his reputation throughout the United States.	

9 fulfill*	v.	**1. execute, accomplish, achieve**	성취하다
[fulfíl]		Everyone has to *fulfill* their wildest dreams.	
	v.	**2. satisfy, appease**	만족시키다
		The contract clauses③ *fulfilled* our requirements.	

10 heavy*	adj.	**ponderous, weighty, burdensome**	무거운
[hévi] light		The roof was torn under the *heavy* weight of snow at a gymnastic stadium.	

11 immerse	v.	**submerge, dip, submerse**	담그다
[imə́ːrs]		Jennifer *immersed* the film in developer.	

12 incompatible	adj.	**inconsistent, incongruous, inharmonious**	모순되는
[ìnkəmpǽtəbl] compatible		Their opinions about the plan were totally *incompatible*.	

Glossary

② border line 경계선　　③ contract clause 계약조항

13 intrigue*	v. **1. attract, interest**	(주의, 관심을) 끌다
[intríːg] bore	Young Albert was ***intrigued*** by certain mysteries of science.	
	v. **2. plot, conspire**	음모를 꾸미다
	We didn't believe Jim ***intrigued*** with the enemy against the government.	
14 large	adj. **1. huge, enormous, sizable**	큰
[lɑːrdʒ] diminutive	The city has a ***large*** population of old people.	
	adj. **2. pretentious, boastful**	잘난척하는
	The pompous rhetorician always speaks in a ***large*** way.	
15 magnitude*	n. **1. extent, degree, measure**	등급
[mǽgnətjùːd]	An earthquake of ***magnitude*** 6 is ten times as strong as an earthquake of magnitude 5.	
	n. **2. volume, size, amplitude**	크기
	The architect was cautious to gauge④ the ***magnitude*** of the building.	
16 maintain**	v. **1. affirm, contend, claim**	주장하다
[meintéin]	Some participants ***maintained*** that their present situations were worse than before.	
	v. **2. sustain, preserve, keep**	지속하다
	Rowling has ***maintained*** a private life despite the attention and adulation⑤ roaring about her.	
17 outbreak*	n. **1. epidemic, plague**	(전염병 등의)만연, 창궐
[áutbrèik]	The ***outbreak*** of the measles⑥ came to be a serious problem.	

④ gauge 측정하다　　　⑤ adulation 아첨　　　⑥ measles 홍역

| | n. | 2. eruption, explosion, burst | 폭발 |

Outbreak of violence was a sure sign of what was to come.

| 18 **proclaim** | v. | announce, declare, promulgate | 공표하다 |

[proukléim]

The mayor *proclaimed* that his administration would be controlled properly.

| 19 **quiver** | v. | shiver, tremble, quake | 떨다 |

[kwívər]

Her flushed face was *quivering* with rage.

| 20 **reckon** | v. | 1. count, compute, calculate | 계산하다 |

[rékən]

The house cost him much money beyond what he *reckoned*.

| | v. | 2. consider, regard, deem | 생각하다 |

She came to *reckon* on staying the rest of her life in the country.

| 21 **release*** | v. | 1. free, liberate, loose | 해방시키다 |

[rilí:s]
detain

He will be *released* from prison tomorrow.

| | v. | 2. emit, vent, give off | 뿜다, 방출하다 |

Burning could *release* poisonous gases into the air.

| | v. | 3. loose, untie, unfasten | (묶인 것을) 풀다 |

After John hugged® his daughter heartily, he *released* her.

| 22 **relief** | n. | 1. aid, assistance, support | 구제 |

[rilí:f]

The New Deal extended federal *relief* on a vast scale.

anguish

| | n. | 2. alleviation, ease | 완화 |

The drug provides the temporary *relief* of suffering.

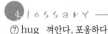
⑦ hug 껴안다, 포옹하다

15

23 **reproduce**	v.	copy, duplicate, imitate	복제하다
[rì:prədjú:s]		Pravda delightedly[8] *reproduced* a photo of the Vanguard.	

24 **speculative***	adj.	1. theoretical, abstract	이론적인
[spékjəlèitiv]		An exact date for the appearance of Homo sapiens remains *speculative*.	
	adj.	2. thoughtful, reflective, meditative	심사숙고하는
		We must find the solution of the problem in a *speculative* way.	

25 **stimulate***	v.	prompt, activate, inspire	자극하다
[stímjəlèit] discourage		The New Deal included federal action to *stimulate* industrial recovery.	

26 **subordinate**	adj.	inferior, subject, dependent secondary	종속적인
[səbɔ́:rdənit] dominant		Law should be *subordinate* to morality.[9]	

27 **torrential***	adj.	wild, violent	격렬한
[tɔ:rénʃəl]		The village was flooded after eight hours of *torrential* rains.	

lossary

⑧ delightedly 기꺼이   ⑨ morality 도덕

● Choose the **synonym**

1. apt   ⓐ subject, inferior, dependent
2. chronic   ⓑ execute, accomplish, achieve
3. fulfill   ⓒ habitual, confirmed, inveterate
4. subordinate ⓓ proper, appropriate, suitable

2 일

1 **access**	n.	**approach**	접근
[ǽkses] retreat		He is a man of difficult *access*.	

2 **address**	n.	**1. residence, abode**	주소
[ədrés]		Name and *address* are an essential condition of a resume.	
	n.	**2. speech, lecture, discourse**	강연
		The Gettysburg *Address* demonstrates[①] someone's responsibility for others.	

3 **assume**	v.	**1. undertake**	맡다
[əsjú:m]		Roosevelt *assumed* the job of president in 1901.	
	v.	**2. pretend, affect**	~인척하다
		He *assumed* that he was from the wealthy family.	

4 **attain***	v.	**1. reach**	도달하다
[ətéin]		Mango trees grow rapidly and can *attain* heights of up to 90 feet.	
	v.	**2. achieve, acquire, procure**	얻다
		James *attained* national fame as a leading spokesman.	

Glossary
① demonstrate 설명하다

5 boast	v. **brag, swagger**	자랑하다
[boust] depreciate	The boys *boasted* of their schools, but the schools were dirty.	

6 capacity	n. **1. magnitude, dimensions**	용적
[kəpǽsəti]	All of the lifeboats were filled to maximum *capacity*.	
	n. **2. ability**	능력
	Jefferson had a great *capacity* for leadership.	

7 celebrity	n. **a famous person, hero, notable**	유명인
[səlébrəti]	Using *celebrities* is part of a targeted strategy in commercials.	

8 comply	v. **consent, conform, accede**	동의하다
[kəmplái] defy	Managers persuade or compel[2] others to *comply* with their commands.	

9 decline*	v. **1. refuse, reject**	거절하다
[dikláin] accept	He *declined* to go to the movie theater with her.	
improve	**2. fall, descend, weaken** deteriorate	쇠퇴하다
	The popular singer is becoming *declining* in popularity.	

10 desert	v. **abandon, forsake**	버리다
[dizə́:rt] cleave (to)	His workers *deserted* him for the lure[3] of gold.	

11 digest	v. **imbibe, assimilate, absorb**	소화하다
[didʒést]	Styrofoam is not *digested* in the stomach.	

Glossary
② compel 억지로 시키다   ③ lure 매혹

18

12 **dwell**	v.	**reside, live, inhabit** abide	거주하다
[dwel]		The Black Hill was a place where poor people *dwelled*.	

13 **fashion***	v.	**1. create, produce, make**	만들다
[fǽʃən]		Bush's masterful diplomacy④ *fashioned* a broad international coalition against Iraq.	
	v.	**2. fit, adjust, suit**	맞추다
		I have a chair *fashioned* to the design of him.	

14 **fear**	n.	**dread, fright, terror**	두려움
[fiər]		To fully utilize the genetic testing,⑤ doctors must eliminate patients' *fears*.	
bravery			

15 **grateful**	adj.	**appreciative, thankful, obliged**	감사하는
[gréitfəl]		The applicant was very *grateful* to know that Mr. Kravitz was willing to hire him.	

16 **hallmark****	n.	**feature, a distinguishing trait**	특징
[hɔ́:lmà:rk]		Clear writing is a *hallmark* in good writing.	

17 **ideal***	adj.	**1. perfect, model, exemplary**	이상적인, 완벽한
[aidí:əl] average		The delegates'⑥ *ideal* knowledge made the convention the most intelligent.	
actual	adj.	**2. abstract, theoretical, hypothetical**	추상적인
		To define Confucianism⑦ would be to define the *ideal* social ethic in China.	

18 **laborious**	adj.	**1. difficult, demanding, arduous**	힘드는
[ləbɔ́:riəs] effortless		The machine would make the farming less *laborious* and more profitable.	

glossary

④ diplomacy 외교적 수완　⑤ genetic testing 유전자 검사　⑥ delegate 대표　⑦ Confucianism 유교

adj.	2. **diligent, industrious**	근면한

He deserves to get that promotion since he is a *laborious* worker.

19 **linger**	v.	1. **remain, stay, tarry**	남다
[líŋgər]			

Stephen had *lingered* behind Cecilia when she went away after dinner.

hurry	v.	2. **lag, procrastinate, loiter** drag, delay	꾸물거리다

He *lingered* over his work till late at night.

20 **loathe**	v.	**abhor, abominate, detest** hate	혐오하다
[louð] tolerate			

He *loathes* climbing mountains.

21 **misgiving**	n.	**apprehension, doubt, suspicion** distrust	불안
[misgíviŋ]			

He had some *misgivings* about what to do.

22 **novel**	adj.	**new, fresh, inventive** rare, strange	새로운
[návəl] common			

Graphic calculators were highly *novel* in the 1960s.

23 **observe**	v.	1. **perceive, notice, watch**	관찰하다
[əbzə́:rv]			

He said that he began to *observe* Venus with his instrument.

violate	v.	2. **conform, follow, comply**	준수하다

Family dinners of the Forsytes *observe* certain traditions.

24 **plentiful**	adj.	**abound, wealthy, rich**	풍부한
[pléntifəl] scant, scanty			

Fish and plankton are *plentiful* in the sea.

| 25 **preoccupied*** | adj. | engrossed, absorbed | 몰두한 |

[priːákjəpàid]

Environmental scientists have been *preoccupied* with a few known toxicants⑧ like mercury.⑨

| 26 **property** | n. | 1. possession, asset, estate | 자산 |

[prápərti]

He lost all of his *property*.

| | n. | 2. quality, character, characteristic feature | 특성 |

He was the first to describe the *properties* of gas molecules.⑩

| 27 **ration** | n. | assignment, allotment, allocation apportionment | 할당량 |

[rǽʃən]

The Cherokee Indians were fed on meager *rations* and suffered malnutrition.

| 28 **relation** | n. | connection, relationship, association alliance | 관계 |

[riléiʃən]

America developed complicated *relations* with the Indian.

| 29 **ridiculous** | adj. | funny, absurd, comical | 우스운 |

[ridíkjələs]
sensible

He addressed someone with a *ridiculous* expression.

| 30 **sanguinary** | adj. | bloody, bloodthirsty, cruel ruthless | 잔인한 |

[sǽŋgwənèri]

The battle was unexpectedly *sanguinary* with so many victims.

Glossary ─────────────

⑧ toxicant 독물   ⑨ mercury 수은   ⑩ molecule 분자

Quiz ● Choose the **synonym**

1. attain   ⓐ acquire, procure, achieve
2. ideal   ⓑ bloody, bloodthirsty, cruel
3. loathe   ⓒ perfect, model, exemplary
4. sanguinary   ⓓ abhor, abominate, detest

Answer   1. ⓐ   2. ⓒ   3. ⓓ   4. ⓑ

3 일

1 **afford***	v.	**provide**, **give**, **grant**	주다

[əfɔ́ːrd]

George's various experiences *afforded* opportunities for acquiring land.

2 **announce**	v.	**proclaim**, **publish**, **declare**	공포하다

[ənáuns]
suppress

Nixon *announced* his intention to withdraw fifty thousand troops in addition.

3 **chance***	n.	**probability**, **likelihood**, **opportunity**	가능성

[tʃæns]

There is a good *chance* that he will pass the entrance exam.

4 **current**	adj.	**prevailing**, **prevalent**, **popular** common	유행하는, 우세한

[kə́ːrənt]
antique

Many people view the *current* trend to get smoking out of public places as desirable.

5 **engage***	v.	1. **promise**, **contract**, **pledge**	약속하다

[engéidʒ]
disengage

He *engaged* to visit our home tomorrow.

	v.	2. **reserve**, **book**	예약하다

All hotel rooms are *engaged*.

discharge	v.	3. **hire**, **employ**	고용하다

Sometimes owners *engaged* nurses under contract to look after foundlings.

Glossary

6 **esteem***	v.	respect, prize, value	존경하다
[istíːm] despise		His patriotism① was nationally *esteemed*.	

7 **evidence***	n.	proof, sign	증거
[évidəns]		No *evidence* proved that the accused committed homicide.②	

8 **fertile**	adj.	productive, fecund, fruitful	비옥한
[fə́ːrtl] barren		The Nile River plain no longer gets its *fertile* soil from the annual flood.	

9 **generate***	v.	produce	발생시키다
[dʒénərèit] extinguish		People often say that an environment *generates* crime.	

10 **haughty**	adj.	proud, arrogant	거만한
[hɔ́ːti] modest		She lifted her head and walked with *haughty* pride into the cabin.	

11 **innate***	adj.	inborn, natural	타고난
[inéit] acquired		There are some *innate* differences between men and women.	

12 **invaluable**	adj.	priceless, precious	매우 귀중한
[invǽljuəbəl] worthless		Criminal profiling is an *invaluable* tool to criminal investigations.	

13 **likely**	adj.	probable, possible	있을법한
[láikli] unlikely		Women are more *likely* to suffer aphasia③ than men when the front brain is damaged.	

14 **maxim***	n.	saying, principle, proverb	격언
[mǽksim]		They found the *maxim* "Tourism is Everybody's Business" on passing billboards.	

glossary
① patriotism 애국심　② homicide 살인　③ aphasia 실어증

15 **object**[*]	v.	protest, remonstrate	반대하다
[əbdʒékt] acquiesce		Jane Reagan *objected* to Reagan's increasing political involvement.	

16 **outstanding**[**]	adj.	remarkable, **prominent, eminent** striking, conspicuous 눈에 띄는
[àutstǽndiŋ]		James is regarded as one of the *outstanding* political leaders in western New York.

17 **patron**	n.	protector, supporter, advocate	후원자
[péitrən] client		Queen Elizabeth Ⅱ was a *patron* of the arts and science.	

18 **peril**	n.	risk, jeopardy, hazard danger	위기
[pérəl]		All journeys face *perils*, whether from indecision or from loneliness.	

19 **predominate**[*]	v.	outweigh, prevail, surpass dominate	우세하다
[pridámənèit]		Pine trees *predominate* in my native country.	

20 **pretense**	n.	pretext, excuse	핑계
[priténs] sincerity		She refused his date under the *pretense* of sharing her mother's chores.	

21 **previous**[**]	adj.	prior, earlier, former preceding	이전의
[prí:viəs] subsequent		Unlike *previous* presidents, Roosevelt refused to use national force to break strikes.	

22 **prime**	adj.	primary	주요한
[praim]		Militarily, rivers and lakes were of *prime* importance.	

23 **primitive**	adj.	primeval, uncivilized, savage	원시적인
[prímətiv] civilized		The Choctaw tribe believed in the *primitive* ways of hunting and farming.	

Glossary

| 24 **procedure** | n. | proceeding, course, process | 과정 |

[prəsí:dʒər]

They had to go through④ a lot of complicated official *procedures* to get a visa.

| 25 **proposition*** | n. | suggestion, proposal | 제안 |

[prɑ̀pəzíʃən]

The top Republicans abandoned President Bush's drug *proposition* for poor seniors.

| 26 **quick** | adj. | prompt, rapid, swift fleet, hasty | 빠른 |

[kwik]
sluggish

One of the first industries to see *quick* development was the textile industry.⑤

| 27 **reinforce** | v. | strengthen, intensify | 강화하다 |

[rì:infɔ́:rs]
undermine

His faith was *reinforced* by what he learned at Amherst College.

| 28 **shield*** | v. | protect, defend, safeguard guard | 보호하다 |

[ʃi:ld]
expose

His father sought to *shield* him from seeing anything causing suffering.

| 29 **solitary** | adj. | isolated, lonely | 고독한 |

[sɑ́litèri]
gregarious

A *solitary* man never spoke to anyone.

| 30 **stimulus** | n. | incentive, incitement, provocation stimulation, stimulant | 자극 |

[stímjələs]

The Yangtze has provided a cultural *stimulus* to the living close by.

| 31 **taboo*** | n. | prohibition | 금기 |

[təbú:]
approval

There is a *taboo* against walking around the tree.

| 32 **thrive*** | v. | prosper, flourish | 번성하다 |

[θraiv]
stagnate

Slavery in America *thrived* because there was a scarcity⑥ of labor.

Glossary ————
④ go through 겪다   ⑤ the textile industry 섬유산업   ⑥ scarcity 부족, 결핍

33 **tide**	n.	stream, current	조류
[taid]		A rising *tide* of nationalism was quickened by the world economic depression.	

34 **stick****	v.	**cling, adhere, cleave** hold, cohere	고수하다
[stik]		They *stick* to buying and selling the essentials by internet.	

35 **stir****	v.	**agitate, provoke, stimulate** excite	자극하다
[stəːr]		He was *stirred* by ideas of idealism and began to write short tales.	

36 **vain**	adj.	**useless, fruitless, unsuccessful**	쓸모없는
[vein] useful		Factory girls went on strike to protest wage cuts but it was *vain*.	

37 **wound**	v.	**injure, hurt**	상처를 입히다
[wuːnd] heal		When the terrorists shot at the passengers, they *wounded* two men.	

38 **view***	n.	1. **prospect, outlook, opinion**	의견, 견해
[vjuː]		You should make your *view* known to your coworkers.	
	v.	2. **consider, see, regard**	간주하다
		As a trained psychologist, he *viewed* his symptoms as psychological .	

39 **a wide range of***	phr.	a wide variety of	다양한
		Egyptians used *a wide range of* cosmetics.⑦	

Glossary
⑦ cosmetic 화장품

VOCABULARY

Hackers **TOEFL**
TEST 1 │제 1 일~제 3 일│

▲ Choose the **synonym** of the highlightened word in the sentence.

1. Children's confidence **affords** them an inordinate amount of self-esteem.
   ⓐ imputes   ⓑ thrives   ⓒ provides   ⓓ maintains

2. Professional photographers have been **engaged** in a contest with nature since the origin of their craft.
   ⓐ involved   ⓑ trained   ⓒ absorbed   ⓓ faced

3. Our mothers **assumed** one of the nurturing roles in society.
   ⓐ objected   ⓑ undertook   ⓒ neglected   ⓓ disclosed

4. Hay-on-Wye became a dying town when Welsh agriculture **declined.**
   ⓐ intensified   ⓑ ameliorated   ⓒ weakened   ⓓ forced

5. The right to vote in a democratic election was **extended** to women in 1919.
   ⓐ expanded   ⓑ denied   ⓒ protracted   ⓓ altered

6. Maine's jagged ribbon of rocky coastline was **fashioned** over millennia.
   ⓐ raged   ⓑ abated   ⓒ created   ⓓ hampered

7. Antibiotics may **stimulate** the growth of more bacteria.
   ⓐ decline   ⓑ activate   ⓒ remove   ⓓ constrict

8. Mural paintings in a tumulus depict **primitive** men's activities such as hunting and fishing.
   ⓐ savage   ⓑ laborious   ⓒ ancient   ⓓ profound

▲ Choose the **antonym** of the highlightened word in the sentence.

9. Former Los Alamos scientist Wen Ho Lee was **released** from prison after nine months in confinement.
   ⓐ linked   ⓑ detained   ⓒ announced   ⓓ repressed

10. The engine that became standard on western steamboats was of a different and **novel** design.
   ⓐ tolerant   ⓑ facile   ⓒ usual   ⓓ agile

27

Take a Break

Pueblo Culture

푸에블로는 북아메리카 남서부에 사는 인디언들로서 지금의 뉴멕시코주·애리조나주에 해당하는 지역에 살았다. 그들은 농경민으로서 백인이 들어오기 전부터 이미 관개를 하고 있었다. 예전부터 점토를 굳혀 만든 아파트식 취락을 하였으며 지금도 뉴멕시코주의 타오스에 있는 푸에블로족 마을에서 이 종류의 취락을 볼 수 있다. 이전의 바스켓 메이커(Basket Maker)문화와 푸에블로 문화를 합쳐 아나사지(Anasazi)문화라고 하는데, 기하학적 무늬를 넣은 토기와 수백개의 방이 있는 집합주택이 특징이다. 이후 1700년대부터 에스파냐의 영향이 본격화되었지만 이들은 지금까지도 토착문화를 유지해오고 있다.

바스켓 메이커 인디언(100~500)은 수렵 및 채취생활을 하며 동굴이나 석조기둥과 아도비 벽돌로 된 곳에서 살았다. 변형 바스켓 메이커 시기(500~700)에는 농경이 주를 이루면서, 동굴 반지하 가옥이었으며 직선이나 초승달모양으로 운집해 있었다. 발달 푸에블로 시기(700~1050) 또한 직선형·초승달형 가옥이 운집해 있었으며 이 시기에는 목화 재배가 이루어졌다. 도기 역시 다양한 모양으로 제작되어 바구니의 사용이 점차 줄었다. 고전 푸에블로 시기(1050~1300)에는 협곡과 벼랑을 따라 아파트식 가옥이 형성된 시기이다. 가옥은 벼랑 기슭에 지어졌으나 다른 지역의 가옥과 별반 다르지 않았다. 도기 기술은 고도로 발전했으며 면화나 유카실로 정교하게 직물을 짜는 기술도 있었다. 퇴행 푸에블로 시기(1300~1700)는 남쪽과 동쪽에 거주하던 인디언들이 리오그란데 계곡이나 애리조나의 화이트 산맥지역으로 이동한 시기에 해당한다. 이전 시기보다 더 크게 지어진 가옥은 그 모양이나 건축에 있어서 열악했다. 도기 기술은 여전히 발달했으나 그 모양이 변화되었고, 직물은 그대로 유지되었다. 근대 푸에블로 시기(1700~현재)에는 에스파냐의 영향이 본격화되었다. 에스파냐는 새로운 문화를 강요하여 적대감을 야기했으며, 1600년대에 반란을 일으켰으나 곧 진압되었다. 그 이후 인디언 부족의 수와 마을은 크게 줄었으나 문화와 기술은 현재까지 보존되고 있다.

4 일

| 1 **achieve*** | v. | accomplish, effect, perform | 성취하다 |

[ətʃíːv]
fail

His recipe did not seem to have *achieved* conspicuous[1] success.

| 2 **applause** | n. | acclamation, acclaim | 박수갈채 |

[əplɔ́ːz]
mockery

There was great *applause* from the crowd when he finished reading the poem.

| 3 **assent** | v. | accede, consent | 동의하다 |

[əsént]
reject

Isabel *assented* to his idea without hesitation.

| 4 **attribute*** | v. | 1. ascribe, impute, refer | ~의 탓으로 돌리다 |

[ətríbjuːt]

The world's increase in energy use can be *attributed* to the population growth.

| | n. | 2. quality, character | 특성 |

His lack of experiences is one of the most important *attributes* to his tragic fall.

| 5 **brisk** | adj. | active, lively, energetic | 활기 있는 |

[brisk]
inactive

The boasting cooks from Hong Kong are doing a *brisk* business in Chinatown.

| 6 **confess** | v. | admit, acknowledge, own avow | (솔직히) 인정하다 |

[kənfés]

He stood up in the court and simply *confessed* to accept bribes.

Glossary
① conspicuous 눈에 띄는, 뚜렷한

| 7 **descent*** | n. | 1. falling, descending | 하강 |

[disént]

The *descent* into the mountain took a whole day.

| | n. | 2. origin | 기원 |

It was estimated that there were fifteen million people of Spanish *descent* in the region.

| 8 **disseminate*** | v. | spread, scatter, disperse | 퍼뜨리다 |

[disémənèit]

The rumor is *disseminated* by word-of-mouth.

| 9 **exact** | adj. | accurate, correct, precise | 정확한 |

[igzǽkt]

I couldn't understand the *exact* meaning of what he said.

| 10 **fervent** | adj. | ardent, earnest, passionate | 열정적인 |

[fə́:rvənt]
impassive

They have decided to maintain the education tax in view of the *fervent* desire for education.

| 11 **fine**** | adj. | slight, subtle   delicate, refined | 미세한, 섬세한 |

[fain]

The memory chip installs a *fine*-tuned processing technology.

| 12 **greet** | v. | salute, accost | 인사하다 |

[gri:t]

Hilary *greeted* the guests who attended their weekly receptions with dignity② and charm.

| 13 **habituate** | v. | familiarize, accustom | 익숙해지다 |

[həbítʃuèit]

The camel has become *habituated* to living in such a barren region for a long time.

| 14 **harbor** | v. | 1. room, accommodate, board | 숙소를 제공하다 |

[há:rbər]
expel

It is dangerous to *harbor* an escaped criminal.

ɡlossary ──────────────────────────
② dignity 위엄

| v. | **2. cherish** | (생각 등을) 마음속에 품다 |

Ordinary people presumably[3] *harbored* no expectation of life after death.

---

15 **incidental**	adj.	**accidental, casual, contingent**	우연한
[ìnsədéntl]		
essential	

Baudelaire was one of the first writers to realize that Wilde's art was not *incidental* to his life.

---

16 **initiate****	v.	**begin, originate, commence** inaugurate	시작하다
[iníʃièit]		
terminate	

President Richard M. Nixon *initiated* his new policy of 'Vietnamization'.

| 17 **manager** | n. | **administrator, executive, director** | 관리자 |
| [mǽnidʒər] | | |

She was going to find a good job as a business *manager*.

| 18 **mass** | n. | **collection, aggregation, accumulation** pile | 집단, 모임 |
| [mæs] | | |

There were *masses* of people in the main stadium.

---

19 **old**	adj.	**ancient, antique, aged**	고대의
[ould]		
modern	

Whilden arrived in the *old* Spanish city of Santa Fe, New Mexico.

---

20 **opponent**	n.	**adversary, enemy, foe** antagonist, contestant	적
[əpóunənt]		
proponent	

Many of political *opponents* claimed that he was a coward.

---

21 **pacify**	v.	**calm, tranquilize, assuage**	진정시키다
[pǽsəfài]		
stir	

She was not *pacified* when she saw Mrs. Touchett.

---

22 **partisan**	n.	**adherent, supporter, disciple**	지지자
[pá:rtəzən]		
antagonist	

Reagan's efforts served to create a national network of loyal *partisans*.

lossary
③ presumably 아마도

31

23 **period***	n.	**time, era, epoch** age	시대
[píəriəd]		During the *period* of transition⁶ from oil heat to gas heat, the furnace will have to be shut off.	

24 **proceed**	v.	**advance, progress**	나아가다
[prousíːd] recede		The Democrats thought Lincoln was *proceeding* too drastically⑤ against slavery.	

25 **procure***	v.	**obtain, gain, secure** acquire	얻다
[proukjúər]		I could *procure* a situation for teaching languages.	

26 **profusion**	n.	**plenty, abundance, bounty**	풍부함
[prəfjúːʒən]		Pennsylvania has a *profusion* of waste treatment facilities.	

27 **real**	adj.	**factual, authentic, genuine**	실재의
[ríːəl] bogus		He has discovered the *real* roots of America past few years.	

28 **reproach**	v.	**admonish, blame, rebuke**	비난하다
[ripróutʃ]		He *reproached* her bitterly for not having let him know the news.	

29 **responsible**	adj.	**charged, liable, accountable** answerable	책임이 있는
[rispánsəbəl] exempt		The truck driver was *responsible* for the terrible accident.	

30 **sharp***	adj.	**1. keen, pointed**	날카로운, 예리한
[ʃɑːrp] dull, blunt		He asks some *sharp* questions about where the wastes are going.	
	adj.	**2. sudden, abrupt, acute**	급격한
		Korolev did not obscure⑥ the reasons for the *sharp* change in plans.	

Glossary ————————————————
④ transition 추이, 변이   ⑤ drastically 강렬하게, 과감하게   ⑥ obscure 숨기다

31 **sour**	adj.	**tart, acid**	시큼한
[sáuər] sweet		He is crazy for *sour* green apples.	

32 **supplement***	v.	**add to**	보충하다
[sʎpləmənt]		They looked for fruits that could *supplement* their meat diets.	

33 **suspend***	v.	**1. defer, postpone, delay**	연기하다
[səspénd]		The board of committee *suspended* final decision.	
	v.	**2. stop, cease, arrest**	중지하다
		The labor union⑦ *suspended* its strike this morning.	

34 **tailored*****	adj.	**adapted**	맞추어진
[téilərd]		They would put together solutions that were *tailored* to their individual problems.	

35 **torment**	v.	**afflict, abuse, bully**	괴롭히다
[tɔ́ːrment]		In America, many innocent Blacks were *tormented* and killed.	

36 **trial**	n.	**attempt, effort**	시도
[tráiəl]		After many *trials*, the explorer reached the Pole.	

Glossary
⑦ labor union 노동조합

Quiz ● Choose the **synonym**

1. achieve   ⓐ originate, commence, begin
2. initiate   ⓑ advance, progress, continue
3. proceed   ⓒ accomplish, effect, perform
4. torment   ⓓ afflict, abuse, bully

Answer   1. ⓒ   2. ⓐ   3. ⓑ   4. ⓓ

5 일

| 1 **abreast** | adv. | **alongside** | 나란히 |

[əbrést]

The economic crisis is *abreast* of the great change in the
international context.①

| 2 **affectation** | n. | **airs, pretense** | 가식 |

[æ̀fektéiʃən]
naturalness

She rose with a little *affectation* of greater weakness and
lassitude.②

| 3 **ally** | v. | **affiliate, associate, confederate** | 동맹을 맺다 |

[əlái]

Johnson *allied* with hundreds of political organizations to
form the new democratic party.

| 4 **anonymous*** | adj. | **unnamed, unsigned** | 익명의 |

[ənániməs]
named

Nancy was grateful to an *anonymous* reader for some helpful
comments.

| 5 **anticipate*** | v. | **assume, foresee, forecast** | 예견하다 |

[æntísəpèit]

Michelle had probably not *anticipated* such results.

| 6 **archaic** | adj. | **ancient, antiquated, antique** | 고대의 |

[ɑːrkéiik]
novel

The tumulus③ yielded various *archaic* sculpture and
porcelain.④

| 7 **aspect** | n. | **appearance, look, countenance** | 용모 |

[æspekt]

People often feel friendly toward a man of mild *aspect*.

ᵉlossary

① context 상황, 배경   ② lassitude 나른함, 무관심   ③ tumulus 고분   ④ porcelain 자기

8 ban

v. **forbid, inhibit, prohibit**　　　　　금지하다

[bæn]
approve

The authorities *banned* street masking by the late 1830's.

9 behavior*

n. **conduct**　　　　　행동

[bihéivjər]
misconduct

His *behavior* today seems a little bit strange.

10 ceaseless*

adj. **constant, uninterrupted, eternal**　　　　　끊임없는

[síːslis]

She sees the attainment of perfection as a struggle of *ceaseless* effort.

11 change

v. **transform, vary, alter**　turn　　　　　변화시키다

[tʃeindʒ]

America was *changed* by the diversity⑤ of those who settled in the country.

12 cut*

v. **sever, divide, chop**　　　　　나누다

[kʌt]

Hydrogen can be used to *cut* steel by heating the hydrogen to a very high temperature.

13 disturbance*

n. **agitation, disorder, confusion**　shattering　　　　　혼란

[distə́ːrbəns]

If people suffer from mental *disturbance,* they become unstable.

14 enrage

v. **anger, aggravate**　　　　　화나게 하다

[enréidʒ]
placate

Enraged by the officers, seven hundred men went to Hillsborough.

15 enterprising

adj. **energetic, ambitious, adventurous**　　　　　진취적인

[éntərprài ziŋ]
unenterprising

The *enterprising* researchers attempted to dredge up⑥ artifacts⑦ from below the Pacific.

16 entice*

v. **allure, tempt, seduce**　　　　　유혹하다

[entáis]
scare

Rene Callie was a 27 year old man who was *enticed* by the mysterious legend.

ⓖlossary

⑤ diversity 다양성　　　⑥ dredge up ~을 캐내다　　　⑦ artifact 인공물, 가공품

17 **equivocally****	adv.	**ambiguously**	애매하게
[ikwívəkli]		He mentioned it so *equivocally* that I couldn't understand the exact meaning.	

18 **exterminate**	v.	**extirpate, annihilate, eradicate**	멸종시키다
[ikstə́ːrmənèit]		The Europeans proceeded to buy out, *exterminate*, or push out the Indians.	

19 **frightful**	adj.	**horrible, dreadful, fearful** awful	무시무시한
[fráitfəl]		The *frightful* nuclear war scares everyone.	

20 **harmony**	n.	**agreement, concord, unity**	조화, 일치
[háːrməni] discord		Confucianism® tries to stress order and *harmony* among all things.	

21 **improve****	v.	**enhance, refine, ameliorate** better	개선하다
[imprúːv] deteriorate		N.Y. State has taken measures to *improve* its own education system.	

22 **league**	n.	**alliance, confederation, union**	연맹
[liːg]		They began to accuse him of being in *league* with France.	

23 **mild**	adj.	**moderate, temperate**	온화한
[maild] fierce		California is a beautiful region and it has a *mild* climate too.	

24 **nearly**	adv.	**almost, approximately**	거의
[níərli]		It took *nearly* 6 hours to go to the city by plane.	

25 **outrage****	v.	**anger, aggravate, offend**	화나게 하다
[áutrèidʒ] placate		When he made similar mistakes repeatedly, she was *outraged*.	

glossary
⑧ Confucianism 유교

26 **permit**	v.	let, allow	허락하다
[pəːrmít] prohibit		He and his men were *permitted* to return to the Virginia settlements.	

27 **radical***	adj.	1. fundamental, basic	근본적인
[rǽdikəl] superficial		The achievement of *radical* equality is unrealistic.	
	adj.	2. extreme, drastic, revolutionary	급진적인
		Radical social change came about when a revolutionary consciousness was developed.	

28 **reference**	n.	allusion, mention	언급
[réfərəns]		Clinton seemed to carefully avoid any *reference* to his personal affairs.	

29 **separate**	v.	divide, part, sever disunite, split	분리하다
[sépərèit] combine		Our desire for peace cannot be *separated* from our belief in liberty.	

30 **sparse****	adj.	scanty, meager	희박한
[spɑːrs] rich		The vegetation⑨ is *sparse* near the summit.⑩	

31 **stranger**	n.	alien, foreigner	낯선 사람
[stréindʒər]		Mr. Wheeler explained the farm to Claude as if he were a *stranger*.	

32 **support**	v.	assist, back, advocate	지지하다
[səpɔ́ːrt] oppose		The government spent more money on public works to *support* the economic recovery.	

33 **tangible***	adj.	concrete, real, substantial	실재적인
[tǽndʒəbəl] intangible		The ongoing restructuring programs must soon produce *tangible* results.	

glossary

⑨ vegetation 식물　　⑩ summit 정상

34 **tolerate***	v.	endure, stand, bear	참다
[tálərèit]		Hoover had *tolerated* a great many hardships in his life.	

35 **train***	v.	aim, head	~로 향하게 하다
[trein]		The firemen *trained* their hoses to the burning building.	

36 **unambiguous***	adj.	clear, distinct, definite	명확한
[ʌ̀næmbígjuəs] ambiguous		She praised his *unambiguous* attitude.	

37 **virtually***	adv.	1. in fact, practically	사실상
[və́:rtʃuəli]		In traditional communities, fashions are *virtually* unknown.	
	adj.	2. nearly	거의
		The oldest firestone, *virtually* 10,000 years old, comes from Belgium.	

38 **wary**	adj.	alert, careful, cautious	주의 깊은
[wέəri] foolhardy		To get a divorce, you must be as *wary* as a cat.	

39 **wealth**	n.	abundance, profusion	풍부함
[welθ]		Adams' latest book contained a *wealth* of information on constitutional theory.⑪	

lossary

⑪ constitutional theory 입헌이론

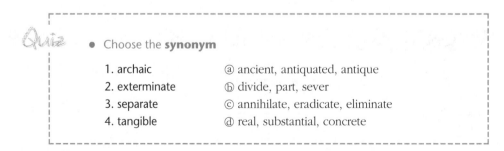

● Choose the **synonym**

1. archaic   ⓐ ancient, antiquated, antique
2. exterminate   ⓑ divide, part, sever
3. separate   ⓒ annihilate, eradicate, eliminate
4. tangible   ⓓ real, substantial, concrete

Answer   1. ⓐ   2. ⓒ   3. ⓑ   4. ⓓ

6 일

1 **agile**	adj. **quick, light, nimble**	민첩한
[ǽdʒəl] torpid	Brown bears are, for such huge beasts, amazingly *agile*.	

2 **ample**	adj. **large, spacious, vast**	넓은
[ǽmpl] limited	Richard planned to build a house with an *ample* garden.	

3 **arbitrarily***	adv. **randomly**	임의로
[ɑ́:rbitrèrəli]	The committee modified the rule *arbitrarily*.	

4 **bright**	adj. **radiant, glowing, brilliant**	빛나는
[brait] dark	A laser is a device that produces a narrow beam of very *bright* light.	

5 **brightness***	n. **radiance**	빛
[bráitnis]	The crystal glass shone with *brightness*.	

6 **competent**	adj. **qualified, capable, proficient**	유능한
[kámpətənt]	The Babylonians were *competent* in mathematics.	

7 **conjure***	v. **1. recall**	불러내다, 상기시키다
[kándʒər]	The log cabin *conjures* up images of rugged pioneer days.	

glossary

v.	2. implore	간청하다

He *conjured* her to care for his little daughter when he is gone.

8 **contemptible**	adj.	**mean, abject, base**	비열한

[kəntémptəbəl]
honorable

He succeeded through immoral, *contemptible* means.

9 **durable***	adj.	**lasting, enduring, constant**	지속되는

[djúərəbəl]

Eisenhower could not convert① personal loyalty into *durable* support for his party.

10 **dwarf**	n.	**pygmy**	난쟁이

[dwɔ:rf]
giant

His role in the play is one of the Snow Beauty's seven *dwarfs*.

11 **extinct***	adj.	**vanished, defunct**	멸종된

[ikstíŋkt]
extant

Plants and animals become *extinct* at the fastest rate in human history.

12 **fabricate***	v.	**make, build, construct** concoct	만들어내다

[fǽbrikèit]

The Republicans *fabricated* stories to depict② Buchanan as a traitor.③

13 **foster**	v.	**rear, breed, nourish** raise, promote	기르다

[fɔ́(:)stər]

They *fostered* a little Romanian boy for a few years.

14 **fury**	n.	**rage, anger, wrath**	분노

[fjúəri]

He attacked tacklers with a *fury* that almost seemed personal.

15 **grudge**	n.	**malice, spite, malevolence**	원한

[grʌdʒ]

Edward bore a *grudge* for years over Johnson's greater popularity.

*lossary

① convert 변하게 하다　　② depict 표현하다, 묘사하다　　③ traitor 배신자

16 **harm**	n.	damage, mischief, detriment	손해

[hɑ:rm]
benefit

The *harm* caused by the noise is sometimes obvious.

17 **innocent**	adj.	sinless, blameless, guiltless	결백한

[ínəsnt]
guilty

The Spanish army killed thousands of *innocent* Cubans.

18 **impute**	v.	attribute, ascribe, refer	~의 탓으로 돌리다

[impjú:t]

This paper *imputed* the blame for murder of Jumonville to him.

19 **leave**	v.	depart	떠나다

[li:v]

Joyce decided to *leave* Dublin in pursuit of his art.

20 **lift**	v.	raise, elevate, uplift	들어올리다

[lift]
lower

The aircraft had sufficient power to *lift* the new electronic packages.

21 **literally***	adv.	really, actually	실제로

[lítərəli]

The slave was *literally* unable to speak a word for himself.

22 **moderate**	adj.	reasonable, temperate, mild	온건한

[mádərət]
excessive

The employee's demands are *moderate*, not extreme.

23 **prolong**	v.	lengthen, extend, protract	연장하다

[proulɔ́:ŋ]
curtail

Nixon was convinced that the antiwar movement *prolonged* the war.

24 **purge**	v.	purify, cleanse, clear	깨끗이 하다

[pə:rdʒ]
stain

We must *purge* hatred from our soul.

Glossary

25 **reasonable**	adj.	rational, logical, sensible	이치에 맞는
[ríːzənəbəl] extravagant		It seems *reasonable* to be tough on illegal immigrants.	

26 **refined**	adj.	purified, clarified, distilled	정제된
[rifáind] vulgar		Any grain that's not *refined* or polished has health benefits.	

27 **reprove**	v.	rebuke, reproach, admonish	꾸짖다
[riprúːv]		As soon as she saw Tim, she *reproved* him for using such words.	

28 **resilient**	adj.	rebounding, elastic	탄력 있는
[rizíljənt] flaccid		Rubber is more *resilient* than wood.	

29 **revolt**	n.	rebel, mutiny	반란
[rivóult] obedience		Every spring, the people of San Antonio celebrate their town's *revolt* against Mexico in 1836.	

30 **scarce****	adj.	limited, rare, deficient insufficient	부족한
[skɛərs] abundant		Water is becoming a *scarce* resource internationally.	

31 **scope****	n.	range, extent, space	범위
[skoup]		The only author who tried to surpass④ the *scope* of Ulysses was Joyce himself.	

32 **shabby**	adj.	ragged, beggarly, poor	초라한
[ʃǽbi] spruce		He used to wear the *shabby* old hat when he worked in the corn field.	

33 **short-lived****	adj.	lasting for only short period	단기간의
[ʃɔ́ːrtlívd] permanent		The rocker's popularity was *short-lived*.	

Glossary
④ surpass 능가하다

34 **substantial****	adj.	1. **strong, sturdy, solid**	튼튼한
[səbstǽnʃəl] weak		The Chickasaw Indians lived in *substantial* wooden houses.	

insignificant	adj.	2. **noticeable, considerable, important**	상당한
		A *substantial* number of adults become single parents as a result of a divorce.	

35 **vacant***	adj.	**empty, void, unoccupied**	텅 빈
[véikənt] occupied		The early American Indian bands wandered over vast, *vacant* lands.	

36 **villain**	n.	**rascal, scoundrel**	악당
[vílən]		In the movie, Jack Nicholson was a natural-born *villain*.	

37 **wander**	v.	**ramble, rove, roam**	방랑하다
[wándər]		He *wandered* around and finally found the river.	

38 **zone**	n.	**area, region**	지역
[zoun]		He was transferred to the Panama Canal *zone* as an executive officer.[5]	

Glossary ————————————————————————
[5] executive officer 행정관, (회사)임원

HackersTOEFL TEST 2 |제 4 일 ~ 제 6 일|

▲ Choose the **synonym** of the highlightened word in the sentence.

1. It can be inferred that dinosaurs became extinct because of a global firestorm.
   ⓐ broad　　　ⓑ predominant　　ⓒ accidental　　ⓓ vanished

2. Fine shale is perhaps the most significant sedimentary rocks covering the earth.
   ⓐ Subtle　　　ⓑ Erroneous　　ⓒ Acid　　　　ⓓ Vivid

3. The processes of natural selection ensured the survival of the fittest and improved the quality of the species.
   ⓐ coined　　　ⓑ bettered　　　ⓒ shielded　　　ⓓ aided

4. Regions harboring infections that have faded from other areas are like bombs ready to explode.
   ⓐ healing　　　ⓑ reproducing　　ⓒ accommodating　ⓓ stopping

5. Radical social change can only come about when a revolutionary consciousness is fully developed.
   ⓐ Revolutionary　ⓑ Urgent　　　ⓒ Eminent　　　ⓓ Latent

6. The ore that contains tin is scarce in southwestern Asia.
   ⓐ coarse　　　ⓑ judicious　　　ⓒ rare　　　　ⓓ agile

7. Contrary to the government's expectations, the national economy is on a sharp decline.
   ⓐ manifold　　　ⓑ sudden　　　ⓒ ambiguous　　ⓓ clear

8. A drawback common to almost all these methods of water management is a need for substantial capital investments.
   ⓐ actual　　　ⓑ innumerable　　ⓒ resolute　　　ⓓ void

▲ Choose the **antonym** of the highlightened word in the sentence.

9. Burner was convinced that all moderate and reasonable Christians could not fail to agree on the fundamentals of the faith.
   ⓐ apathetic　　　ⓑ fierce　　　ⓒ excessive　　　ⓓ mild

10. In people without heart disease, cholesterol-lowering drugs have not yet been shown to prolong life.
    ⓐ abbreviate　　ⓑ strengthen　　ⓒ quit　　　　ⓓ delay

44

Take a Break

지하철에서

7일

1 **abolish**	v.	annul, nullify, revoke	폐지하다

[əbáliʃ]
conserve

He passed legislation① *abolishing* slavery.

2 **acknowledge**	v.	confess, own, admit	인정하다

[æknálidʒ]
disallow

We have to *acknowledge* that we can't change people's behavior.

3 **adversary**	n.	antagonist, enemy, foe	적

[ǽdvərsèri]
ally

The Vietnamese people prepared to do battle with their new *adversary*.

4 **aesthetic**＊	adj.	artistic	미적인

[esθétik]

The painting is excellent in an *aesthetic* point of view.

5 **affect**＊	v.	1. influence, impact	~에 영향을 미치다

[əfékt]

The scientists are currently studying how climate *affects* marine animal abundance.

	v.	2. pretend, feign, assume	~인 체하다

She always *affected* a little stammer when she said anything impudent.②

6 **apprehension**	n.	anxiety, misgiving	염려

[æprihénʃən]
assurance

Jane waited for her examination results with *apprehension*.

Glossary

① legislation 법률   ② impudent 건방진

46

7 aptitude	n.	**aptness, fitness, suitability**	적성
[ǽptit(j)ùːd]		He showed a marked *aptitude* for mathematics and geology.③	

8 assail	v.	**assault, attack**	(맹렬히) 공격하다
[əséil]		He *assailed* the stamp tax as an unnecessary burden upon the people.	

9 attachment	n.	**affection**	애착
[ətǽtʃmənt] detachment		He has formed a deep *attachment* for his mother.	

10 bear **	v.	**1. carry, transport, convey**	운반하다
[bɛər]		Jameson should *bear* the child to the station.	
	v.	**2. yield, provide, produce**	생산하다
		The tree is *bearing* a lot of peaches this year.	

11 bother	v.	**annoy, trouble, disturb**	괴롭히다
[báðər]		What *bothered* him was the extension of the federal bureaucracy.④	

12 declare	v.	**announce, proclaim**	선언하다
[diklέər] recant		The UN Security⑤ took a unanimous vote to *declare* war on North Korea.	

13 dispute *	v.	**argue, debate**	논쟁하다
[dispjúːt] concede		They're *disputing* with the local council over the proposed new road.	

14 dubious	adj.	**arguable, doubtful**	의심스러운
[djúːbiəs] reliable		The scientists' claims are *dubious* and not scientifically proven.	

Glossary
③ geology 지질학　　④ federal bureaucracy 연방제　　⑤ UN Security UN 안전보장이사회

15 **expect**	v.	anticipate, await	기대하다
[ikspékt] despair		We are *expecting* a lot of applicants for the job.	

16 **faculty***	n.	ability, capacity, aptitude	능력
[fǽkəlti] inability		Children have a *faculty* of concentration on what occupies them at the moment.	

17 **field***	n.	area	분야
[fi:ld]		Northern engineers were experienced in the *field* of iron working.	

18 **guiltless**	adj.	sinless, blameless, innocent	결백한
[gíltlis] guilty		The polugraph does not make guiltless people nervous..	

19 **influx***	n.	arrival, incoming	유입
[ínflʌks] outflow		Tourism has brought a huge *influx* of wealth into the region.	

20 **inquire**	v.	ask, query	질문하다
[inkwáiər]		He evidently attended one meeting to *inquire* about the group's work.	

21 **lure**	v.	seduce, allure, decoy	유혹하다
[luər] repel		His prey was *lured* into the woods with promises of food and drink.	

22 **mount**	v.	ascend, climb, scale	오르다
[maunt] descend		Julie *mounted* the stairs slowly.	

23 **murder**	n.	assassination	살인
[mə́:rdər]		He is charged with the horrific *murder* of two young girls.	

24 **outstrip**[*]	v.	surpass, outrun, excel	앞지르다
[áutstríp] follow		Mining and business began to *outstrip* agriculture in China.	

25 **pertinent**	adj.	relevant, germane, applicable	관련된
[pə́:rtənənt] impertinent		The detective[6] wanted to know all the *pertinent* details.	

26 **presume**	v.	assume, suppose	가정하다
[prizú:m]		I *presumed* that Strickland knew what had happened to her.	

27 **proud**	adj.	arrogant, haughty, overbearing	거만한
[praud] humble		She is too *proud* to admit her mistake.	

28 **refer**	v.	attribute, ascribe, impute	~의 탓으로 돌리다
[rifə́:r]		Shaw *referred* his brutality[7] to the war.	

29 **roughly**[**]	adv.	approximately, nearly	대략
[rʌ́fli]		The U.S. has spent *roughly* $2 million a year on AIDS-related issues since 1989.	

30 **semblance**[**]	n.	1. appearance	외관
[sémbləns]		The boy has the *semblance* of honesty.	
dissemblance	n.	2. analogy, similarity, likeness	유사함
		The election bears some *semblance* to the presidential election between Gore and Bush.	

31 **sophisticated**	adj.	complex, complicated	복잡한
[səfístəkèitid] unsophisticated		A more *sophisticated* approach was needed to solve the problem.	

Glossary

⑥ detective 탐정　　⑦ brutality 잔인성

32 **stage***	n.	level, phase, period	단계
[steidʒ]		The *stages* for language acquisition are the same for all languages.	

33 **talent**	n.	aptitude, capability, faculty gift, ability	재능
[tǽlənt]		She showed a *talent* for singing at an early age.	

34 **terrible**	adj.	dreadful, awful, frightful	무시무시한
[térəbəl]		I heard a *terrible* noise from the next room.	

35 **tiny****	adj.	little, minuscule, small	작은
[táini] huge		She used to be a *tiny* little girl, but grew up a full-blown girl.	

36 **tyrannical**	adj.	despotic, oppressive, arbitrary	독재적인
[tirǽnikəl]		She left home just to escape the *tyrannical* rule of her mother.	

37 **verge**	n.	brink, rim, margin border, edge	경계
[vəːrdʒ]		The city is on the *verge* of becoming prosperous® and successful.	

38 **zealous**	adj.	enthusiastic, eager, passionate	열정적인
[zéləs] apathetic		He was a *zealous* worker willing to do whatever things assigned to him.	

ℓｏｓｓａｒｙ ────────────────────
⑧ prosperous 번영하는

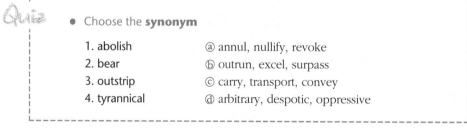

Quiz   ● Choose the **synonym**

1. abolish   ⓐ annul, nullify, revoke
2. bear   ⓑ outrun, excel, surpass
3. outstrip   ⓒ carry, transport, convey
4. tyrannical   ⓓ arbitrary, despotic, oppressive

8일

1 **acquaintance**	n.	**associate, companion**	친구
[əkwéintəns] stranger		Tim started to collect money from his *acquaintances* to settle his 4 million dollars in debts.	

2 **acquire**	v.	**secure, gain, earn**	얻다
[əkwáiər] forfeit		The local governments *acquire* land directly from private landowners.	

3 **affection**	n.	**attachment, amity, love**	애정
[əfékʃən] hate		His wife was dead, and his *affections* centered upon his child.	

4 **agree**	v.	**assent, accede, concede**	동의하다
[əgríː] deny		We *agreed* to meet up later and talk things over.	

5 **alert**	adj.	**attentive, vigilant, wary**	경계하는
[ələ́ːrt] inattentive		They are *alert* to the menace① of communism within their country.	

6 **alliance**	n.	**association, coalition, union**	동맹
[əláiəns]		The two countries entered into a defensive *alliance*.	

7 **amplify**	v.	**enlarge, expand, magnify**	늘리다
[ǽmpləfài] abbreviate		The scientific farming can *amplify* the production of wheat.	

Glossary ─────────
① menace 위협

8 **ardor**	n.	eagerness, zeal, passion	열정
[áːrdər]		He acquired a sense of patriotic *ardor* from his mother.	

9 **ascribe***	v.	attribute, impute, refer	~의 탓으로 돌리다
[əskráib]		Some archaeologists② *ascribe* the decline of the old city to drought.	

10 **authorize**	v.	1. empower	권한을 부여하다
[ɔ́ːθəràiz]		Local police forces are being *authorized* to enforce immigration law.	
enjoin	v.	2. allow, permit	허락하다
		Congress *authorized* the use of black soldiers in the Civil War.	

11 **collect**	v.	assemble, amass, aggregate	모으다
[kəlékt] distribute		Some researchers were able to *collect* useful ecosystem③ information.	

12 **compensate***	v.	atone, offset	보상하다
[kámpənsèit]		The bank agreed to *compensate* its customers for their loss of money.	

13 **confirm**	v.	assure, verify	확신하다
[kənfɔ́ːrm] contradict		The scientist who studied an eclipse④ *confirmed* that his theories were correct.	

14 **effective**	adj.	efficacious, efficient, effectual	효과적인
[iféktiv] ineffective		Employers found the courts to be *effective* to protect their interests.	

15 **embarrass**	v.	confuse, perplex	당황하게 하다
[imbǽrəs] calm		The student's blunt⑤ questions *embarrassed* her, making her momentarily⑥ tongue-tied.	

Glossary

② archaeologist 고고학자   ③ ecosystem 생태계   ④ eclipse 식 ex) a solar ~일식   ⑤ blunt 퉁명스러운
⑥ momentarily 잠시, 잠깐

16	**empower**	v.	authorize, warrant, permit enable	자격을 주다
	[empáuər]		The Alien Act *empowered* the president to arrest any alien who is considered to be dangerous.	

17	**gathering**	n.	assembly, convocation, congregation	모임
	[gǽðəriŋ]		The *gatherings* helped to soothe some of the tensions between Federalists[7] and Republicans.[8]	

18	**gracious**	adj.	benign, courteous, polite	상냥한
	[gréiʃəs] boorish		She was *gracious* enough to accept his encouragement.	

19	**greedy**	adj.	avaricious, desirous, covetous	욕심 많은
	[gríːdi] bountiful		The fat people aren't *greedy*, nor genetically doomed.	

20	**increase**	v.	augment, enlarge, escalate	늘리다
	[inkríːs] decrease		The new law *increased* fear among the colonists.	

21	**loom***	v.	emerge, appear, take shape	어렴풋이 나타나다
	[luːm] disappear		A huge figure *loomed* out of the mist.	

22	**painstaking**	adj.	assiduous, diligent	근면한
	[péinztèikiŋ]		A *painstaking* research is the hallmarks of this winner's work.	

23	**passionate**	adj.	zealous, enthusiastic, earnest	열정적인
	[pǽʃənit] dispassionate		Sam is a *passionate* supporter of women's rights.	

24	**perplex**	v.	confuse, puzzle	당혹케 하다
	[pərpléks]		She was *perplexed* about where to look for the information.	

Glossary
⑦ Federalist 연방당원   ⑧ Republican 공화당원

25 **pleasing****	adj. attractive, agreeable	마음에 드는
[plíːziŋ]	His wine is especially *pleasing* to the taste.	

26 **primary***	adj. fundamental, elementary, basic	근본적인
[práimèri] secondary	She can't understand the *primary* meaning of a word.	

27 **proper**	adj. fit, suitable, adapted	적당한
[prápər]	Only with *proper* control did Spain create the great nation it is today.	

28 **retaliate**	v. avenge, revenge	복수하다
[ritǽlièit]	He sought every opportunity to *retaliate* upon his enemy.	

29 **serve***	v. suit, suffice, answer	도움이 되다
[səːrv]	The gun *served* me well in several dangerous situations.	

30 **shrewd**	adj. astute, keen, acute clever	예리한
[ʃruːd] naive	It was *shrewd* of him to foresee the fall in prices.	

31 **soften**	v. soothe, alleviate, ease	완화하다
[sɔ́(ː)fən]	He told her the bad news very mildly, trying to *soften* her shock.	

32 **stand**	v. endure, bear, tolerate	참다
[stænd]	The customer could not *stand* the waiting any longer.	

33 **strive***	v. try, endeavor, struggle	노력하다
[straiv]	Bush had been encouraged by their parents to *strive* for success.	

34 **supply**	v.	furnish, provide, replenish	공급하다
[səplái]		They were arrested for *supplying* drugs to street dealers.⁹	

35 **suppose**	v.	assume, presume	가정하다
[səpóuz]		As she didn't answer the telephone, I *supposed* that she was out.	

36 **surprise**	v.	amaze, astound, startle astonish	놀라게 하다
[sərpráiz]		The sudden attack of the enemy *surprised* all the people.	

37 **treat**	v.	serve, handle, deal(with)	대접하다
[tri:t]		The manager thought the way consumers were being *treated* was wrong.	

38 **undertake****	v.	assume	떠맡다
[ʌndərtéik]		He must *undertake* full responsibility for the new changes.	

39 **zenith**	n.	apex, peak, tip	정점
[zí:niθ] nadir		In the early 1900s, Tolstoy was at the *zenith* of his achievement.	

Glossary

⑨ street dealer 거리의 마약상

● Choose the **synonym**

1. acquire   ⓐ acute, keen, astute
2. collect   ⓑ zealous, enthusiastic, earnest
3. passionate   ⓒ gain, earn, secure
4. shrewd   ⓓ assemble, amass, aggregate

Answer   1. ⓒ   2. ⓓ   3. ⓑ   4. ⓐ

9 일

| 1 **abandon** | v. | **relinquish, leave, desert** | 버리다 |
[əbǽndən]
acquire

They were accused of *abandoning* their socialist principles.

| 2 **antidote*** | n. | **remedy** | 치료법 |
[ǽntidòut]

This poison has no known *antidote*.

| 3 **conspicuous**** | adj. | **obvious, prominent, manifest** apparent | 뚜렷한 |
[kənspíkjuəs]
hidden

His most readily *conspicuous* ability was his voice.

| 4 **cure** | v. | **remedy, heal** | 치료하다 |
[kjuər]

He did everything he could to *cure* his wife, but she died three months later.

| 5 **discern** | v. | **perceive, discriminate, distinguish** | 식별하다 |
[disə́:rn]

It's difficult to *discern* any patterns in his behavior.

| 6 **dorsal*** | adj. | **relating to on the back of** | 등(부분)의 |
[dɔ́:rsəl]
ventral

The fisherman showed the *dorsal* fin of the great shark.

| 7 **eliminate*** | v. | **remove** | 제거하다 |
[ilímənèit]

The government *eliminated* funds for day care centers.

Glossary ───────────────────────────────

| 8 **fuse***
[fjuːz] | v. | melt, dissolve
The mud brick structures *fused* in heavy downpours. | 녹다 |

| 9 **hinterland***
[híntərlæ̀nd] | n. | region
Behind this river, there is a vast *hinterland*. | 배후지 |

| 10 **inaccurate**
[inǽkjərit]
accurate | adj. | incorrect, erroneous
It is scientifically *inaccurate* to link any one particular storm with global warming. | 부정확한 |

| 11 **kinship**
[kínʃip] | n. | family relationship
The rule of endogamy[1] permits marriage based on *kinship,* or tribal affiliation.[2] | (친척)관계 |

| 12 **liberate**
[líbərèit]
correct | v. | release, free, deliver
They sent troops in to *liberate* the people from a dictator. | 해방하다 |

| 13 **lower**
[lóuər]
increase | v. | reduce, decrease, diminish
The government's new plan *lowered* unemployment to 17.2%. | 줄이다 |

| 14 **mirror***
[mírər] | v. | reflect, repeat
Our newspaper aims to *mirror* the opinions of ordinary people. | 반영하다 |

| 15 **mutual***
[mjúːtʃuəl] | adj. | reciprocal
Mutual respect is necessary for the partnership to work. | 상호간의 |

| 16 **orderly**
[ɔ́ːrdərli]
chaotic | adj. | regular, systematic, methodical
He had an *orderly* mind and a rare ability to cut through the maze of details. | 정연한 |

Glossary

① endogamy 동족결혼   ② affiliation 소속

| 17 **patch*** | v. | **mend, repair, fix** | 수선하다 |
| [pætʃ] | | Dick felt ashamed of the ragged coat and the *patched* pants. | |

| 18 **protest** | v. | **remonstrate, complain, object** | 항의하다 |
| [prətést] | | Mexico *protested* the admission of Texas into the United States. | |

| 19 **rash** | adj. | **reckless, heedless, indiscreet** | 경솔한 |
| [ræʃ]
careful | | I may be *rash* in trusting a boy of whom I know nothing. | |

| 20 **recall** | v. | **recollect, remember** | 회상하다 |
| [rikɔ́:l] | | The Athenians *recalled* that Minos, a great and powerful king, once lived in a large palace. | |

| 21 **recite** | v. | **rehearse** | 암송하다 |
| [risáit] | | It was impossible to *recite* Delavigne's poem without mistakes. | |

| 22 **regain** | v. | **recover, retrieve** | ~을 되찾다 |
| [rigéin] | | At Cambridge, he met John who helped him *regain* his interest in nature. | |

| 23 **rehearse** | v. | **recite, practice** | 예행연습하다 |
| [rihə́:rs] | | The actor was *rehearsing* for the part of Hamlet. | |

| 24 **remembrance** | n. | **recollection, reminiscence, memory** | 기억 |
| [rimémbrəns] | | Scott has no distinct *remembrance* of his childhood. | |

| 25 **renew** | v. | **regenerate, renovate** | 복원하다 |
| [rinjú:]
deplete | | The original floor of the building was *renewed* at least twice with clean yellow clay. | |

Glossary

26 **repent**	v.	**regret, atone**	후회하다
[ripént]		Nick *repented* that he had given up skiing in the Alps.	

27 **resign**	v.	**relinquish, abandon, forsake**	포기하다
[rizáin]		He *resigned* his military commission③ and became Turkey's new president.	

28 **secrete***	v.	**release, discharge**	분비하다
[sikríːt]		Tears are *secreted* by an organ under the upper eyelid.	

29 **soothe**	v.	**relieve, allay, mitigate**	달래다
[suːð] excite		He saw a mother *soothe* a crying baby by offering a piece of banana.	

30 **stay**	v.	**remain, reside, sojourn**	머무르다
[stei] go		The workers *stayed* in the factories where heat was shut off.	

31 **surplus**	n.	**remainder**	나머지, 잔여
[sə́ːrplʌs] deficiency		The price of food fell nearly 72% due to a huge *surplus*.	

32 **tear**	v.	**rend, rip, sever**	찢다
[tɛər]		She *tore* all of his letters into small pieces.	

33 **trustworthy**	adj.	**reliable, true, credible**	믿을 수 있는
[trʌ́stwə̀ːrði] inaccurate		I regard Captain Nichols as a *trustworthy* witness.	

34 **umpire**	n.	**referee, arbiter, judge**	심판
[ʌ́mpaiər]		It was clear that the *umpire's* judgment was wrong.	

③ commission 장교

35 **unrelenting**	adj.	**relentless, implacable, inexorable**	무자비한
[ʌ̀nriléntiŋ]		She faced an *unrelenting* criticism on her new novel.	

36 **wonderful**	adj.	**marvelous, remarkable, awesome**	놀라운
[wʌ́ndərfəl] lousy		I had the *wonderful* opportunity to help raise an orphaned baby.	

37 **swear**	v.	**avow, vow, promise**	맹세하다
[swɛər]		They *swore* not to fight again each other.	

38 **transform***	v.	**convert, change, alter**	변형시키다
[trænsfɔ́ːrm]		The United States was *transformed* by the enormous growth of industry.	

39 **warp**	v.	**bend, deform, twist**	휘게 하다
[wɔːrp] straighten		Todd rubbed severely his *warped* feet, but they were already numb with cold.	

40 **variety***	n.	**1. diversity**	다양성
[vəráiəti]		The *variety* of trees are a result of millions of years of evolution.④	
	n.	**2. type, species, sort**	종류
		Tropical coral reefs⑤ contain a wide *variety* of organisms.⑥	

▲ Choose the **synonym** of the highlightened word in the sentence.

1. The soldiers were alert on the water to capture a spy.

    ⓐ delicate   ⓑ vigilant   ⓒ fierce   ⓓ wily

2. The embarrassed professor pleaded not guilty to the charge of driving while intoxicated.

    ⓐ governed   ⓑ abused   ⓒ perplexed   ⓓ modified

3. Sociologists have to strive for value neutrality with respect to research and policy formation.

    ⓐ ponder   ⓑ endeavor   ⓒ mask   ⓓ alternate

4. It is widely accepted by both geologists and astronomers that the Earth is roughly 4.6 billion years old.

    ⓐ dubiously   ⓑ approximately   ⓒeagerly   ⓓ painstakingly

5. A big increase in the number of Chinese visitors has been particularly conspicuous in recent years.

    ⓐ inactive   ⓑ prominent   ⓒ futile   ⓓ apathetic

6. The president promised to liberate all the political prisoners.

    ⓐ magnify   ⓑ release   ⓒ fuse   ⓓ anticipate

7. Cold can be a friend to humans, because it limits mosquitoes to seasons and regions where temperatures stay above certain minimums.

    ⓐ remain   ⓑ cripple   ⓒ hoist   ⓓ peek

8. Representation in the national legislature must end in mutual agreement.

    ⓐ actual   ⓑ converse   ⓒ humble   ⓓ reciprocal

▲ Choose the **antonym** of the highlightened word in the sentence.

9. Lincoln signed the 13th amendment in 1864 that abolished slavery.

    ⓐ conserved   ⓑ gave off   ⓒ feigned   ⓓ elucidated

10. The wreck of titanic looms like a ghost out of the dark.

    ⓐ conceals   ⓑ disappears   ⓒ escapes   ⓓ wallows

Take a Break

TO A SKYLARK

Percy Bysshe Shelley

Hail to thee, blithe Spirit!

Bird thou never wert,

That from Heaven, or near it,

Pourest thy full heart

In profuse strains of unpremeditated art.

Higher still and higher

From the earth thou springest

Like a cloud of fire;

The blue deep thou wingest,

And singing still dost soar, and soaring ever singest.

종달새에게

퍼시 비쉬 셸리

오 반갑다, 쾌활한 정령(精靈)이여!

너는 결코 새가 아니니라,

하늘에서, 하늘 가까이에서

벅찬 마음을 쏟는 자여

즉흥적 기교의 풍성한 노래로.

더 높이 더욱 더 높이

대지로부터 너는 솟아오른다.

불의 구름마냥;

푸른 하늘을 너는 날은다.

그리고 한결같이 노래하고 솟아오르고, 솟아오르며 노래한다.

10 일

1 **advantage**	n.	benefit, profit, behalf	이익
[ədvǽntidʒ] drawback		The electric industry gained an undeserved *advantage* in the new marketplace.	

2 **barrier**	n.	bar, obstruction, barricade obstacle	장애물
[bǽriər]		The mountains form a natural *barrier* between the two countries.	

3 **beg**	v.	entreat, implore, beseech	간청하다
[beg]		He *begged* me to repeat to her that he still loved her.	

4 **betray**	v.	be unfaithful to, be a traitor to	배신하다
[bitréi]		He had so heartlessly *betrayed* his friends' confidence.	

5 **bind**	v.	tie, bondage, fasten	묶다
[baind] release		The cash may be the only tie *binding* employees and employers.	

6 **brute**	n.	beast, animal	짐승
[bru:t]		Even the dumb *brutes* have love for their offspring.	

7 **circumvent**	v.	avoid, bypass, go around	우회하다
[sə̀:rkəmvént] conform		We went north in order to *circumvent* the mountains.	

Glossary

63

8 **clumsy**	adj.	**awkward, unskillful**	서투른
[klʌ́mzi] apt		Like all bears, the black bear is timid, *clumsy,* and rarely dangerous.	

9 **commence**	v.	**begin, start, originate**	시작하다
[kəméns]		The day after the battle had *commenced*, Bowie was deathly sick with pneumonia.[1]	

10 **conduct***	n.	**behavior, demeanor, bearing** manner	행동
[kándʌkt]		The senator was blamed for his immoral *conduct*.	

11 **conscious**	adj.	**aware**	의식하고 있는
[kánʃəs] oblivious		She was *conscious* of the shadow following after her.	

12 **credit**	n.	**belief, trust, confidence**	신용
[krédit] disrepute		He took his brother's *credit* providing a great idea.	

13 **cruel**	adj.	**barbarous, ferocious**	잔혹한
[krú:əl] merciful		They taught the enemy how *cruel* they could be.	

14 **desolate**	adj.	**barren, ravaged**	황량한
[désəlit]		Now it is the time to rise from the dark and *desolate* valley.	

15 **donation**	n.	**gift, contribution, offering**	기증
[dounéiʃən]		It's wonderful to be here helping to raise *donations* for children's charity.[2]	

16 **exchange**	v.	**barter, interchange, swap**	교환하다
[ikstʃéindʒ]		Spanish silver was a commodity[3] that was *exchanged* as other merchandise.	

Glossary
① pneumonia 폐렴   ② charity 자선 사업   ③ commodity 상품

| 17 **foundation*** | n. | basis, base, ground | 기초 |

[faundéiʃən]

The *foundation* for Spanish conquests was their interpretation of the bible.

| 18 **fundamental*** | adj. | basic, essential, primary | 근본적인 |

[fʌndəméntl]
incidental

Information technology will be the most *fundamental* area.

| 19 **gang** | n. | band, clique | 소집단 |

[gæŋ]

He contented himself with being the leader of a *gang* of young ruffians.④

| 20 **good-will** | n. | benevolence, favor, kindness | 호의 |

[gud-wil]
animosity

He should not have taken too much of her *good-will* for granted.

| 21 **greed** | n. | avidity, avarice, covetousness | 탐욕 |

[gri:d]

It is obvious that Columbus' main motive for exploration was *greed*.

| 22 **hatred** | n. | aversion, hate, detestation | 증오 |

[héitrid]
affability

All of Harriet Stowe's novels were written because of her *hatred* for slavery.

| 23 **justify*** | v. | prove, confirm, verify | 증명하다 |

[dʒʌstəfài]

Jefferson believed that his triumphant re-election *justified* his toleration of his critics.

| 24 **lament** | v. | deplore, grieve, mourn   bemoan | 슬퍼하다 |

[ləmént]
rejoice

Hecuba *lamented* her daughter's fate and her own.

| 25 **microorganism*** | n. | microbe, bacterium | 미생물 |

[màikrouɔ́:rgənìzəm]

The biologists found a new *microorganism* recently.

lossary
④ruffian 악당, 깡패

| 26 **moody** | adj. | **gloomy, sullen** | 우울한 |
| [múːdi] | | He fixed his *moody* eyes on the window. | |

| 27 **origin**** | n. | **beginning, source** | 발생, 근원 |
| [ɔ́ːrədʒin] | | The book was about the *origin* of the universe. | |

| 28 **predict** | v. | **foretell, prophesy, foresee** | 예측하다 |
| [pridíkt] | | Policy makers could have *predicted* the unsuccessful outcomes. | |

| 29 **progress** | n. | **improvement, advance, development** | 발전 |
| [prágres] regression | | Machines would bring *progress* as well as profit. | |

| 30 **scoop**** | v. | **gather, lift, pick up** | 긁어 모으다 |
| [skuːp] | | He *scooped* the sand into a bucket with his hands. | |

| 31 **score** | v. | **gain, win** | 얻다 |
| [skɔːr] | | She has certainly *scored* a success with her latest novel. | |

| 32 **shine** | v. | **beam, glare** | 빛나다 |
| [ʃain] | | Her jewels *shone* in the lamplight. | |

| 33 **shy** | adj. | **bashful, reserved, coy** timid | 수줍은 |
| [ʃai] bold | | As a young girl she was *shy*, but she overcame her timid nature. | |

| 34 **skilled*** | adj. | **skillful, adept, expert** proficient | 숙련된 |
| [skild] unskilled | | *Skilled* tool makers could fashion excellent tools or jewelry. | |

35 **stem**	n.	1. base, root	어간
[stem]		Suffixes are attached more closely to the *stem* than are prefixes.	
	v.	2. stop, dam, obstruct	막다
		They *stemmed* a river to make a reservoir.⑤	
	v.	3. derive, proceed, originate	유래하다
		The damage to the environment *stemmed* out from the energy crisis of the 1970s.	

36 **subdue**	v.	conquer, defeat, suppress	정복하다
[səbdʒúː]		Nazi finally *subdued* almost all the Resistance.	

37 **subsidize**	v.	back, finance, fund	후원하다
[sʌ́bsidàiz]		During World War I, the federal government *subsidized* farms.	

38 **sustain**＊	v.	support, bear, uphold	지탱하다
[səstéin] abandon		The old shelf cannot *sustain* the weight of the books.	

39 **unanimity**	n.	accord, agreement	(만장) 일치
[jùːnəníməti]		Tom was elected as a new class president by the *unanimity* of his classmates.	

&lossary ────────────

⑤ reservoir 저수지

─────────────────────────────
Quiz • Choose the **synonym**

    1. circumvent   ⓐ back, finance, fund
    2. fundamental   ⓑ avoid, bypass, go around
    3. lament   ⓒ basic, essential, primary
    4. subsidize   ⓓ deplore, grieve, mourn
─────────────────────────────

Answer   1. ⓑ   2. ⓒ   3. ⓓ   4. ⓐ

11 일

1 attribute*	n. **quality, character**	속성
[ətríbjuːt]	One of his best *attributes* is kindness.	

2 bravery	n. **boldness, courage, daring**	용기
[bréivəri]	They fought with tremendous inspiration and *bravery*.	

3 captivity	n. **bondage, confinement**	속박, 감금
[kæptívəti]	The soldier was held in *captivity* for three years.	

4 clasp	v. **grasp, grip, clutch**	잡다
[klæsp]	Christopher *clasped* the student's hand firmly.	

5 cohesion*	n. **bond, adhesion, adherence**	결합, 유대(감)
[kouhíːʒən] incohesion	In rural societies, family *cohesion* is customarily① strong.	

6 coincide*	v. **1. exist at the same time, happen at the same time** 동시에 일어나다
[kòuinsáid]	The Queen's visit has been planned to *coincide* with the school's 200th anniversary.	
differ	v. **2. agree, concur**	의견이 일치하다
	Tom and Cathy did not *coincide* in opinion on the issue.	

glossary ───────────────────────────────

① customarily 관례적으로

| 7 **condemn** | v. | **blame, censure, reprobate** | 비난하다 |

[kəndém]
applaud

Europeans have been *condemned* for taking away② the jobs of the lower-classes.

| 8 **considerable*** | adj. | 1. **significant, substantial** | 중요한 |

[kənsídərəbəl]
trivial

Education is the *considerable* issue in the campaign.

| | adj. | 2. **big, sizable, large** | 상당한 |

Plankton is gaining *considerable* interest among marine scientists.

| 9 **corpse** | n. | **body** | 시체 |

[kɔ:rps]

The police found the frozen *corpse* of the fugitive③ criminal.

| 10 **crop** | n. | **harvest, yield** | 수확 |

[krɑp]

The typhoons made the rice *crop* very small this year.

| 11 **defect** | n. | **blemish, flaw, fault** shortcoming | 결점 |

[difékt]
merit

The ship has structural *defects* that make it difficult to handle in high seas.

| 12 **defection*** | n. | **betrayal, apostasy** | 배반 |

[difékʃən]
loyalty

His *defection* from a political party caused lots of controversy.

| 13 **deplore** | v. | **grieve, lament, mourn** | 슬퍼하다, 유감으로 여기다 |

[diplɔ́:r]
rejoice

The UN *deplored* the invasion of Iraq as a violation of international law.

| 14 **deprive** | v. | **strip** | 박탈하다 |

[dipráiv]
provide

Black people used to be *deprived* of many political rights.

glossary

② take away 박탈하다   ③ fugitive 도망친

15 **dull**	adj.	boring, tedious, uninteresting	지루한
[dʌl] lively		He needed someone who'd bring joy and laughter into his *dull* days.	

16 **flame**	n.	blaze, fire	불(꽃)
[fleim]		Driven by a strong wind, the *flames* swept through the town.	

17 **flock**	n.	group, multitude, bevy	무리
[flɑk]		The shepherd drives *flocks* of sheep from pasture to pasture.	

18 **generous**	adj.	bountiful, unselfish, charitable	관대한
[dʒénərəs] stingy		Alexander's *generous* treatment of the captured men was nothing but a shrewd political gesture.	

19 **grant**	v.	bestow, confer, award	주다
[grænt]		He willingly *granted* the institute a sum of $10 million.	

20 **heroic**	adj.	brave, courageous, gallant	영웅적인, 용감한
[hiróuik] cowardly		Due to his *heroic* courage, he received Congressional Medals of Honor.	

21 **intermediate** *	adj.	between extremes, mediative	중간의
[ìntərmíːdiit]		Neanderthals were *intermediate* between the ape and man.	

22 **intolerant**	adj.	impatient, bigoted, prejudiced biased	옹졸한
[intálərənt] forbearing		She is *intolerant* of any opposition against her.	

23 **kind**	adj.	benign, humane, compassionate	친절한
[kaind] unkind		The professor is uncommonly *kind* to male students.	

Glossary

24 **limit**	n.	**bound, boundary**	경계, 한계
[límit]		There seems to be absolutely no *limit* to his ambition.	

25 **margin**	n.	**border, edge, rim**	가장자리
[má:rdʒin]		She scribbled④ some notes in the *margin*.	

26 **mischief**	n.	**harm, injury, damage**	해악
[místʃif]		John occasionally drank too much and caused minor *mischief*.	

27 **mix**	v.	**blend, mingle, compound**	혼합하다
[miks] separate		People of all races and religions are *mixed* freely in America.	

28 **moreover***	adv.	**in addition, besides, furthermore**	게다가
[mɔːróuvər]		Mac had gotten thinner with age; *moreover*, her whole image had changed.	

29 **necessary**	adj.	**essential, indispensable, vital**	필수적인
[nésəsèri] unessential		Public schools were *necessary* to educate children at the time of settlement.	

30 **obstruct**	v.	**block, bar, hinder**	막다
[əbstrʌ́kt]		After the earthquake, many roads were *obstructed* by collapsed buildings.	

31 **paralyze**	v.	**benumb**	마비시키다
[pǽrəlàiz] galvanize		The antiwar effort was crippling Johnson's presidency and *paralyzing* the nation.	

32 **partial**	adj.	**biased, prejudiced, unfair**	편파적인
[pá:rʃəl]		We could recognize him from his *partial* remarks about religion.	

Glossary
④ scribble 낙서하다

71

33 **petition**	v.	supplicate, beg, solicit	간청하다
[pətíʃən]		He eventually *petitioned* his freedom via President John Quincy Adams.	

34 **prejudice**	n.	bias, partiality	편견
[prédʒədis] objectivity		His visit to Berlin banished a lot of the *prejudices* he had had toward Germans.	

35 **premium**	n.	bonus, gift, reward	상금, 장려금
[príːmiəm]		The farmers earn a *premium* from the state for growing certain crops.	

36 **reform***	v.	amend, improve, ameliorate	개정하다
[riːfɔ́ːrm]		The Cherokee *reformed* the political system that they had before.	

37 **rigid***	adj.	1. stiff, hard, inflexible	단단한
[rídʒid] elastic		When he heard the news, his whole body went *rigid* with terror.	
indulgent	adj.	2. strict, severe, rigorous	엄격한
		The family structure of capitalist societies typically produces *rigid* personalities.	

38 **risk**	n.	hazard, danger, venture	위험
[risk]		There was some *risk* that fire would break out⑤ again.	

Glossary
⑤ break out 발생하다

● Choose the **synonym**

1. considerable   ⓐ block, bar, hinder
2. intolerant   ⓑ impatient, bigoted, prejudiced
3. obstruct   ⓒ fundamental, elementary, basic
4. primary   ⓓ significant, substantial

Answer　1. ⓓ　2. ⓑ　3. ⓐ　4. ⓒ

12 일

1 **blame***	v.	**incriminate, reproach, censure** condemn	비난하다

[bleim]
praise

People *blamed* authorities① for the food shortages.

2 **command**	v.	**order, bid, instruct**	명령하다

[kəmǽnd]
obey

The captain urgently *commanded* his men to start firing.

3 **comprehend**	v.	**understand, grasp, perceive**	이해하다

[kàmprihénd]

All educated people read the same characters and *comprehend* them as the same meaning.

4 **creditable**	adj.	**reputable, honorable**	명예로운

[kréditəbəl]

Washington's military record during the revolution is highly *creditable*.

5 **decided**	adj.	**resolute, determined, final**	단호한

[disáidid]
questionable

His *decided* manner soon overwhelmed the crowd.

6 **displace***	v.	**supplant, replace, remove**	대체하다

[displéis]

Everybody thought that radio was doomed to be totally *displaced* by television.

7 **enclose***	v.	**surround, circle, encompass**	에워싸다

[enklóuz]
reveal

The cultivated land was *enclosed* by a strong high fence to keep the wild animals out.

Glossary ────────

① authority 정부, 관계당국

| 8 **entail*** | v. | require, **impose** | ~을 수반하다. |
| [entéil] | | Farming has always *entailed* the willingness[2] to accept risk and to put in long hours of labor. | |

| 9 **excel** | v. | surpass, outdo, exceed | 능가하다 |
| [iksél] | | No one can *excel* him in workmanship.[3] | |

| 10 **genre*** | n. | kind, type, style | 유형 |
| [ʒɑ́:nrə] | | His favorite *genre* of movie is Western. | |

| 11 **illustrate*** | v. | represent | 설명하다 |
| [íləstrèit] | | This picture *illustrates* how the blood circulates through the body. | |

| 12 **indignation** | n. | resentment, wrath, anger | 분노 |
| [ìndignéiʃən] gratification | | We must express our *indignation* over the way the committee draws up[4] its plans. | |

| 13 **inhibit*** | v. | hinder, restrain, prohibit forbid | 금지하다 |
| [inhíbit] allow | | Some factors in our tradition seriously *inhibited* artistic imagination. | |

| 14 **involve** | v. | include, entail | ~을 수반하다 |
| [inválv] | | He will speak about the tragedies *involved* on the battlefield. | |

| 15 **lease**** | v. | rent, hire, charter | 임대하다 |
| [li:s] | | People *lease* most of their houses these days. | |

| 16 **liable** | adj. | responsible, answerable, accountable | 책임이 있는 |
| [láiəbəl] exempt | | Parents are *liable* for the misbehavior[5] of their children. | |

Glossary ——————————————————————————
② willingness 기꺼이하는 마음   ③ workmanship 솜씨, 기술   ④ draw up 작성하다   ⑤ misbehavior 잘못

17 **limited**	adj.	confined, restricted	제한된
[límitid] infinite		Environmental groups have a very *limited* online presence.	

18 **mend**	v.	repair, fix	고치다
[mend]		They called in the plumber to *mend* the burst pipe.	

19 **mingle**	v.	mix, blend	섞다
[míŋgəl]		Hippies⑦ bikers and retirees *mingle* in this pleasant village.	

20 **obligation**	n.	requirement, duty, responsibility	의무
[àbləgéiʃən] option		Military service was not an *obligation* to him.	

21 **oblige**	v.	require, compel, force	강요하다
[əbláidʒ] disoblige		The law *obliged* us to pay heavy taxes.	

22 **offer**	v.	present, proffer, tender	제공하다
[ɔ́(ː)fər] receive		The FBI *offered* him a bribe to forget that they had met.	

23 **occupation**	n.	job, calling, vocation	직업
[àkjəpéiʃən]		Only a small percentage of the populations are engaged in productive *occupations*.	

24 **oppose**	v.	resist, object	반대하다
[əpóuz] support		President Hoover *opposed* government intervention to ease the economic distress.	

25 **outcome**	n.	result, consequence	결과
[áutkʌm]		Thornton would have drastically altered the *outcome* of the battle.	

ℓlossary ───────────────────

⑥ strenuously 활발하게   ⑦ Hippie 히피족

26 **pause**	n.	rest, break, halt	중지
[pɔːz] continuation		She made a lengthy® *pause* to reconsider how to express her point of view.	

27 **quake**	v.	tremble, shiver, quiver	흔들리다
[kweik]		At the sight of ghost, his shoulder *quaked*.	

28 **reactionary**	adj.	repulsive	반발하는
[riːǽkʃənèri]		The response of many parents is *reactionary* to sex educations in schools.	

29 **render***	v.	1. represent	~을 표현하다
[réndər]		The New York Poets *rendered* experience as pure phenomenon rather than as representative subject.	
	v.	2. afford, give	주다
		They *rendered* the Cuban people all necessary assistance.	

30 **renown****	n.	fame, repute, distinction	명성
[rináun]		He had gained *renown* as a gymnast® at Harvard College.	

31 **repel***	v.	drive away, repulse, parry	물리치다
[ripél] allure		Truman decided to act boldly to *repel* the aggressors.	

32 **restore**	v.	renew, renovate, repair	복구하다
[ristɔ́ːr] deteriorate		Computers can be helpful to *restore* archaeological plans.	

33 **save**	v.	rescue, salvage	구하다
[seiv] desert		Many students are devising campaigns to *save* hardwood forests.	

Glossary

⑧ lengthy 길고 지루한　　⑨ gymnast 체조선수

34 savor**

[séivər]

n. taste, flavor   맛

Life seems to have lost most of its *savor* for him.

---

35 spare

[spɛər]

v. 1. save, economize   절약하다

He spent all the time he could *spare* from his duties
studying physics.

v. 2. give, grant, offer   주다, (시간을) 할애하다

She tried to find time to *spare* for The Literacy Project.

---

36 stimulating*

[stímjəlèitiŋ]
deaden

adj. restorative, refreshing, energizing   활기(자극)를 주는

His new plan had a *stimulating* effect on controlling the
market price.

---

37 typify*

[típəfài]

v. represent, embody, symbolize   대표하다

The art of Bali is *typified* by strong colors and dramatic
movement.

---

38 wholesale*

[hóulsèil]

adj. extensive, indiscriminate   대규모의

The 1967 was the year of a *wholesale* assault on morality and
values.

---

39 zeal

[ziːl]
apathy

n. passion, enthusiasm, ardor   열정

Advertisers had a kind of *zeal* about promoting the
consumption of commodities.[10]

 lossary

[10] commodity 상품

▲ Choose the **synonym** of the highlightened word in the sentence.

1. Like all bears, the black bear is timid, clumsy, and rarely dangerous, but if attacked, most can climb trees and cover ground at great speeds.

   ⓐ gallant ⓑ awkward ⓒ fluent ⓓ uninteresting

2. Bush drew sharp distinctions between his own tax cut plan and proposals to reform Medicare and Social Security.

   ⓐ deny ⓑ contaminate ⓒ feature ⓓ improve

3. Costa Ricans have blamed the National Liberation Party's outgoing president for ruining their national economy and putting the country into recession.

   ⓐ incriminated ⓑ maneuvered ⓒ imputed ⓓ qualified

4. Each one of the water types differs, though they share a common attribute of being relatively warm and salty.

   ⓐ exemption ⓑ character ⓒ bias ⓓ solace

5. Particularly important are those cellular proteins called enzymes, which catalyze the chemical reactions necessary for life.

   ⓐ brisk ⓑ abstract ⓒ keen ⓓ essential

6. Because of decreasing elasticity, the arteries tend to become rigid tubes.

   ⓐ adamant ⓑ lubricious ⓒ stiff ⓓ polite

7. Chemistry involves the study of the atomic composition and structural architecture of substances.

   ⓐ includes ⓑ strikes ⓒ confirms ⓓ breaches

8. Meteorology entails a systematic study of short-term variations in temperature, humidity, air pressure, and precipitation, along with their causes.

   ⓐ requires ⓑ yields ⓒ fabricates ⓓ shares

9. Mr. Jones comments that the media was beginning to slot West into a reactionary niche.

   ⓐ wholesale ⓑ exempt ⓒ repulsive ⓓ restricted

   ▲ Choose the **antonym** of the highlightened word in the sentence.

10. The antibiotic inhibits an enzyme that controls the way bacterial DNA unravels and rewinds when microbes reproduce.

    ⓐ discloses ⓑ allows ⓒ torments ⓓ renders

Take a Break

제임스타운과 포카혼타스

미국인들이 자신들의 진정한 선조로 생각한다는 Pilgrim Fathers(순례시조)가 메이플라워호를 타고 뉴잉글랜드로 건너온 것은 1620년이지만, 그 이전에도 신대륙을 개척하려는 영국의 노력은 끊이지 않았다. 그 중의 하나가 1607년의 최초 식민도시인 제임스 타운의 건설이다. 국왕으로부터 남부 버지니아에 대한 특허권을 획득한 일단의 개척자들은 힘든 항해를 거쳐 지금의 체사피크만 부근에 자리를 잡게 되는데, 제임스 국왕의 이름을 따서 도시이름을 제임스타운이라 짓게 된다. 초기에 이곳에 도착한 사람들은 일확천금을 노리거나, 노동을 거부하는 안일한 사고로 인해 출발시부터 매우 피폐한 삶을 살게 되는데, 이런 그들 사이에서 특이한 경력과 모험정신 그리고 지도력을 갖춘 인물이 등장하니 그가 바로 존 스미스 선장이었다. 그는 이전에도 많은 전장에서 장교로 활동했던 인물인데 특이한 언행과 사고방식으로 인해 기인으로 통했던 모양이다. 신대륙 개척기의 고난기에 혁혁한 공을 세운 그는 이후 작가로도 활동을 하면서 자신의 자서전을 쓰게 되니 그 중의 유명한 이야기가 포카혼타스와의 일화이다. 이미 디즈니사가 만화영화로 제작한 바도 있다. 인어공주에서 뮬란까지 일관되게 그리고 있는 디즈니사의 여성캐릭터가 모두 그렇듯이 이 인디언 부족 추장의 딸 포카혼타스도 자신의 삶의 테두리에 만족하지 않고 더 넓은 세상을 꿈꾸는 자의식 강하고 모험심 강한 여자로 묘사되고 있다. 그는 우연한 계기로 원주민들에게 생포되어 죽음의 위기에 처한 존 스미스 선장을 간언을 통해 구해줄 뿐만 아니라, 개척자와 인디언 사이의 화해를 이끌어내고 담배 제배법을 개척자들에게 소개함으로써 제임스 타운 개척의 성공을 담보하게 된다. 만화 영화 내에서는 존 스미스 선장을 사모하는 것으로 표현되고 있으나, 그녀가 결혼한 사람은 이후의 다른 제임스 타운 시민 존 롤프라는 사람으로, 그와 함께 영국으로 건너가고 세례를 받기도 한다. 이후 벌어지는 수 많은 개척민과 원주민과의 반목과 살육의 역사를 볼 때 아직 생존의 문제로 번지지 않은 동화같은 아름다운 이야기라 하겠다.

13 일

1 **admire***
[ædmáiər]
despise

v. **esteem, revere**

존경하다

The whole world *admired* his bold flights in the Tupolev ANT-25.

---

2 **adversity**
[ædvə́:rsəti]
prosperity

n. **calamity, catastrophe, misfortune**

역경

She has been a good friend to me in *adversity* and in prosperity.

---

3 **careless**
[kɛ́ərlis]
heedful

adj. **heedless, reckless, indiscreet**

경솔한

He is *careless* enough to mention the matter in front of the boss.

---

4 **cheat**
[tʃi:t]

v. **deceive, trick, delude**

속이다

President Johnson *cheated* the American people during the 1964 campaign.

---

5 **composed**
[kəmpóuzd]

adj. **calm, tranquil**

차분한

Kennedy seemed very *composed* in spite of the stress he was under.

---

6 **conceal****
[kənsí:l]
reveal

v. **hide, cover, bury**

숨기다

Police officers found the cocaine① *concealed* inside the doll.

---

7 **conciseness**
[kənsáisnis]

n. **brevity**

간결함

They assessed the four questions on the basis of *conciseness* and data accuracy.

---

lossary
① cocaine 코카인

8 deliberate*

[dilíbərit]
casual

adj. **careful, thoughtful, cautious**   신중한

Parliament is expected to be *deliberate* in an extra budget.

---

9 glow*

[glou]

v. **shine, radiate, beam**   빛나다

His eyes *glowed* at seeing the Statue of Liberty for the first time.

---

10 hiatus**

[haiéitəs]

n. **break, interruption, gap**   틈

After the rebellion, the country had a long *hiatus* without a government.

---

11 incinerate*

[insínərèit]

v. **burn**   태우다

He would pillage[2] the farmers' villages and *incinerate* them to the ground.

---

12 indignity

[indígnəti]

n. **humiliation, insult, scorn**   경멸

Nash learned how to overcome the *indignities* and economic hardships.

---

13 light-hearted

[laithá:rtid]

adj. **carefree, gay, joyful**   merry   즐거운

Brede's wife, *light-hearted* as himself, has begun selling coffee at a table.

---

14 load

[loud]

n. **burden**   짐, 부담

Connecticut officials are struggling to reduce the *load* on interstate highway[3] I-95.

---

15 luster**

[lʌ́stər]

n. **sheen, brightness, brilliance**   radiance   광채

This new cosmetics[4] will add *luster* to your skin and hair.

---

16 massive**

[mǽsiv]

adj. **huge, bulky, large**   immense   육중한

Massive ships could easily endure the attack of a huge cannon.[5]

Glossary

② pillage 약탈하다   ③ interstate highway 주(州)간 고속도로   ④ cosmetics 화장품   ⑤ cannon 대포

17 **occupy**	v.	capture, seize	점유하다
[ákjəpài]		The Jackson family have *occupied* the apartment for the past six months.	

18 **placid**	adj.	calm, peaceful, tranquil	평온한
[plǽsid] choleric		The 1990s proved to be more *placid* than the 1980s.	

19 **polish**	v.	brighten, shine, gloss	광내다
[páliʃ] roughen		Assigned to clean weapons, the soldiers began to *polish* their guns.	

20 **prove****	v.	verify, substantiate, confirm	판명되다
[pru:v] refute		The wooden ship *proved* to be extremely effective in naval battles.	

21 **purchase**	v.	buy, procure	사다
[pə́:rtʃəs] sell		He carefully *purchased* a secondhand car in good condition.	

22 **restful**	adj.	peaceful, undisturbed, pacific	편안한
[réstfəl]		Few sounds are as *restful* as that of running water.	

23 **restrict****	v.	limit, confine, restrain	제한하다
[ristríkt] free		The legislation *restricted* the sales of soft drinks in schools during school hours.	

24 **rupture****	n.	breach, burst	파열, 분쟁
[rʌ́ptʃər]		The *rupture* in their friendship was never healed.	

25 **scrutiny**	n.	examination, investigation, inspection	정밀조사
[skrú:təni]		Closer *scrutiny* of the archaeological sites has rendered his hypothesis untenable.	

26 **self-evident**	adj.	evident, obvious, clear	자명한
[sélfévədənt] obscure		It is *self-evident* that they will not pass the exam.	

27 **shameless**	adj.	impudent, insolent, unashamed	뻔뻔스러운
[ʃéimlis] diffident		The columnist was blamed for a *shameless* distortion⑥ of the truth.	

28 **shatter****	v.	break, smash	박살 내다
[ʃǽtər]		Tornado *shattered* windows of nearby houses last night.	

29 **shock**	v.	jolt, startle	충격을 주다
[ʃɑk]		The scandal in the White House *shocked* the whole world.	

30 **significant***	adj.	important, substantial, remarkable consequential, momentous	중요한
[signífikənt] unimportant		Their dolphin-safe campaign brought *significant* change to the tuna⑦ industry.	

31 **sincere**	adj.	earnest, genuine, true	진실한
[sinsíər] insincere		The world embraced Mandela's apparently *sincere* desire to create a non-racial nation.	

32 **slaughter****	v.	massacre, butcher, kill	학살하다
[slɔ́:tər]		Endangered animals are *slaughtered* for traditional medicines.	

33 **strife**	n.	conflict, struggle, fight	싸움
[straif] accord		Selfishness is a major cause of *strife* in a modern society.	

34 **summon**	v.	convene, convoke, bid	소환하다
[sʌ́mən]		The accused⑧ was *summoned* to be in court.	

Glossary —————
⑥ distortion 왜곡　　⑦ tuna 참치　　⑧ the accused 피고

35 **sweeping**	adj.	**broad, comprehensive, wholesale**	전반적인
[swíːpiŋ]		He introduced *sweeping* economic reforms, including the state takeover[9] of many private enterprises.	

36 **tall**	adj.	**high, elevated, lofty**	(키가) 큰, 높은
[tɔːl] short		19th century America was a town of machines and *tall* chimneys.	

37 **tremendous**	adj.	**huge, gigantic, colossal**	엄청난
[triméndəs] minute		The Arab-Israeli conflict would have a *tremendous* impact on the world economy.	

38 **vivid**＊	adj.	**bright, pictorial, realistic** lifelike	선명한, 생생한
[vívid] lifeless		Explorers wrote *vivid* descriptions of the beauty icebergs.	

39 **vocation**	n.	**job, occupation, employment**	직업
[voukéiʃən]		Although a physician by *vocation*, he was a botanist[10] by avocation.[11]	

40 **whim**	n.	**caprice, whimsy**	변덕
[hwim]		The servant submitted[12] to the *whims* of the employer.	

 lossary

⑨ takeover 인수　　　⑩ botanist 식물학자　　　⑪ avocation 취미　　　⑫ submit 복종하다

　● Choose the **synonym**

1. adversity　　　ⓐ huge, gigantic, colossal
2. deliberate　　　ⓑ calamity, catastrophe, misfortune
3. restrict　　　ⓒ careful, thoughtful, cautious
4. tremendous　　　ⓓ confine, limit, restrain

Answer　　1. ⓑ　　2. ⓒ　　3. ⓓ　　4. ⓐ

14 일

| 1 **accidental** | adj. | **contingent, casual, unexpected** unintentional | 우연한 |

[æksidéntl]
planned

Columbus' *accidental* discovery of the West Indies brought on[1] the exploration age.

| 2 **adorn*** | v. | **decorate, beautify, ornament** | 장식하다 |

[ədɔ́ːrn]
disfigure

She *adorned* herself in her finest jewelry for the party.

| 3 **captivate** | v. | **enthrall, enchant, fascinate** | 매혹하다 |

[kǽptəvèit]
repulse

Captivated by visions of military glory, he enlisted[2] in the U.S. Army.

| 4 **coax** | v. | **cajole, persuade** | (~을 하도록) 시키다 |

[kouks]
coerce

Mike tried to *coax* Calvin into abandoning work to come out with him.

| 5 **claim** | v. | **demand, request, require** | 요구하다 |

[kleim]
renounce

He *claimed* a share of the profits from use of the software he developed.

| 6 **commemorate*** | v. | **celebrate** | 기념하다 |

[kəmémərèit]

To *commemorate* the victory, Napoleon awarded everyone in his army a medal.

| 7 **confident** | adj. | **certain, convinced** | 확신하는 |

[kάnfidənt]
dubious

Sir Coningham was *confident* the Germans would never attack Bari.

Glossary

① bring on 발생시키다   ② enlist 입대하다

8 **defy**	v.	challenge, brave	도전하다
[difái] recoil		A growing number of patients are choosing treatments that *defy* scientific logic.	

9 **delicacy**	n.	sensitivity, frailty	섬세함, 약함
[délikəsi]		He displayed® considerable *delicacy* in his handling of the matter.	

10 **disadvantage**	n.	harm, damage, injury	손해
[dìsədvǽntidʒ] advantage		The Navigation Act worked as a *disadvantage* to the colonies.	

11 **famous**	adj.	celebrated, well-known, distinguished	유명한
[féiməs] obscure		No painter or sculptor had been as *famous* as Michelangelo in his own lifetime.	

12 **feast**	n.	celebration, anniversary, ceremony	축제
[fi:st]		On Thanksgiving, the hotel serves a traditional American holiday *feast*.	

13 **freight**	n.	cargo, shipment, load	화물
[freit]		They needed a way to transport *freight* and passengers across the river.	

14 **gather**	v.	collect, aggregate, assemble	모으다
[gǽðər] scatter		Robert *gathered* information on election problems.	

15 **generosity**	n.	charity, bountifulness	관용
[dʒènərásəti]		His antagonists said that Johnson lacked political leadership and *generosity*.	

16 **glad**	adj.	delighted, elated	기쁜
[glæd] sad		He was *glad* that nobody had noticed his difficulties.	

Glossary
③ display 보여주다

86

17 **grand***	adj.	imposing, stately, august	웅장한
[grænd] trivial		Ansel Adams' photographs of the western United States show nature on a *grand* scale.	

18 **hearten***	v.	encourage, inspire, cheer	격려하다
[háːrtn] dampen		The news will greatly *hearten* them.	

19 **hub***	n.	center	중심
[hʌb]		New Delhi is not really a traveler's destination,④ but it is a *hub* city in India.	

20 **humid**	adj.	damp, moist	습기 있는
[hjúːmid] arid		The climate is warm and *humid* throughout the year in Malaysia.	

21 **incarcerate**	v.	imprison, confine	감금하다
[inkáːrsərèit]		After being *incarcerated* for 20 years, Hamilton was released from prison.	

22 **incised***	adj.	carved	새겨진
[insáizd]		Subtle lighting emphasizes delicately *incised* patterns and surface inflections.⑤	

23 **incommode**	v.	disturb, trouble	괴롭히다
[ìnkəmóud]		The little bulldog was *incommoded* by the passers-by.⑥	

24 **joyless**	adj.	cheerless, gloomy, dismal	쓸쓸한
[dʒɔ́ilis]		We do not necessarily recommend that all people should lead a *joyless* life.	

25 **juvenile***	adj.	children's	어린
[dʒúːvənəl] adult		The most common cause of death for *juvenile* owls was starvation.	

Glossary
④ destination 목적지   ⑤ inflection 굴곡   ⑥ passer-by 행인

26 **main**	adj.	**chief, prime, principal**	주요한
[mein] minor		Religious conflict was the *main* factor contributing to the migration.	

27 **negligence**[*]	n.	**carelessness**	태만
[néglidʒəns]		He would not forgive my *negligence* in failing to contact him sooner.	

28 **occur**	v.	**happen, befall**	(사건이)일어나다
[əkə́:r]		About 97 percent of world population growth is *occurring* in developing countries.	

29 **opportunity**	n.	**chance, occasion**	기회
[àpərtjú:nəti]		Skiing is an *opportunity* to enjoy the beauty of the out-of-doors.[⑦]	

30 **overtake**	v.	**catch up with**	따라잡다
[òuvərtéik]		China may soon *overtake* the United States as the world's largest economy.	

31 **prudent**	adj.	**cautious, discreet, careful** wary	신중한
[prú:dənt] imprudent		Mickey thought it might be *prudent* to suspend hostilities.	

32 **repress**	v.	**quell, suppress, subdue**	억누르다
[riprés]		He had been severely *repressed* throughout his childhood.	

33 **revise**[*]	v.	**modify, change, correct**	수정하다
[riváiz]		Scientists *revised* their earlier claims that the ozone layer would recover by 2050.	

34 **spirit**[*]	n.	**mind, tendency, inclination**	성향
[spírit]		She succeeded in developing a *spirit* of loyalty in her employees.	

Glossary
⑦ out-of-doors 야외

35 **skillful**	adj.	**deft, adept, dexterous** adroit, proficient	숙련된
[skílfəl] maladroit		He was extremely *skillful* in carving.	

36 **sociable**	adj.	**gregarious, companionable, social**	사교적인
[sóuʃəbəl] unsocial		Nell is an extremely *sociable* girl enjoying dancing and tennis.	

37 **transformation**	n.	**change, transition**	변화
[trænsfərméiʃən]		In recent years, his attitude has undergone a complete *transformation*.	

38 **transport**	v.	**carry, convey, transport**	운송하다
[trænspɔ́:rt]		Canals were used to *transport* people and goods across large amounts of land.	

39 **trick**	v.	**cheat, beguile, delude**	속이다
[trik]		Nancy became upset when she found out how her brother *tricked* her.	

40 **variable**	adj.	**changeable, inconstant, fickle**	변화하는
[vɛ́əriəbəl] uniform		The weather is rather *variable* in South Africa.	

41 **wholesome**	adj.	**healthful, healthy, salutary**	건강에 좋은
[hóulsəm] noxious		Horse-racing is a *wholesome* leisure sport that anybody can enjoy on weekends.	

 Quiz ● Choose the **synonym**

1. adorn   ⓐ changeable, inconstant, fickle
2. disadvantage   ⓑ imposing, stately, august
3. grand   ⓒ harm, damage, injury
4. variable   ⓓ decorate, beautify, ornament

Answer   1. ⓓ   2. ⓒ   3. ⓑ   4. ⓐ

15 일

1 **affluent**	adj.	**rich, opulent**	부유한
[æflu(:)ənt] poor		She came from an *affluent* family.	

2 **avenge**	v.	**revenge**	복수하다
[əvéndʒ] condone		He *avenged* his sister's death by burning the town.	

3 **corrupt**	adj.	**rotten, spoiled**	부패한
[kərʌ́pt] ethical		The under-development① of our society is due to *corrupt* politicians.	

4 **critic**	n.	**reviewer, judge**	비평가
[krítik]		Today *critics* have begun to understand the importance of his writings.	

5 **decent**	adj.	**nice, proper, modest**	겸손한
[díːsnt] obscene		He has been very *decent* in his conduct toward us.	

6 **disciple**＊	n.	**pupil, student, scholar**	제자
[disáipəl]		Confucius② spent a large part of his life teaching a small group of *disciples*.	

7 **disclose**	v.	**reveal, divulge, unveil**	(사실 등을) 밝히다
[disklóuz] conceal		Government officials *disclosed* that they had been negotiating with the rebels.③	

☆lossary ──────────

① under-development 미개발   ② Confucius 공자   ③ rebel 반역자

8 **dominant**	adj.	**ruling, prevailing, prevalent**	지배적인
[dάmənənt] subordinate		Rome was the *dominant* military power on the Italian Peninsula.[4]	

9 **effect**[*]	n.	**influence, result, consequence** outcome	결과
[ifékt] cause		Inflation is having a disastrous *effect* on the economy.	

10 **eradicate**[**]	v.	**root up , extirpate, eliminate** remove	근절하다
[irǽdəkèit] implant		We spend $50 billion per year trying to *eradicate* drugs from this country.	

11 **expend**	v.	**use, consume, spend**	쓰다, 소비하다
[ikspénd] hoard		He *expended* all his strength in trying to climb to the top of the mountain.	

12 **harsh**[*]	adj.	**severe, rigorous, inclement**	가혹한
[hɑːrʃ] mild		Conditions in the prison camp were unbearably *harsh*.	

13 **heritage**	n.	**inheritance**	유산
[héritidʒ]		America owed its entire *heritage* to the Great Britain.	

14 **income**	n.	**revenue, gain, earnings**	소득
[ínkʌm]		Tobacco became the main source of *income* for most of the colonists.	

15 **insolent**[**]	adj.	**impudent, impertinent, rude** overbearing, arrogant	거만한
[ínsələnt] deferential		He was coldly *insolent* to those he considered his inferiors.[5]	

16 **isolation**	n.	**separation, segregation**	분리
[àisəléiʃən]		Because of its geographical *isolation*, Africa developed its own unique culture.	

Glossary

[4] peninsula 반도   [5] inferior (능력 등이) 떨어지는 사람

| 17 **jeopardy** | n. | **risk, danger, peril** | 위험 |
| [dʒépərdi] safety | | Deflation in farmland prices placed many farmers in financial *jeopardy*. | |

| 18 **ludicrous** | adj. | **ridiculous, comical, funny** | 우스꽝스러운 |
| [lúːdəkrəs] doleful | | It would be *ludicrous* for the media to be able to influence the conduct of a battle. | |

| 19 **mature** | adj. | **ripe, grown, fully-developed** | 성장한, 익은 |
| [mətʃúər] immature | | He is physically *mature*, but not psychologically. | |

| 20 **mock** | v. | **ridicule, deride** | 조롱하다 |
| [mɑk] | | He deliberately *mocked* the principles I adhered to. | |

| 21 **mutiny** | n. | **revolt, rebellion, uprising** | 폭동 |
| [mjúːtəni] | | After the *mutiny* had been settled, Magellan sailed to the Pacific Ocean. | |

| 22 **precious** | adj. | **valuable, dear, priceless** | 귀중한 |
| [préʃəs] worthless | | The colonies were forced into providing *precious* metals to the mother country. | |

| 23 **regulation** | n. | **rule, order, law** | 규칙 |
| [règjəléiʃən] | | There are too many rules and *regulations* governing small businesses. | |

| 24 **reign** | v. | **rule, govern, prevail** | 지배하다 |
| [rein] | | Clinton *reigned* for 8 years as president of America. | |

| 25 **revert**** | v. | **return, come back, revisit** | 되돌아가다 |
| [rivə́ːrt] advance | | Having failed to thrive on land, the creatures *reverted* permanently to an aquatic.[6] | |

glossary

⑥ aquatic 수생 생물

26 **spacious**	adj.	**ample, capacious, roomy** extensive	넓은
[spéiʃəs] confined		They have a *spacious* office on the seventh floor in the building.	

27 **revive**	v.	**revitalize**	소생(회복)시키다
[riváiv] extinguish		The firefighter *revived* her with mouth-to-mouth resuscitation.⑦	

28 **recommend**	v.	**commend**	추천하다
[rèkəménd] discommend		Boise was *recommended* to the Vice President by General Dellinger.	

29 **strange**	adj.	**unusual, peculiar, odd** weird, foreign	이상한
[streindʒ] usual		She was first at a loss at the *strange* customs of the country.	

30 **strict**	adj.	**rigid , rigorous, stringent**	엄격한
[strikt] lenient		The old woman made sure that the girls lived by *strict* moral standards.	

31 **swift**	adj.	**speedy, fleet, rapid**	빠른
[swift] sluggish		With a *swift* movement, Maggie stood upright.	

32 **swivel**	v.	**spin, rotate, turn**	회전하다
[swívəl]		His chair can *swivel*, but it cannot move up and down.	

33 **tense**	adj.	**rigid, strained, nervous**	긴장한
[tens] relaxed		The atmosphere in the casino was extremely *tense*.	

34 **traitor**	n.	**betrayer**	반역자
[tréitər]		He was blamed as a *traitor* to the cause of women's rights.	

 lossary

⑦ resuscitation 소생술

| 35 **undermine** | v. | ruin, thwart | 약화시키다 |

[ʌndərmáin]
reinforce

Income reductions have *undermined* the foundation of the middle class.

| 36 **upset** | v. | 1. capsize, overthrow, overturn   defeat | 뒤엎다, 정복하다 |

[ʌpsét]

Bush *upset* Reagan in the Iowa campaign.

| | v. | 2. disturb, distress, perturb | 당황하게 하다 |

The mayor's ignorance *upset* the whole city.

| 37 **virtuous** | adj. | righteous, good, chaste | 정숙한 |

[və́:rtʃuəs]
vicious

He was shown as a courageous and *virtuous* family man.

| 38 **wake** | v. | rouse, waken, arouse | 깨우다 |

[weik]

The telephone *woke* me from my daydreaming.⑧

| 39 **withdraw** | v. | retire, retreat | 물러나다 |

[wiðdrɔ́:]
advance

He has completely *withdrawn* from public life to devote himself to his books.

| 40 **worship** | v. | revere, respect, venerate | 숭배하다 |

[wə́:rʃip]

The Hittites *worshipped* a sun goddess and a storm god.

⑧ daydreaming 몽상

▲ Choose the **synonym** of the highlightened word in the sentence.

1. The heat-adapted person in humid climates is characteristically tall and thin.
   ⓐ hot   ⓑ damp   ⓒ desolate   ⓓ insecure

2. Weather becomes more extreme and variable with atmospheric heating in part because the warming accelerates the water cycle.
   ⓐ consistent   ⓑ fickle   ⓒ rigid   ⓓ tough

3. Systems of writing have evolved in isolation at different times in different parts of the world.
   ⓐ segregation   ⓑ share   ⓒ evidence   ⓓ instrument

4. A single gunman can slaughter dozens or even hundreds of people in a short time.
   ⓐ kindle   ⓑ massacre   ⓒ prevail   ⓓ obscure

5. Brede's wife, careless and light-hearted as himself, for all the fullness of her in front, has begun selling coffee at a table.
   ⓐ detached   ⓑ elusive   ⓒ reckless   ⓓ ample

6. The brown dwarfs are not the dominant constituent of the universe's mass.
   ⓐ latent   ⓑ ruling   ⓒ malcontent   ⓓ aggressive

7. Not one decent sleeping apartment can be found on the entire premises.
   ⓐ nice   ⓑ impudent   ⓒ reciprocal   ⓓ limber

8. Scarcity of food, clothing, and shelter influences Arctic living conditions more than the harsh climate does.
   ⓐ tedious   ⓑ cumbersome   ⓒ severe   ⓓ abstract

▲ Choose the **antonym** of the highlightened word in the sentence.

9. 'The Birds of America' was a work conceived and executed on a grand scale.
   ⓐ base   ⓑ sweeping   ⓒ trivial   ⓓ sober

10. A tornado's devastating blasts of wind put all human life in jeopardy.
    ⓐ woe   ⓑ safety   ⓒ pact   ⓓ intimacy

Take a Break

Hope 희망(希望)

Hope is a waking dream. 희망은 백일몽이다.

Aristotle 아리스토텔레스

While there's life, there's hope. 삶이 있는 한 희망도 있다.

Cicero 키케로(로마 정치가, 철학자)

All human wisdom is summed up in two words 모든 인간의 지혜는 두 가지 말로 요약된다

- Wait and hope. - 기다림과 희망

A. Dumas A. 뒤마(프랑스 소설가)

Hope is the parent of faith. 희망은 신념의 어버이이다

C.A Bartol C. A. 바르톨(미국 목사)

He who has never hoped can never despair. 희망을 가져본 적이 없는 자는 절망할 자격도 없다

Bernard Shaw 버나드 쇼(영국 극작가, 평론가)

16 일

1 **alternative**[*]	n.	choice, option	대안

[ɔ:ltə́:rnətiv]

Survey research provides an *alternative* to the experimental method.

2 **apparel**	n.	clothes, attire, costume	옷

[əpǽrəl]

His *apparel* was so unique that it drew everyone's attention.

3 **awkward**	adj.	clumsy, unskillful	서투른

[ɔ́:kwərd]
deft

Adams lost votes by his *awkward* efforts to resolve the Texas issue.

4 **bid**	v.	command, order, direct	명령하다

[bid]
prohibit

She *bade* him get out of the car.

5 **chill**	adj.	cold, indifferent, emotionless	냉담한

[tʃil]

A *chill* smile appeared around Soames' lips.

6 **clash**	v.	collide, conflict	충돌하다

[klæʃ]
accord

Both the British and African Christians *clashed* with Muslims.

7 **cleanse**	v.	clean, purify	깨끗이 하다

[klénz]

The kitchen was *cleansed* with soap and water.

glossary ───────────────────────────────

8 contemporary*	adj.	coexisting, simultaneous, synchronous	동시대의
[kəntémpərèri] antecedent		The focus on *contemporary* American filmmakers featured three films of American directors.	

9 courteous	adj.	civil, polite, well-mannered	예의 바른
[kə́ːrtiəs] blunt		She was pleasant and *courteous* to nearly every one.	

10 disaster	n.	calamity, mishap, catastrophe	재난
[dizǽstər]		The world's poorest countries are the hardest-hit① by global *disasters* like AIDS.	

11 exception*	n.	exclusion	예외, 반대
[iksépʃən]		With the *exception* of the U.S. and Canada, most nations limited the flow of capital across borders.	

12 feature*	n.	characteristic	특징
[fíːtʃər]		The building contains many novel architectural *features*.	

13 gentle	adj.	humane, merciful, amiable	온화한
[dʒéntl] harsh		He was *gentle* in manner but firm in action.	

14 gross	adj.	bulky, massive, great	커다란
[grous] petty		It's clear to me that you all have *gross* emotional problems.	

15 incorporate*	v.	combine, integrate, include	통합하다
[inkɔ́ːrpərèit]		Louise traced how Americans *incorporate* nature into their urban and suburban lives.	

16 intimate*	adj.	close, familiar	친숙한
[íntəmit] remote		Monroe was *intimate* with many of the greatest minds of her day.	

Glossary
① the hardest-hit 가장 크게 타격을 받은

| 17 **invoke** | v. | **call, summon** | 호소하다 |

[invóuk]

The committee would immediately *invoke* a parliamentary probe② into the case.

| 18 **junction** | n. | **combination, union, joining** | 결합(지점) |

[dʒʌ́ŋkʃən]

They can find the building at the *junction* of Silver Street and King's Parade.

| 19 **light** | n. | **illumination, radiance** | 빛 |

[lait]

Einstein is well known for his Theory of Relativity which tackled③ the speed of *light*.

| 20 **loop*** | v. | **circle, encircle** | 묶다 |

[lu:p]

He *looped* the rope at the end of the chair.

| 21 **lucid*** | adj. | **clear, obvious, distinct** evident | 명백한 |

[lú:sid]
obscure

The new teacher's explanation is *lucid* enough for a child to understand.

| 22 **master** | n. | **commander, chief, head** | 주인 |

[mǽstər]

Newly emancipated④ slaves wandered the South after having left their former *masters*.

| 23 **option*** | n. | **choice, selection** | 선택 |

[ápʃən]

They had an *option* between German and French.

| 24 **picturesque** | adj. | **colorful, scenic, beautiful** | 그림같이 아름다운 |

[pìktʃərésk]

They were struck by the *picturesque* village shadowed in towering trees.

| 25 **pillar** | n. | **column, prop** | 기둥 |

[pílər]

Max tried to get up, but his hands were tight to the *pillar*.

Glossary

② probe 정밀조사　　③ tackle 다루다, 조사하다　　④ emancipated 해방된

26 **prevent**[*]	v.	avoid, avert, deter	~을 방해하다, 막다
[privént] allow		Eating fruits and vegetables regularly may **prevent** well over 20 percent of all cancer cases.	

27 **pride**	n.	conceit, self-esteem, arrogance	자만심, 자존심
[praid] shame		We feel great **pride** at being selected to represent our region.	

28 **revolve**[**]	v.	rotate, circulate, circle	회전하다
[riválv]		The metal disk **revolves** at high speed.	

29 **scale**[*]	v.	climb, mount, ascend	기어오르다
[skeil]		We saw the little squirrels[⑤] **scaling** the tree.	

30 **secret**	adj.	clandestine, concealed, private	비밀의
[sí:krit] public		The President escaped through a **secret** passage.	

31 **sensational**[**]	adj.	exciting, stimulating	세상을 들끓게 하는
[senséiʃənəl]		All the people were really interested in a **sensational** murder trial.	

32 **solace**	n.	comfort, consolation	위로
[sáləs]		He made the pilgrimage[⑥] to Jerusalem as a **solace** to his own soul.	

33 **sort**[*]	v.	classify, class, assort	분류하다
[sɔːrt] merge		She got a job of **sorting** letters in the Post Office.	

34 **split**	v.	cleave, rend, separate	분리하다
[split]		At the close of the war, Germany was **split** into East and West Germany.	

Glossary ———————

⑤ squirrel 다람쥐   ⑥ pilgrimage (성지)순례

| 35 **resemblance** | n. | **similarity, likeness, analogy** similitude | 유사점 |

[rizémbləns]
dissemblance

The *resemblance* between mother and daughter was
unbelievable.

| 36 **trim** | v. | **clip, shear, arrange** | 다듬다 |

[trim]

He has *trimmed* bushes into good shape all day long.

| 37 **unmindful** | adj. | **careless, inattentive, neglectful** | 부주의한 |

[ʌnmáindfəl]
mindful

He was *unmindful* of the consequences of his hasty decision.

| 38 **unrefined** | adj. | **coarse, crude, vulgar** | 세련되지 못한 |

[ʌnrifáind]
refined

His *unrefined* manner gave a bad impression about him.

| 39 **vary**＊ | v. | **differ, change, alter** transform | 변하다 |

[vɛ́əri]

Fashion tends to *vary* with the time and place.

| 40 **venture** | n. | **adventure, enterprise** | (위험스러운) 모험 |

[véntʃər]

He made a *venture* into the jungle with his close friends.

| 41 **weary** | adj. | **exhausted, tired, wearied** | 지친 |

[wíəri]
refreshed

He became *weary* of the monotony of the work.

 ● Choose the **synonym**

1. awkward   ⓐ climb, mount, ascend
2. courteous   ⓑ combine, integrate, include
3. incorporate   ⓒ civil, polite, well-mannered
4. scale   ⓓ clumsy, unskillful

Answer 1. ⓓ 2. ⓒ 3. ⓑ 4. ⓐ

17 일

1 absolute	adj.	**complete, perfect**	절대적인

[ǽbsəlùːt]
incomplete

He is an *absolute* being in his field of study.

2 account	n.	**explanation, exposition**	설명

[əkáunt]

Most *accounts* of historical change divide the sequence of events into periods.

3 chamber*	n.	compartment	(작은) 방

[tʃéimbər]

Fran made her way to her sister's bed *chamber*.

4 compact*	v.	compress	압축하다

[kəmpǽkt]
loose

Paper is made by *compacting* pulp firmly.

5 company	n.	**firm, concern, corporation**	회사

[kʌ́mpəni]

He was the founder of the international *company*.

6 complex	adj.	**compound, complicated**	복잡한

[kəmpléks]
simple

Biologists seek to understand how *complex* species evolved from simpler ones.

7 compulsory	adj.	**compelled, binding**	강제적인

[kəmpʌ́lsəri]

In Britain, education is *compulsory* between the ages of 5 and 16.

Glossary

8 concomitant*   adj. **concurrent, simultaneous, synchronous**   동시에 일어나는

[kɑnkɑ́mətənt]

The war ruined economy of European societies with all *concomitant* sufferings.

9 condense*   v. **compress, concentrate**   압축(응축)하다

[kəndéns]
amplify

The gaseous[1] metal is *condensed* by cold into a liquid.

10 conform   v. **comply, agree, assent**   순응하다

[kənfɔ́ːrm]
diverge

Hoover *conformed* to the mainstream[2] of progressive social thought.

11 consistent   adj. **compatible, harmonious, coherent**   일관된

[kənsístənt]

All my principles were *consistent* with virtue and honor.

12 constrain   v. **compel, coerce, restrain**   강요하다, 억제하다

[kənstréin]

Circumstances *constrained* them to sell the stocks.

13 contagious*   adj. **infectious, communicable**   전염성 있는

[kəntéidʒəs]

A flu[3] is a sort of virus highly *contagious* through the air.

14 contract   n. **compact, bargain**   계약

[kɑ́ntrækt]

The company won a *contract* for work on Europe's tallest building.

15 contrast   n. **comparison**   대조

[kɑ́ntræst]

A *contrast* of Aristotle and Cicero illuminates Cicero's acceptance of tradition.

16 decisive*   adj. **definite, conclusive, determinative**   결정적인

[disáisiv]
hesitant

The battle was *decisive* for the fate of civilization.

Glossary

① gaseous 기체화된   ② mainstream 대세   ③ flu 유행성감기

17 **disdain**	v.	condemn, despise, scorn	경멸하다
[disdéin] respect		He worships strength and *disdains* weakness.	

18 **element****	n.	component, part, feature constituent, ingredient	구성요소
[éləmənt]		Hydrogen is the most common *element* on Earth.	

19 **enlighten**	v.	illumine, edify	계몽하다
[enláitn] mystify		The term Buddha⑭ refers to one who is awakened or *enlightened*.	

20 **evil**	adj.	immoral, malicious	사악한
[íːvəl] virtuous		The government has rightly declared war against the *evil* internet sites.	

21 **exhaust**	v.	expend, consume	소모하다
[igzɔ́ːst] conserve		We are going to *exhaust* the resources that are available to us.	

22 **expand****	v.	bloat, swell, extend enlarge	확장하다
[ikspǽnd] contract		He tried to make his great idea to *expand* into a worldwide program.	

23 **flattering***	adj.	complimentary	아부하는
[flǽtəriŋ]		His manner to Hemmings was full of *flattering* courtesy.	

24 **full-blown***	adj.	complete, matured	성숙한
[fúlblóun]		Everyone was surprised at her *full-blown* musical talent.	

25 **hide**	v.	conceal, veil, cover	감추다
[haid] disclose		The rich man's house was *hidden* away from the eyes of the public.	

lossary
⑭ Buddha 부처, 석가모니

26 **intricate****	adj.	complex, elaborate, complicated	복잡한
[íntrəkit]		Not many students understand the *intricate* functioning of the cyber university.	

27 **mammoth**	adj.	huge, gigantic, colossal	거대한
[mǽməθ]		The government limited foreign ownership⑤ of the *mammoth* electric company.	

28 **mercy**	n.	compassion, benevolence	자비
[mə́ːrsi] reprisal		Children learn to be merciful by experiencing *mercy*.	

29 **ordinary***	adj.	mundane, common, usual customary	보통의
[ɔ́ːrdənèri] extraordinary		Lincoln learned what *ordinary* citizens felt about their government.	

30 **plain**	adj.	clear, distinct, obvious	분명한
[plein] abstruse		It is quite *plain* that he will break off their engagement.	

31 **popular**	adj.	common, current, general	대중적인
[pápjələr] unpopular		Baseball is the most *popular* sport in the United States.	

32 **recompense**	n.	compensation, reward	보상
[rékəmpèns]		The court awarded him partial *recompense* for his financial losses.	

33 **reconcile**	v.	conciliate, settle, resolve	타협시키다
[rékənsàil] estrange		He found it hard to *reconcile* himself with his family after 20 years of silence.	

34 **remark**	n.	comment, utterance, statement	언급, 의견
[rimáːrk]		He was shocked by her *remark* about not wanting to work with him.	

glossary
⑤ownership 소유권

35 **own**	v.	acknowledge, admit, allow	인정하다
[oun] deny		She *owned* that the pioneering environmental writer influenced her work.	

36 **revolutionize****	v.	completely change	~에 혁명을 일으키다
[rèvəlúːʃənàiz]		The invention of light *revolutionized* world civilization.	

37 **rival**	n.	competitor, antagonist, opponent	경쟁자
[ráivəl]		Unlike Washington, Adams had *rivals* for the presidency.	

38 **self-satisfied**	adj.	complacent, smug	자기 만족의
[sélfsætisfàid]		The villain⑥ showed a *self-satisfied* sneer.	

39 **stretch**	v.	extend, lengthen, pull	늘리다
[stretʃ] shorten		The interstate highways *stretched* American mobility to new distances.	

40 **succinct***	adj.	concise, brief, terse	간결한
[səksíŋkt] discursive		The general offered a *succinct* summation⑦ of the situation.	

41 **tumult**	n.	disturbance, turbulence, uprising	소란
[tjúːmʌlt] calm		Many lost their beliefs in the *tumult* of revolution and war.	

🕮 l o s s a r y

⑥ villain 악당   ⑦ summation 개요, 요약

Quiz

● Choose the **synonym**

1. conform   ⓐ extend, lengthen, pull
2. disdain   ⓑ comply, agree, assent
3. ordinary   ⓒ condemn, despise, scorn
4. stretch   ⓓ common, usual, mundane

Answer   1. ⓑ   2. ⓒ   3. ⓓ   4. ⓐ

18 일

1 **ability***	n.	faculty, capacity, competence	능력
[əbíləti] impotence		Computers have a prodigious① *ability* to store and process information.	

2 **accept**	v.	approve, acknowledge, admit	받아들이다
[æksépt] reject		The committee *accepted* the chairman's resignation.	

3 **accord**	v.	agree, assent, concur	동의하다
[əkɔ́:rd] disagree		They *accorded* with my opinion.	

4 **announce**	v.	proclaim, publish, declare	공포하다
[ənáuns] suppress		Nixon *announced* his intention to withdraw fifty thousand troops in addition.	

5 **bond**	n.	union	연맹
[bɑnd]		They elected him as a president of the student's *bond*.	

6 **brutal**	adj.	savage, cruel, inhuman	잔인한
[brú:tl]		Many agree that Sherman was too *brutal* and cruel during the war.	

7 **contempt**	n.	scorn, disdain	경멸
[kəntémpt] regard		He has *contempt* for those trying to cheat in exams.	

Glossary
① prodigious 놀라운

8 **content**	adj.	**satisfied, contented**	만족한
[kəntént] unsatisfied		The dog looked completely *content* lying in the sun.	

9 **crash**	v.	**shatter, smash**	산산이 부수다
[kræʃ]		She *crashed* the glass vase against the marble® floor.	

10 **cynical**	adj.	**sarcastic, satirical, sneering**	냉소적인
[sínikəl]		He was *cynical* about her prospects for success.	

11 **dash**	v.	**rush, dart, bolt**	돌진하다
[dæʃ] dally		He heard the sirens and *dashed* over to the crowd.	

12 **devout***	adj.	**pious, devoted, saintly**	독실한
[diváut] impious		The shrine® is a proper place for a *devout* Buddhist to pray and meditate.	

13 **disperse***	v.	**scatter, dissipate, diffuse**	흩어지게 하다
[dispə́:rs] assemble		The smell was rapidly *dispersed* by the strong winds.	

14 **economical**	adj.	**saving, thrifty, frugal**	절약하는
[ì:kənámikəl] extravagant		The new engine is fairly *economical* with fuel.	

15 **eventually***	adv.	**in time, finally, in the long run**	결국
[ivéntʃuəli]		The U.S.A. *eventually* recognized the Filipinos' desire for independence.	

16 **expel**	v.	**oust, banish, exile**	내쫓다
[ikspél] admit		The immigrants were brutally *expelled* from the country.	

Glossary

② marble 대리석　　③ shrine 성지

17 **faint***	adj.	**indistinct, dim, feeble**	희미한
[feint] clear		Red giant stars appear *faint* even though they are quite luminous.	

18 **financial**	adj.	**monetary, pecuniary**	재정상의
[finǽnʃəl]		*Financial* problems forced him to return to Tennessee in less than a year.	

19 **frighten**	v.	**scare, terrify, alarm**	두렵게 하다
[fráitn] embolden		They were *frightened* into a confession of guilt.	

20 **gain**	v.	**obtain, attain, earn**	획득하다
[gein] lose		The United States *gained* independence from England in 1775.	

21 **incense**	n.	**scent, fragrance**	향기
[ínsens]		The fragrant *incense* of the rose hung heavy in the air.	

22 **manner**	n.	**mode, fashion, way**	방식
[mǽnər]		He didn't like the *manner* in which this work is being carried out.④	

23 **mariner**	n.	**sailor, seaman**	선원
[mǽrənər]		The Polynesian *mariners* navigated around the world.	

24 **meager***	adj.	**limited, scanty, deficient** insignificant	부족한
[mí:gər] ample		Lincoln's *meager* education aroused his desire to learn.	

25 **penetrating**	adj.	**piercing, sharp, acute**	통찰력 있는
[pénətrèitiŋ]		He did a *penetrating* study of the effects of war on a youth.	

lossary
④ carry out 수행하다

26 **plot**	n.	scheme, intrigue, conspiracy	음모
[plɑt]		They might be linked to the *plot* to assassinate Kennedy.	

27 **precaution**	n.	carefulness, prudence, forethought	조심, 신중
[prikɔ́:ʃən]		There must be *precautions* to avoid the pain of dry skin.	

28 **rascal**	n.	scamp, villain, scoundrel	악당
[rǽskəl]		She stepped towards the *rascal* and kicked him out of the door.	

29 **refuge**	n.	sanctuary, shelter	피난, 은신
[réfjuːdʒ] exposure		She tried to find *refuge* from oppression in a foreign country.	

30 **rescue**	v.	save, deliver, redeem	구출하다
[réskjuː]		Roosevelt devised a plan to *rescue* the United States from the Great Depression.	

31 **reserve**	v.	save, retain, keep	아껴두다, 저장하다
[rizə́:rv]		You have to *reserve* your energies for the new task.	

32 **rural**	adj.	rustic, pastoral	시골의
[rúərəl] urban		The economic development has enormously affected the life in *rural* communities.	

33 **scrub****	v.	scratch, scour	북북 문지르다
[skrʌb]		The maid *scrubbed* the floor tainted[5] by spilt milk.	

34 **secure***	v.	acquire, procure, get	확보하다
[sikjúər]		We approved her plan to *secure* necessary information.	

ᵍlossary
⑤ taint 더럽히다

| 35 **shade** | v. | screen, hide, conceal | 가리다 |

[ʃeid]
expose

She raised her hands to *shade* her eyes from the sun.

| 36 **soft** | adj. | yielding, pliable, plastic | 부드러운 |

[sɔ(:)ft]
rough

Moss⑥ is *soft* to the touch like velvet.⑦

| 37 **specimen*** | n. | sample, model, pattern | 견본 |

[spésəmən]

He collected a prodigious⑧ number of *specimens* of the extinct species.

| 38 **speculation*** | n. | conjecture, supposition, surmise | 심사숙고 |

[spèkjəléiʃən]

She disturbed his *speculation* to inform him of a surprising news.

| 39 **terrific** | adj. | splendid, glorious, superb | 굉장한 |

[tərífik]

We had a *terrific* time at Johnson's party.

Glossary ──

⑥ moss 이끼   ⑦ velvet 우단   ⑧ prodigious 막대한

▲ Choose the **synonym** of the highlightened word in the sentence.

1. Organic architecture incorporates built-in architectural features such as benches and storage areas.

   ⓐ combines   ⓑ strains   ⓒ accuses   ⓓ urges

2. He became reconciled to the fact that his ideas, especially the use of dissonance and special effects were just too different for the musical mainstream to accept.

   ⓐ adapted   ⓑ ebbed   ⓒ conciliated   ⓓ biased

3. There are small but consistent correlations which are not repeated for other nations.

   ⓐ effective   ⓑ grateful   ⓒ compatible   ⓓ huge

4. While the main burden of domestic labor falls on women, they will be constrained in their occupational choice.

   ⓐ elevated   ⓑ reduced   ⓒ adjusted   ⓓ compelled

5. They will lose their inherent powers of honest and dispassionate criticism of the evil behavior in society.

   ⓐ immoral   ⓑ eternal   ⓒ mutual   ⓓ initial

6. The mystical philosophers were not able to hide the secrets of alchemy.

   ⓐ conceal   ⓑ envelop   ⓒ insult   ⓓ progress

7. The traditional Japanese instrument is made by stretching 13 strings of tightly coiled silk over an arched body of paulownia wood.

   ⓐ captivating   ⓑ pondering   ⓒ extending   ⓓ dividing

8. Expelled in 1845, he moved to Brussels and, after traveling around Europe, finally settled in London in 1849.

   ⓐ Towered   ⓑ Banished   ⓒ Outlined   ⓓ Urged

   ▲ Choose the **antonym** of the highlightened word in the sentence.

9. Peasant indebtedness to rural moneylenders typically forces the peasant into the category of landless rural proletariat.

   ⓐ urban   ⓑ exigent   ⓒ pecuniary   ⓓ candid

10. Cohen was a little old Frenchman, with soft kind eyes and a pleasant smile.

   ⓐ rough   ⓑ languid   ⓒ majestic   ⓓ credulous

Take a Break

스터디 시작 10분 전 : 피 말리는 점심시간

19일

1 advent*
[ǽdvent]
exit

n. introduction, appearance, arrival   출현

The *advent* of computer has revolutionized our life dramatically.

---

2 aggregate
[ǽgrigèit]
spread

v. assemble, collect, gather   모으다

The mayor tried to *aggregate* interests of the community.

---

3 assembly*
[əsémbli]

n. congress, legislature, parliament   의회

The right to hold a peaceful *assembly* should not be prohibited.

---

4 associated**
[əsóuʃièitid]
divided

adj. connected, correlated, linked   연관된

Changes in the upper ocean temperature are *associated* with global warming.

---

5 aware
[əwɛ́ər]
ignorant

adj. conscious   ~을 알고있는

The government made people *aware* of the results of population explosion.

---

6 behave
[bihéiv]

v. conduct, act   행동하다

Her children were expected to *behave* properly.

---

7 bewilder
[biwíldər]

v. confuse, perplex, puzzle   당황하게 하다

He was completely *bewildered* by all the unfamiliar names and places.

---

 glossary

8 combination	n.	conjunction, association, union	연합
[kàmbənéiʃən]		Labor unions① were not illegal *combinations*.	

9 compress	v.	compact, condense, squeeze	압축하다
[kəmprés] spread		The machine *compresses* old cars into blocks of scrap② metal.	

10 consort⁕	v.	associate, fraternize, agree	일치하다
[kansɔ́:rt]		His idea does not *consort* with our University's goals.	

11 consult	v.	confer	의논하다
[kənsʌ́lt]		He has *consulted* his physician about his health.	

12 correct	v.	remedy, amend, rectify	고치다
[kərékt] spoil		Only his new plan can *correct* the problem without serious side effects.③	

13 criminal	n.	convict, sinner, culprit offender	범죄자
[krímənəl]		The suspected *criminal* was investigated by the police.	

14 deadly⁕	adj.	fatal, lethal, mortal	치명적인
[dédli] harmless		It is possible that mosquitoes④ are carrying a *deadly* virus.	

15 defeated⁕	adj.	conquered	패배한
[difí:tid]		There were *defeated* soldiers in the area of the north shoulder.⑤	

16 destiny	n.	fate, doom	운명
[déstəni]		His *destiny* was to be poor throughout his life.	

ɢlossary ─────────────────────────────
① labor union 노동조합   ② scrap 조각   ③ side effect 부작용   ④ mosquito 모기
⑤ shoulder 산등성이

¹⁷ **detain**	v.	**confine, arrest, keep**	억류하다
[ditéin]		Ten men and two women were *detained* on the plane as hostages.⑥	

¹⁸ **edge***	n.	**periphery, border, margin** boundary	가장자리
[edʒ]		People are moving to the *edges* of cities and suburban areas.	

¹⁹ **elude**	v.	**avoid, evade, dodge**	피하다
[ilú:d] face		The prey is trying its best to *elude* the hunter.	

²⁰ **endow**	v.	**dower, endue, confer**	주다
[endáu]		He is a man *endowed* by nature with an inventive mind.	

²¹ **faith**	n.	**confidence, trust, credit**	믿음
[feiθ] disbelief		His *faith* in the existence of Santa Claus has been severely shaken.	

²² **fight**	n.	**conflict, battle, war**	전쟁, 싸움
[fait]		The minor disagreement may develop into a real *fight*.	

²³ **fluster***	v.	**confuse, flurry**	당황하게 하다
[flʌ́stər]		She was *flustered* at his sudden appearance.	

²⁴ **guess**	v.	**conjecture, suppose, fancy**	추측하다
[ges]		A good chess player can *guess* what kind of move his opponent is making next.	

²⁵ **importance**	n.	**consequence, moment, significance**	중요함
[impɔ́:rtəns] inconsequence		Wilson agrees with the *importance* of high-level Israeli support.	

glossary ————————————
⑥ hostage 인질

26 **interfere**＊	v.	intervene, intrude	간섭하다
[ìntərfíər]		People did not want a government to *interfere* with the country's economy.	

27 **last**＊＊	adj.	1. final, ultimate, conclusive	마지막의
[læst] initial		The *last* survivor of the Titanic died in her home.	

	v.	2. continue	지속하다
		Stormy weather *lasted* ten days.	

28 **manage**＊	v.	control, conduct, direct administer	관리하다
[mǽnidʒ]		The producer *manages* all programs that have an entertainment focus.	

29 **mess**	n.	confusion, muddle	혼란
[mes]		The economy is getting into a worse and worse *mess*.	

30 **monopolize**＊	v.	dominate, occupy	독점하다
[mənápəlàiz] share		Equality can't exist where a few men *monopolize* the whole property.	

31 **overcome**	v.	conquer, defeat, subdue	극복하다
[òuvərkʌ́m] submit		The nation will have to *overcome* the anti-American sentiment of the 1980s.	

32 **prophesy**	v.	foretell, predict	예언하다
[práfəsài]		The fortune-teller⑦ *prophesied* the exact timing for the disastrous earthquake.	

33 **ratify**＊	v.	endorse, confirm, sanction validate	승인하다
[rǽtəfài] reject		The peace treaty was being *ratified* by Congress.	

⑦ fortune-teller 점쟁이

117

34 **regard**	v.	consider, suppose	--로 여기다
[rigáːrd]		The British government *regarded* the colonies as a source of revenue.[8]	

35 **shift****	v.	**move**, change, switch	바꾸다
[ʃift]		The Civil Rights Movement *shifted* the public opinion fundamentally.	

36 **state**	n.	condition, status, position	상태
[steit]		The company's finances are not in a *state* for expansion.	

37 **stern**	adj.	strict, severe, austere	엄격한
[stə́ːrn] lenient		If workers do not return to their workplaces, they will face *stern* punishment.	

38 **subscribe**	v.	consent, agree, assent	동의하다
[səbskráib]		All the people *subscribed* to the Revolutionary War.	

39 **successive**	adj.	consecutive, continuous	계속되는
[səksésiv]		The Labor Party suffered its third *successive* election defeat.	

40 **trust**	n.	confidence, belief, faith	신뢰
[trʌst] dubiety		I have the president's *trust* in managing the company.	

41 **witty**	adj.	clever, comic, amusing	재치 있는
[wíti] senseless		John Adam's cabinet was not nearly as *witty* as the one of Washington.	

Glossary

⑧ revenue 수입

Quiz

● Choose the **synonym**

1. correct   ⓐ change, switch, move
2. elude   ⓑ conquer, defeat, subdue
3. overcome   ⓒ amend, remedy, cure
4. shift   ⓓ avoid, evade, dodge

Answer   1. ⓒ   2. ⓓ   3. ⓑ   4. ⓐ

20 일

1 **accurate****	adj.	**precise, true, correct**	정확한

[ǽkjərit]
lax

He gave me an *accurate* picture of what an elephant was.

2 **advisor***	n.	**consultant**	고문

[ædváizər]

Katie McGinty was a senior environmental *advisor* to President Clinton.

3 **antagonize***	v.	**counteract**	대항하다

[æntǽgənàiz]

He *antagonized* both the pope① and a group of American missionaries.②

4 **appall**	v.	**frighten, horrify, shock**	오싹하게 하다

[əpɔ́:l]
embolden

The devastation and poverty in India is *appalling* even to those accustomed to such sights.

5 **assure***	v.	**convince, persuade, satisfy**	확신시키다

[əʃúər]
discomfit

He *assured* the South that he would protect slavery.

6 **bargain**	v.	**contract, deal, negotiate**	거래하다

[bá:rgin]

The Wagner Act guaranteed workers the right to *bargain* collectively.

7 **brave***	adj.	**courageous, gallant, dauntless**	대담한

[breiv]
craven

Being *brave* doesn't mean looking for trouble.

Glossary
① pope 교황   ② missionary 선교사

8 **crucial****	adj.	important, acute, deciding decisive, critical	결정적인
[krúːʃəl]		The public opinion was the *crucial* factor in decision making on the war.	

9 **carry**	v.	convey, transport, transfer	나르다
[kǽri]		Montgomery allowed his troops to take everything they could *carry*.	

10 **complain**	v.	grumble	불평하다
[kəmpléin] accept		Many men *complained* that they could not support their families.	

11 **correspond**	v.	conform, accord, match	일치하다
[kɔ̀ːrəspánd]		Her behavior always *corresponds* to her principles.	

12 **daring***	adj.	bold, courageous, brave	용감한
[dɛ́əriŋ]		As a result of his *daring* confrontations, Kennedy had to face numerous threats.	

13 **devise**	v.	contrive, invent, design	고안하다
[diváiz]		The government is carefully *devising* new trade rules.	

14 **duplicate****	v.	copy, imitate	복사하다
[djúːpləkèit]		It is stealing to illegally *duplicate* a copyrighted[3] work without permission.	

15 **escort**	v.	convoy, guard, guide	호위하다
[eskɔ́ːrt]		As Oswald was being *escorted* from the city jail, Jack Ruby shot him.	

16 **expense**	n.	cost, charge, price	지출
[ikspéns]		They cannot afford the *expense* of a good education.	

glossary
③ copyrighted 저작권이 있는

17 **expensive**	adj.	**costly, dear, high-priced**	값비싼
[ikspénsiv] cheap		Before the 1870's, steel was too *expensive* to be widely used.	

18 **face**	n.	**countenance, features**	얼굴
[feis]		The *face* of the girl was reddened with love for him.	

19 **flash***	v.	**flame, flare, glare**	번쩍이다
[flæʃ]		An advertisement for ice cream *flashed* on the screen every 15 seconds.	

20 **include**	v.	**contain, comprise**	포함하다
[inklú:d] exclude		Space science programs *included* missions[④] to our Moon.	

21 **infectious***	adj.	**contagious, communicable**	전염성의
[infékʃəs]		Vaccines have accomplished near miracles in the fight against *infectious* disease.	

22 **innumerable**	adj.	**countless, numberless, numerous**	무수한
[injú:mərəbəl] numerable		Henson produced *innumerable* films and TV shows.	

23 **invariable**	adj.	**constant, consistent, unchanging**	불변의
[invέəriəbəl] varying		There has been *invariable* struggle for justice in Cuba since 1950s.	

24 **meditate****	v.	**ponder, think deeply, contemplate**	숙고하다
[médətèit]		He *meditated* about the question for some time before answering.	

25 **observance**	n.	**conformance, conformity, obedience**	준수, 일치
[əbzə́:rvəns]		The general strictly enforced *observance* of the laws.	

lossary

④ mission 작전, 임무

26 **opposite**	adj.	**contrary, reverse, converse**	반대편의
[ápəzit] same		His new plan produced results *opposite* from those intended.	

27 **organize**	v.	**construct, form, constitute**	조직하다
[ɔ́ːrgənàiz]		The workers strove to *organize* strong unions to demand higher wages.	

28 **outline***	n.	**summary, contour, silhouette**	윤곽
[áutlàin]		We could see the bold *outlines* of the mountains against the clear evening sky.	

29 **parallel**	adj.	**corresponding, comparable, analogous**	~와 유사한
[pǽrəlèl] unparallel		Her addiction to overeating[5] is almost *parallel* to her father's addiction to alcohol.	

30 **polite**	adj.	**courteous, civil, genteel**	예의 바른
[pəláit]		She was so *polite* as to offer the old gentleman her seat.	

31 **preeminent**	adj.	**conspicuous, noticeable, outstanding**	탁월한
[priémənənt]		Some *preeminent* women became teachers and poets in early Aryan society.	

32 **regulate**	v.	**control, adjust, arrange**	조절하다
[régjəlèit]		Mammals differ from other animals in the way they *regulate* body temperature.	

33 **respectful**	adj.	**courteous, polite, well-mannered**	공손한
[rispéktfəl] insolent		The younger generations have to be *respectful* of the elderly.	

34 **scorn**	v.	**disdain, mock, scoff**	경멸하다
[skɔːrn] respect		She *scorned* at the idea that I might beat her at chess.	

Glossary

⑤ overeating 과식

| 35 **shrink** | v. | shrivel, diminish, decrease | 줄어들다 |

[ʃriŋk]
swell

Italy's population is expected to *shrink* from 57 million today to 41 million by 2050.

| 36 **solid** | adj. | firm, hard, strong | 단단한 |

[sálid]
spongy

The *solid* wood in some furniture comes from tropical rainforests.[6]

| 37 **steadily**** | adv. | constantly | 꾸준히 |

[stédili]

Lawn and garden chemical usage has been dropping *steadily* for the last two decades.

| 38 **struggle*** | v. | contend, contest, strive | 싸우다 |

[strʌ́gəl]

She *struggled* for black emancipation and women's suffrage.[7]

| 39 **twist** | v. | contort, distort | 비틀어 돌리다 |

[twist]

The old man *twisted* the wire into the shape of a star.

| 40 **voyage** | n. | cruise, sailing | 항해 |

[vɔ́iid3]

We learned the Columbus's *voyage* to the West Indies.

| 41 **wrap** | v. | cover, envelop, muffle | 감싸다 |

[ræp]

He *wrapped* the picture in a sheet of newspaper.

ɢlossɑrʏ ────────────────────────

⑥ tropical rainforest 열대 우림   ⑦ suffrage 참정권

 ● Choose the **synonym**

1. carry   ⓐ contend, contest, strive
2. flash   ⓑ constant, consistent, unchanging
3. invariable   ⓒ flame, flare, glare
4. struggle   ⓓ convey, transport, transfer

21일

| **1 abundance** | n. | **plenty, profusion** | 풍부함 |

[əbʌ́ndəns]
lack

There was an *abundance* of wild animals in the dense[1] forests.

| **2 alien** | adj. | **dissimilar, inconsistent, opposed** | 이질적인, 상반되는 |

[éiljən]
consonant

His behavior was *alien* to other people.

| **3 arrest** | v. | **seize, apprehend, capture** | 체포하다 |

[ərést]
liberate

He was *arrested* for burning a flag in 1984.

| **4 attitude** | n. | **position, bearing, pose** | 태도 |

[ǽtitjùːd]

His *attitude* to life was somehow fundamentally[2] wrong.

| **5 blink** | v. | **wink, twinkle** | 깜빡 거리다 |

[bliŋk]

He *blinked* several times and studied the features[3] of Fran's face.

| **6 contemptuous** | adj. | **scornful, sneering** | 경멸하는 |

[kəntémptʃuəs]

Toward blacks he displayed a *contemptuous* hostility.[4]

| **7 crazy** | adj. | **insane, lunatic, mad** | 미친 |

[kréizi]
sane

He saw the *crazy* woman pulling herself up to meet him face to face.

Glossary

① dense 밀집한　　　② fundamentally 근본적으로　　　③ feature(s) 특징　　　④ hostility 적의

8 discreet

[diskrí:t]
foolhardy

adj. **distinct, judicious, prudent** considerate, cautious 분별력 있는

After they exchanged[5] greetings, he made *discreet* inquiry about his journey.

---

9 entire*

[entáiər]
partial

adj. **whole** 전체의

The *entire* world would take notice that a new age had arrived.

---

10 evident*

[évidənt]
vogue

adj. **obvious, manifest, apparent** plain, clear 분명한

The presence of cycles[6] in history is *evident* when we study later Mesopotamia.

---

11 extensive***

[iksténsiv]
limited

adj. **wide, far-reaching, numerous** capacious, spacious 넓은

The new park has an *extensive* area.

---

12 feeble

[fí:bəl]
robust

adj. **weak, delicate, fragile** frail, unsubstantial 연약한

Wanda was *feeble* in health and totally unfitted[7] for active service.

---

13 marriage

[mǽridʒ]

n. **wedding, matrimony** 결혼

Washington became devoted[8] to Martha's two children by her first *marriage*.

---

14 minor*

[máinər]
major

adj. **less important, secondary, subordinate** 중요치 않은

Galileo's research on magnetism[9] was yet a *minor* episode in his scientific activity.

---

15 offensive

[əfénsiv]

adj. **displeasing, irritating, annoying** disgusting, disagreeable 불쾌한

The noise is *offensive* to the ear.

---

16 passage

[pǽsidʒ]

n. **way, route, path** lane, thoroughfare 통로, 길

Samuel De Champlain believed there was a North West *passage* to China.

Glossary

⑤ exchange 교환하다 ⑥ cycle 주기, 순환 ⑦ unfitted 부적합한 ⑧ devoted 헌신적인
⑨ magnetism 자기력

17 **perceive***	v.	see, discern, notice apprehend, recognize	알아차리다
[pərsíːv]		Turning round, he stared[10] at me, but I *perceived* that he did not see me.	

18 **piece**	n.	segment, shred, fragment scrap	조각
[piːs]		She cleaned *pieces* of broken glass.	

19 **pilgrim**	n.	wanderer	방랑자
[pílgrim]		When the *pilgrims* drew near the ruined[11] castle, they heard a sudden loud noise.	

20 **portray***	v.	depict, picture, describe represent	묘사하다
[pɔːrtréi]		In his book, Indians are *portrayed* as savages.	

21 **project**	n.	plan, scheme, design	계획
[prádʒekt]		His new *project* failed to get federal funding.	

22 **region****	n.	area, domain, hinterland section, province	지역
[ríːdʒən]		During the 16th century, the Spanish began to settle the *region*.	

23 **safe***	adj.	secure, protected	안전한
[seif] dangerous		The government should provide us the right to live in a *safe* environment.	

24 **savage**	adj.	fierce, barbarous, cruel brutal	맹렬한
[sǽvidʒ] civilized		He made a *savage* attack on the strike of the Labor Union.	

25 **screen**	v.	veil, cover, shield shelter, protect	덮다, 보호하다
[skriːn] expose		Her mother told her to *screen* fruits from cold winds.	

Glossary
⑩ stare 응시하다   ⑪ ruined 황폐한

126

26 **search**	v.	seek, explore	찾다
[sə:rtʃ]		Scientists are constantly *searching* for new sources[11] of power.	

27 **send**	v.	transmit, dispatch, convey	보내다
[send] receive		If he had letters to *send,* they must be deposited[12] in the box that night.	

28 **shake**	v.	sway, waver, shudder agitate	흔들다
[ʃeik]		The last restless[13] nights had *shaken* my nerves more than I knew.	

29 **solitude**	n.	isolation, loneliness	고독
[sálitjù:d] company		She enjoyed her moments of *solitude* before the day of pressure.	

30 **special**	adj.	particular, especial, specific	특별한
[spéʃəl] common		They have a *special* gift that allows them to enter the unseen world.	

31 **squander**	n.	waste, lavish	낭비하다
[skwándər]		The council[14] has been *squandering* the public funds.	

32 **survey***	v.	examine, inspect, scrutinize watch	조사하다
[sə:rvéi]		The Sumerians[15] developed mathematics and *surveying* techniques.	

33 **temperament**	n.	disposition, temper, nature make-up	성질
[témpərəmənt]		Baseball players often have excitable *temperaments*.	

34 **tool**	n.	instrument, implement, utensil	도구
[tu:l]		The workers refused to leave the factories and put away their *tools*.	

ɡlossary ————

⑪ source 원천   ⑫ deposit ~에 넣다, 맡기다   ⑬ restless 불안한   ⑭ council 의회

⑮ Sumerian 수메르인

35 **triumph**	v.	**win, succeed, prevail**	승리하다
[tráiəmf] defeat		President George W. Bush *triumphed* at the referendum.[16]	

36 **tyrant**	n.	**dictator, oppressor**	독재자
[táiərənt]		The people of Athens in 508 B.C. overthrew[17] a *tyrant*.	

37 **unpleasant**	adj.	**disagreeable, offensive, repulsive**	불쾌한
[ʌnplézənt]		In high concentrations, ozone can have an *unpleasant* smell.	

38 **vanish***	v.	**disappear, fade**	사라지다
[vǽniʃ]		Good quality of the past sometimes *vanish*, along with bad quality.	

39 **vile****	adj.	**wicked**	사악한
[vail]		He is a man of *vile* character.	

40 **wakeful**	adj.	**watchful, vigilant, wary**	경계하는
[weikfəl] negligent		Because of its tense[18] international condition, the country is always *wakeful*.	

41 **wreck***	v.	**destroy, devastate, ruin** shatter	파괴하다
[rek]		The ship was almost *wrecked* by the heavy storm.	

▲ Choose the **synonym** of the highlightened word in the sentence.

1. All present matter and energy were compressed into a small ball only a few kilometers in diameter.
   ⓐ imputed   ⓑ thrived   ⓒ compacted   ⓓ maintained

2. The bite of a garter snake, unlike that of the deadly cobra, is benign.
   ⓐ amiable   ⓑ fatal   ⓒ intimate   ⓓ scenic

3. Those who are attempting to overcome their addiction to nicotine have found the most common cures ineffective.
   ⓐ amaze   ⓑ shudder   ⓒ defeat   ⓓ mold

4. The estimate was very accurate compared with the actual numbers.
   ⓐ intense   ⓑ amiable   ⓒ precise   ⓓ forceful

5. Fine pottery has an enameled surface decorated with elaborate designs, the outlines of which are formed by small bands of metal.
   ⓐ merits   ⓑ contours   ⓒ attributes   ⓓ traps

6. Bundles of fiber scopes fused together in a solid plate called a faceplate.
   ⓐ reliable   ⓑ firm   ⓒ capacious   ⓓ quaint

7. After the war, a country's extensive growth will eventually slow.
   ⓐ delicate   ⓑ constant   ⓒ wide   ⓓ subordinate

8. If the United States, a major declared possessor of chemical weapons, would not ratify, it is difficult for one to imagine that the Organization could have moved forward.
   ⓐ prophesy   ⓑ last   ⓒ escort   ⓓ endorse

▲ Choose the **antonym** of the highlightened word in the sentence.

9. The term implied that modern man was more intelligent than his savage forebears.
   ⓐ civilized   ⓑ vigilant   ⓒ wicked   ⓓ polite

10. Out of the four biggest industrialized countries of the time (U.S., Germany, U.K. and France), France was the last to be hit by the Depression.
   ⓐ severe   ⓑ conscious   ⓒ initial   ⓓ courageous

Take a Break

MY LOVE'S LIKE A RED, RED ROSE   나의 님은 새빨간 장미

Robert Burns   로버트 번즈

O My luve's like a red, red rose,   오 나의 님은 유월에 새로이 피어난

That's newly sprung in June;   새빨간 장미;

O My Luve's like the melodie   오 나의 님은 곡조맞춰 감미롭게

That's sweetly played in tune.   연주된 멜로디.

As fair art thou, my bonnie lass,   이처럼 너는 예뻐, 사랑스런 소녀야,

So deep in luve am I;   이처럼 깊이 나는 너를 사랑해;

And I will luve thee still, my dear,   언제까지나 나는 너를 사랑하리, 내 님이여,

Till a' the seas gang dry.   온 바다가 말라 버릴 때까지.

22일

1 **accustomed**
[əkʌ́stəmd]

adj. customary, habitual, wont   익숙한

She was *accustomed* to getting up late.

2 **allege***
[əlédʒ]
gainsay

v. assert, claim, affirm   declare   주장하다

Prosecutors *alleged* Robert set the fire to collect insurance money.

3 **bloody**
[blʌ́di]

adj. cruel, ruthless   잔인한

Queen Mary was called 'Bloody Mary'.

4 **breed***
[briːd]

v. raise, rear, nurture   기르다

To *breed* slaves was cheaper than to buy slaves at the time.

5 **chop**
[tʃɑp]

v. cut, mince   자르다

They *chopped* up ice with a small pick.①

6 **conclusive***
[kənklúːsiv]

adj. definite, crucial, final   ultimate   결정적인

The experiment② failed to provide any *conclusive* evidence of the theory.

7 **cowardly**
[káuərdli]
brave

adj. craven, afraid, timid   소심한

He was too *cowardly* to do it courageously.

Glossary
① pick 얼음 깨는 송곳   ② experiment 실험

8 **critical**	adj.	**crucial, momentous, important**	중요한
[krítikəl]		Environmental[3] problem has become one of the most *critical* issues.	

9 **dawn**	n.	**daybreak**	새벽
[dɔːn] sunset		They worked from *dawn* until dusk[4] in the winter.	

10 **delicate**	adj.	**dainty, graceful, elegant**	섬세한
[délikət] gross		Though so bad a painter, he had a very *delicate* feeling for art.	

11 **devote****	v.	**dedicate**	헌신하다
[divóut]		Evangeline *devoted* her lifetime to the search for Gabriel.	

12 **die**	v.	**decease, perish, pass away**	죽다
[dai] live		On September 25, 1866 he *died* suddenly in Charleston at age 42.	

13 **distribute**	v.	**allot, apportion, assign** deal, dispense	분배하다
[distríbjuːt] amass		We should *distribute* our information on-line.	

14 **emergency***	n.	**crisis, exigency**	위기
[imə́ːrdʒənsi]		Poor crops have created a national *emergency*.	

15 **fatal***	adj.	**deadly, mortal, lethal**	치명적인
[féitl] benign		It would be *fatal* for the nation to overlook[5] the urgency of the moment.	

16 **fraud**	n.	**deceit, deception**	사기
[frɔːd]		Over the past few years, there have been increasing cases in food stamp *frauds*.	

Glossary
③ environmental 환경의   ④ dusk 황혼   ⑤ overlook 간과하다

17 **guilty**	adj.	criminal, culpable	유죄의
[gílti] innocent		They think the Rosenbergs were *guilty* of giving information to the Soviets.	

18 **hazard**	n.	danger, peril, jeopardy	위험
[hǽzərd]		Reduced regulation[6] created *hazards* to public health and safety.	

19 **heal**	v.	cure, remedy, amend	치료하다
[hi:l]		No doctor has *healed* her major sickness.	

20 **moist***	adj.	damp, humid, wet	축축한
[mɔist]		The palms[7] of her hands were *moist*.	

21 **ornament**	v.	decorate, adorn, embellish	장식하다
[ɔ́ːrnəmənt]		We went to his house *ornamented* with various flowers.	

22 **outlaw**	n.	criminal, bandit	범죄자
[áutlɔ̀ː]		He was an *outlaw* who sold the military arms to the Mafia.	

23 **practice**	n.	custom, habit	관습
[prǽktis]		The British authority[8] did not welcome any of the native religious *practices*.	

24 **raw**	adj.	crude, rude, uncooked	가공하지 않은
[rɔ:] matured		*Raw* materials were almost entirely concentrated in Northern mines.	

25 **refuse**	v.	decline, reject, rebuff	거절하다
[rifjúːz]		Jefferson *refused* to free[9] his own slaves.	

Glossary ─────────────────────────

⑥ regulation 규제 ⑦ palm 손바닥 ⑧ authority 당국, 정부 ⑨ free 해방하다

26 **roar**	v.	**cry, shout, yell** bellow	소리지르다
[rɔːr] murmur		He had some difficulty in restraining[10] himself from joyous *roaring*.	

27 **rot***	v.	**decay, corrupt, degenerate**	썩다
[rɑt]		Fresh fruits and vegetables *rotted*, but pemmican[11] lasted.	

28 **ruin***	v.	**destroy, decay, damage** spoil, demolish	파괴하다
[rúːin]		The groups tried to show how alcohol would *ruin* the American way of life.	

29 **rush**	v.	**hurry, hasten**	서두르다
[rʌʃ]		As he was hit by a car, we got an ambulance and *rushed* him to an emergency hospital.[12]	

30 **shorten**	v.	**abbreviate, abridge, lessen** curtail, reduce	줄이다
[ʃɔːrtn] elongate		Working hours were *shortened* to give them more time for leisure.	

31 **sly**	adj.	**cunning, artful**	교활한
[slai] candid		His *sly*, coarse[13] trick prevented us from carrying out our work.	

32 **spoil***	v.	**mar, damage, impair** ruin, harm	손상시키다
[spɔil]		The older members of society are trying to keep the youth from *spoiling* what already exists.	

33 **standard**	n.	**criterion, gauge**	기준
[stǽndərd]		Steuben set a *standard* that became universal in the army.	

34 **statement**	n.	**declaration, announcement, proclamation**	발표, 선언
[stéitmənt]		The government made an official *statement* about the latest economical crisis.	

Glossary

⑩ restrain 억제하다 ⑪ pemmican (탐험대용)비상식품 ⑫ emergency hospital 응급병원
⑬ coarse 거친, 난폭한

35 **stream**	v.	**run, flow**	흐르다
[striːm]		Silver *streamed* from New England to the mother country each year.	

36 **subtract**	v.	**deduct, discount**	빼다
[səbtrǽkt] add		He *subtracted* the costs of environmental degradation from the total costs.	

37 **thaw****	v.	**defrost**	녹다
[θɔː]		The ice doesn't *thaw* until June in Siberia.	

38 **urge**	v.	**force, impel, press** instigate, induce	강요하다
[əːrdʒ] curb		The board⑭ *urged* farmers to plant less so that prices would go up.	

39 **weigh**	v.	**consider, ponder, contemplate**	심사숙고하다
[wei]		You have to *weigh* the costs of buying that house.	

40 **yearn**	v.	**crave, long, want**	열망하다
[jəːrn] dread		Columbus *yearned* the same goal as many explorers.	

 lossary

⑭ board 위원회

Quiz ● Choose the **synonym**

1. accustomed   ⓐ consider, ponder, contemplate
2. critical   ⓑ customary, habitual, wont
3. refuse   ⓒ decline, reject, rebuff
4. weigh   ⓓ crucial, momentous, important

Answer 1. ⓑ 2. ⓓ 3. ⓒ 4. ⓐ

23 일

1 argue*	v.	debate, discuss, dispute	토론하다

[ɑ́ːrgjuː]

Susan *argued* with the child, and tried to soothe[1] him.

2 ascertain	v.	determine, discover	확인하다, 찾아내다

[æsərtéin]
assume

The ice content of comet[2] can be *ascertained* by measuring how much light they absorb and reflect.

3 aspire	v.	desire, long, yearn	열망하다

[əspáiər]

Palmer still *aspired* to the office of the presidency.

4 bend	v.	curve, crook, bow	굽히다

[bend]
straighten

The man *bent* towards Fran still holding the gun pointed at Max.

5 conquer	v.	defeat, master, beat	정복하다

[kɑ́ŋkər]
surrender

When people *conquered* the natives[3] of a land, the natives became slaves to them.

6 contrive	v.	devise, invent, design	만들어내다

[kəntráiv]

She took a very narrow path *contrived* between the tombs.[4]

7 decadence	n.	deterioration, decline	쇠퇴

[dékədəns]
rise

The company has been falling into *decadence*.

glossary
---
① soothe 달래다　　　② comet 혜성　　　③ natives 원주민　　　④ tomb 무덤

| 8 **decay** | v. | **deteriorate, decline** | 쇠퇴시키다 |

[dikéi]

The mistaken policies of government have *decayed* the automobile industry.

| 9 **deceive** | v. | **delude, cheat** | 속이다 |

[disí:v]
disabuse

He *deceives* the Golden family into buying the defective[5] car.

| 10 **dejected** | adj. | **depressed, discouraged** | 우울한 |

[didʒéktid]
animated

The boy felt *dejected* from losing the game.

| 11 **distinct*** | adj. | **separate, particular, discrete** | 뚜렷한 |

[distíŋkt]
nebulous

Creole culture created its own *distinct* language and religious structures.

| 12 **elaborate**** | adj. | **detailed, intricate, complicated** | 복잡한 |

[ilǽbərèit]
simple

The youth go through an *elaborate* initiation rite[6] to prepare them for adult life.

| 13 **flaw**** | n. | **defect, blemish, fault** failing, shortcoming | 결점 |

[flɔ:]

Cyrano's most obvious *flaw* is his grotesque[7] nose.

| 14 **flood** | v. | **deluge, overflow** | 범람하다 |

[flʌd]
trickle

A system of water pumps has been built to protect the city from *flooding*.

| 15 **give** | v. | **bestow, provide, confer** grant, assign | 주다 |

[giv]
withhold

The teacher thinks it is his responsibility to *give* his students the help.

| 16 **hate** | v. | **detest, abhor, loathe** | 혐오하다 |

[heit]
love

She *hated* the Guards, whom she thought conceited.[8]

Glossary

⑤ defective 결함이 있는   ⑥ initiation rite 성년식   ⑦ grotesque 기괴한   ⑧ conceited 우쭐대는

17 **hopeless**	adj.	desperate, despairing, despondent	절망적인
[hóuplis] sure		They believed that factory workers would sink into *hopeless* poverty.	

18 **humiliate**	v.	degrade, disgrace, shame	모욕하다
[hjuːmílièit]		He wouldn't be able to bear⁹ to see her insulted or *humiliated*.	

19 **intensify**	v.	deepen, strengthen	강화시키다
[inténsəfài] abate		The law *intensified* the sectional quarrel over the extension⑩ of slavery.	

20 **intentional**	adj.	deliberate, designed, planned purposeful	고의적인
[inténʃənəl] accidental		He was sure that she was not an *intentional* fraud.⑪	

21 **lack**	n.	deficiency, need, scarcity want	부족
[læk]		Due to the *lack* of mills,⑫ they could do nothing with vast amounts of cotton.	

22 **measure***	v.	determine, mark out, bound demarcate	측정하다
[méʒər]		Religion cannot be *measured* by human standards, since it is of divine⑬ origin.	

23 **minute***	adj.	tiny, detailed, precise	정확한, 세세한
[mainúːt] general		He confessed in *minute* detail to the killing of Berthe Dupont.	

24 **monster**	n.	demon, devil	괴물
[mánstər]		They believe that there are legendary⑭ sea *monsters* in the sea.	

25 **notwithstanding***	prep.	despite, in spite of, nevertheless	~에도 불구하고
[nàtwiðstǽndiŋ]		*Notwithstanding* the inequality, the balance of happiness is kept by hope and fear.	

Glossary

⑨ bear ~을 참다　　　⑩ extension 연장　　　⑪ fraud 사기꾼　　　⑫ mills 면화 공장
⑬ divine 신성한　　　⑭ legendary 전설상의

| 26 **postpone** | v. | **defer, delay, adjourn** procrastinate | 연기하다 |

[poustpóun]
precipitate

The baseball game was *postponed* because of bad weather.

| 27 **profound** | adj. | **deep, abysmal** | 심오한 |

[prəfáund]

No one knows his *profound* knowledge.

| 28 **protect*** | v. | **shield, defend, guard** shelter, harbor | 보호하다 |

[prətékt]

The chief[15] was the leader that the people counted on to *protect* themselves.

| 29 **rebellious** | adj. | **defiant, rebel, mutinous** | 반항적인 |

[ribéljəs]
resigned

Hemingway liked shocking and annoying people; he was certainly *rebellious*.

| 30 **regret** | v. | **deplore, repent, rue** | 후회하다 |

[rigrét]

Nick didn't *regret* that he gave up skiing in the Alps.

| 31 **rejoice** | v. | **delight** | 기뻐하다 |

[ridʒɔ́is]

She was *rejoiced* at hearing the news.

| 32 **reliance**** | n. | **dependence** | 의존 |

[riláiəns]

The country's *reliance* on imported[16] oil is becoming larger.

| 33 **represent*** | v. | **depict, express, portray** | 나타내다 |

[rèprizént]
distort

The report *represents* the current situation in our schools.

| 34 **require*** | v. | **demand, entail, call for** enjoin | 요구하다 |

[rikwáiər]

They *required* him to be present.

ᵍlossary ————————————————————

⑮ chief 추장, 우두머리   ⑯ import 수입하다

35 **residence**	n.	**dwelling, house, habitation**	거주
[rézidəns]		He met her during his *residence* in New York.	

36 **resolve***	v.	**1. determine, decide**	결정하다
[rizálv]		Even the most impoverished[17] parents *resolved* to bring up a baby.	
unsettle	v.	**2. find a solution for, solve**	해결하다
		The American newcomers *resolved* some of their conflicts.[18]	
blend	v.	**3. analyze, disintegrate, separate**	분석하다, 구분하다
		Normal science produces a sense of anomalies[19] cannot be *resolved* within the paradigm.[20]	

37 **retard****	v.	**delay**	지체시키다
[ritá:rd] accelerate		The boy is *retarded* in his mental development.	

38 **rob**	v.	**deprive, plunder, pillage**	약탈하다
[rɑb]		The gang tried to *rob* a bank using a shotgun.	

39 **slander**	v.	**defame, scandalize, vilify**	비방하다
[slǽndər] panegyrize		He is suspicious[21] of *slandering* the Prime Minister.	

Glossary

[17] impoverish 가난하게 하다   [18] conflict 투쟁, 다툼   [19] anomaly 변칙, 이형   [20] paradigm 모범, 전형적인 예
[21] suspicious 의심이 많은

Quiz ● Choose the **synonym**

1. ascertain   ⓐ detailed, intricate, complicated
2. elaborate   ⓑ deliberate, designed, planned
3. intentional   ⓒ defer, delay, adjourn
4. postpone   ⓓ determine, discover

Answer   1. ⓓ   2. ⓐ   3. ⓑ   4. ⓒ

24 일

1 **absurd**

[æbsə́:rd]
rational

| adj. 1. **illogical, irrational, unreasonable** inconsistent | 불합리한 |

All politicians should try to correct the *absurd* law discrepancy.[1]

smart

| adj. 2. **ridiculous, foolish, stupid** | 어리석은 |

It is *absurd* to believe in ghosts.

2 **assort****

[əsɔ́:rt]
disarrange

| v. **categorize, classify, codify** separate, sort | 분류하다 |

Emma found her friend engaged in *assorting* the clothes.

3 **beam**

[bi:m]

| v. **shine, gleam, radiate** glitter | 빛나다 |

When Joseph received her letter, his face at once *beamed* with joy.

4 **break**

[breik]

| v. **shatter, batter, destroy** | 깨뜨리다 |

Windows of private homes were *broken*.

5 **common***

[kámən]
rare

| adj. **shared, public, general** | 공통의 |

People having diverse[2] backgrounds work together toward *common* objective.

6 **consciously****

[kánʃəsli]

| adv. **intentionally** | 의도적으로 |

After the war, the Americans *consciously* forced most Mexicans out of Texas.

Glossary

① discrepancy 불일치, 모순 ② diverse 다양한

7 **context***	n.	setting	배경

[kántekst]

He is judged in the historical *context* as an advanced liberalist.[3]

8 **damage**	n.	injury, harm, impairment	손해

[dǽmidʒ]
↔repair

The whole awareness of the *damage* stemmed[4] out from the energy crisis.

9 **detach***	v.	separate	분리하다

[ditǽtʃ]
affix

Two lovers, Gabriel and Evangeline, were *detached* by the British.

10 **disgrace**	n.	shame, dishonor, hurt	불명예

[disgréis]
esteem

He committed[5] unlawful acts without a strong sense of guilt or *disgrace*.

11 **dormant***	adj.	inactive, latent	활동하지 않는

[dɔ́:rmənt]
active

As his passion was *dormant*, she tried to excite it intentionally.[6]

12 **egoism**	n.	selfishness	이기심

[í:gouìzəm]
altruism

She tried to make the old man conscious[7] of his *egoism*.

13 **environment***	n.	setting, ecology	환경

[inváiərənmənt]

The Fertile Crescent had the *environment* for the first world civilization.

14 **essential***	adj.	vital, indispensable, fundamental	필수적인

[isénʃəl]
accidental

The earth itself is the most *essential* natural resource.[8]

15 **heighten***	v.	increase	늘리다

[háitn]
diminish

Her awkward[9] excuse *heightened* her father's anxiety.

16 **hinder**	v.	**impede, hamper, obstruct** interrupt, check	방해하다
[híndər] help		His frequent[10] absences on public business *hindered* his experiments.	

17 **information**	n.	**fact, data, intelligence**	정보
[ìnfərméiʃən]		Some recently discovered tracks are giving important *information* about dinosaurs.	

18 **ingenious**	adj.	**inventive, original, creative**	독창적인
[indʒí:njəs]		An *ingenious* system of water pumps has been built to protect the city from flooding.[11]	

19 **inquiry**	n.	**investigation, scrutiny, research**	조사
[inkwáiəri]		On June 23, Nixon approved a plan to thwart an *inquiry* by the FBI.	

20 **keen**	adj.	**sharp, bright, intelligent**	예리한
[ki:n] impassive		Duddy was a very *keen* and intuitive[12] young man.	

21 **lodge***	v.	**1. shelter, harbor, house**	피난처를 제공하다
[lɑdʒ]		They *lodged* an escaped convict.	
	v.	**2. quarter, house**	숙박하다
		The travelers *lodged* at a hotel.	

22 **proportion**	n.	**size, extent, dimensions**	규모
[prəpɔ́:rʃən]		A great *proportion* of painters have suffered from imperfections[13] of sight.	

23 **reflect**	v.	**meditate, ponder, deliberate** contemplate, consider 심사숙고하다
[riflékt]		He *reflected* that there would be no danger of monarchy[14] under George Washington.	

glossary

[10] frequent 자주 일어나는 [11] flooding 범람, 홍수 [12] intuitive 직관적인 [13] imperfection 결점, 결함
[14] monarchy 군주제

24 representative*   adj.   **serving to represent, typical, replacing**   대표적인

[rèprizéntətiv]
atypical

The National Assembly is a *representative* institution which serves our people.

25 resolute   adj.   **resolved, steadfast, determined**   단호한

[rézəlùːt]

His *resolute* opposition to the annexation⑮ of Texas deprived him of the nomination.

26 scan   v.   **scrutinize, investigate**   조사하다

[skæn]

To find the cause of the problem, the researchers *scanned* the sky of a southern hemisphere.⑯

27 sever*   v.   **cut, separate, divide**   cleave   절단하다

[sévər]

His right leg was *severed* from his body in the accident.

28 skeptical   adj.   **skeptic, doubtful, incredulous**   dubious   회의적인

[sképtikəl]
believing

He is trying to convince his *skeptical* customers that he has a serious plan.

29 slumber   v.   **sleep**   잠자다

[slʌ́mbər]

The three children are still *slumbering* sitting on the bench.

30 succession   n.   **sequence, series**   연속

[səkséʃən]

Melody is the *succession* of sounds.

31 summit**   n.   **peak, acme, zenith**   apex, pinnacle   정상

[sʌ́mit]

At the *summit* of the mountain, we could see the unthawed⑰ snow.

32 transact   v.   **perform, conduct, execute**   수행하다

[trænsǽkt]

Alaska is *transacted* as a satellite to the United States.

✎*lossary*

⑮ annexation 병합, 합병   ⑯ hemisphere 반구   ⑰ unthaw 녹지 않다

33 **transmit**	v.	**send, dispatch, convey** carry, transfer	보내다
[trænsmít]		Samuel Morse first *transmitted* the telegraph⑱ in 1844.	

34 **tremble**	v.	**shake, shiver, shudder** quiver, quake	떨다
[trémbəl]		The whole building *trembled* when the earthquake happened.	

35 **useful**＊＊	adj.	**lucrative, profitable, advantageous** beneficial, serviceable 유용한
[júːsfəl] useless		No other antibiotics⑲ may still be *useful* for other kinds of illnesses.

36 **violence**	n.	**vehemence, intensity**	격렬(함), 폭력
[váiələns] peace		The people were surprised at the *violence* of an earthquake.	

ɢlossary

⑱ telegraph 전신, 전보　　⑲ antibiotic 항생제

▲ Choose the **synonym** of the highlightened word in the sentence.

1. Some people claim that people with poor genetic attributes should be prevented from **breeding**.

   ⓐ nurturing   ⓑ perishing   ⓒ amending   ⓓ affirming

2. The genetically modified mice remembered the old object and **devoted** their time.

   ⓐ devised   ⓑ declined   ⓒ dedicated   ⓓ degraded

3. Smallpox remained a dreaded, often **fatal** illness until very recently.

   ⓐ mortal   ⓑ latent   ⓒ acute   ⓓ artful

4. Other groups tried to show how alcohol would **ruin** the American way of life.

   ⓐ restore   ⓑ destroy   ⓒ gain   ⓓ procrastinate

5. Later writers took the tales and made them their own, sometimes adding or **subtracting** parts, but the core remained the same.

   ⓐ conducting   ⓑ deducting   ⓒ obstructing   ⓓ deliberating

6. Egyptian peasants did not need the **elaborate** irrigation system of their neighbors to the north, for it required little labor to tap into the pools.

   ⓐ steadfast   ⓑ skillful   ⓒ deliberate   ⓓ intricate

7. Imported European ideas combined with the traditional **reliance** on self-improvement.

   ⓐ deterioration   ⓑ criterion   ⓒ dependence   ⓓ custom

8. Strickland's passion was **dormant** sought to excite it.

   ⓐ inactive   ⓑ sharp   ⓒ resolved   ⓓ profitable

▲ Choose the **antonym** of the highlightened word in the sentence.

9. There was no real sign of the collapse of capitalism or of **heightened** class struggle.

   ⓐ quartered   ⓑ shuddered   ⓒ radiated   ⓓ diminished

10. Alexander's efforts to **conquer** the Persians meant that he schemed to take all that kingdom's territories.

   ⓐ shield   ⓑ surrender   ⓒ dispatch   ⓓ ponder

Take a Break

Trail of Tears

미국의 개척민들과 원주민들과의 관계에 있어서 포카혼타스의 일화가 초기 동화적 측면을 상징한다면, 그 반대편에 참혹한 현실의 상징으로서 Trail of Tears(눈물의 길)가 존재한다. 초기 백인이 소수파이던 시절에 유지되었던 원주민과의 우호관계는 백인의 수적인 팽창과 영국으로부터의 독립, 서부개척 등과 맞물리며 결국 인디언들이 그들의 땅에서 이방인의 신세로 전락하는 것으로 마감한다. 1820년대 미연방정부는 동남부 인디언들에 대한 이주정책을 본격적으로 추진하며 원주민들을 위협하기 시작했다. 이에 대한 원주민들의 반응은 크게 세 종류였는데, 크리크, 체로키 그리고 세미놀 이렇게 대표적인 세 종족이 각각 그 예이다. 우선 크리크 족은 강압을 이기지 못하고 자진하여 백인들의 뜻대로 오클라호마로 떠나게 되는데, 이 지역은 인디언 보류지 즉 Reservation이라 불리게 된다. 이 명칭은 이전에 인디언이 조약에 의해 토지를 버려두고 돌보지 않았을 때 그 일부를 그들 자신들이 사용하기 위해서 보류(reserving)하면서 생긴 이름이다. 비교적 국가체계를 갖추고 있던 체로키 족은 미국의 주정부 및 연방정부에 대해 그들의 권리승인을 위한 소송을 제기하는 방식을 선택하였는데, 이를 묵살하는 백인들에 밀려 결국은 크리크 족과 같이 오클라호마로 향하게 된다. 이러한 이주의 험로 위에서 수 많은 원주민들이 죽고 병들어 갔는데, 이주지에 도착했을 때 전체 14,000명 중 겨우 1,200명만이 살아 남았다고 한다. 이 죽음의 길을 그들은 'Trail of Tears(눈물의 길)'라 불렀던 것이다. 또 다른 부족인 세미놀 족은 무력을 통한 백인과의 항전을 택했지만, 7년간의 싸움 끝에 수많은 인원이 사상을 당하고 결국 살아남은 자들은 앞서의 두 부족과 같은 처지가 될 수 밖에 없었다. 이 과정에 대한 기록들은 참혹하기 이를 데 없는 것이니, 이는 인디언들에게는 아픔의 역사요, 백인들에게는 지울 수 없는 죄의식의 역사로 영원히 남게 되었다.

25 일

1 **aim**	v.	**attempt, direct, point** intend	목표하다
[eim]		A valid science *aims* to refute and not to defend its hypotheses.①	

2 **apportion**	v.	**divide, allot, assign** allocate	배분하다
[əpɔ́ːrʃən] collect		He *apportioned* work to each person.	

3 **catastrophe**	n.	**disaster, calamity, misfortune** mishap	큰 재앙
[kətǽstrəfi]		Buchanan devoted all his energy to averting② the *catastrophe*.	

4 **confuse***	v.	**stagger, disturb, confound** bewilder, perplex	혼란시키다
[kənfjúːz] simplify		The one thing that *confuses* me is why the North Korea would choose a war.	

5 **debate**	n.	**discussion, argument, controversy** dispute	논쟁
[dibéit]		*Debate* over immigration policy is not new to the nation's history.	

6 **despair**	n.	**discouragement, disheartenment**	절망
[dispɛ́ər] expect		Taft felt heartbreak③ and *despair* when Roosevelt entered the contest.	

7 **discourage**	v.	**dishearten, dispirit, depress**	좌절시키다
[diskə́ːridʒ] encourage		They had become *discouraged* to hear the news.	

Glossary
① hypothesis 가설   ② avert 막다, 피하다   ③ heartbreak 비통, 비탄

148

8 **dishonorable**	adj.	**disgraceful, shameful**	수치스러운
[disánərəbəl] honorable		He was above doing anything mean or *dishonorable*.	

9 **dismiss**	v.	**1. discharge, fire**	해고하다
[dismís] employ		The Army *dismissed* him, accusing him for being a Communist.	
approve	v.	**2. reject, refuse, decline**	거절하다
	·	The teacher *dismissed* our proposal as trivial.[4]	

10 **dissent**	v.	**differ, disagree**	의견을 달리하다
[disént] assent		Scientists *dissent* about the place of instinct[5] in human behavior.	

11 **distinguish***	v.	**differentiate, separate, discriminate**	구별하다
[distíŋgwiʃ] confound		Its overall design *distinguishes* Chinese architecture[6] from that of Japan.	

12 **draw****	v.	**attract, haul, pull** tug, drag	끌다
[drɔː] push		Migrations[7] of a school of whales have *drawn* the curiosity of naturalists and researchers.	

13 **drawback***	n.	**disadvantage, defect, shortcoming** fault	약점
[drɔ́ːbæk]		One *drawback* of the book is that it does not contain[8] any English pages.	

14 **dusky**	adj.	**dim, shadowy**	어둑어둑한
[dʌ́ski]		He looked at the *dusky* garden with distress.[9]	

15 **emit****	v.	**give off, exhale, release** shed, radiate	발산하다
[imít]		In the chimney-place was a red-hot fire which *emitted* a small blue flame.	

Glossary

④ trivial 사소한   ⑤ instinct 본능   ⑥ architecture 건축   ⑦ migration 이동
⑧ contain 포함하다   ⑨ distress 비탄

16 expose**

[ikspóuz]
cover

v. subject, **display**, **reveal** uncover   드러내다

Hemingway did not want to *expose* his life to everyone.

17 fright

[frait]

n. **dismay, terror, panic**   공포

The symptom[10] must be due to the *fright* he had received from the accident.

18 frustrate

[frʌ́streit]
accomplish

v. **disappoint, thwart**   실망시키다

He got *frustrated* at his son failing in an examination.

19 full*

[ful]
incomplete

adj. 1. **complete, whole, perfect**   완벽한

Court TV broadcasted every minute of the trial for two *full* days.

adj. 2. **thorough, minute, detailed**   세세한

Notes on the debates afford[11] the only *full* record of the proceedings.

20 industrious

[indʌ́striəs]
indolent

adj. **diligent, assiduous**   부지런한

Dannie is certainly an *industrious* lad.

21 ineffective

[ìniféktiv]
effective

adj. **useless, futile, unproductive**   쓸모없는

Bush accused that partisanship had kept the Clinton-Gore administration *ineffective*.

22 malady

[mǽlədi]

n. **disease, ailment, illness**   병

There's no simple cure to the smog-induced[12] *malady*.

23 minimize*

[mínəmàiz]
increase

v. 1. **decrease, discount**   줄이다

The environmentalists fought to *minimize* usage of nuclear power.

---

 lossary

[10] symptom 증상, 증후   [11] afford 제공하다   [12] smog-induced 스모그가 야기하는

	v.	2. **underestimate**	과소 평가하다

Eisenhower *minimized* the importance of racial[13] tensions.

---

24 **neglect**	v.	**disregard, ignore, overlook**	무시하다
[niglékt] cherish		Conditions in Europe forced[14] Washington to *neglect* the Southwest.	

25 **offend**	v.	**irritate, annoy, vex** provoke, displease	화나게 하다
[əfénd] delight		The workers' behavior *offended* the president of their company.	

26 **order***	n.	**1. direction, mandate, command**	명령
[ɔ́ːrdər]		He gave *orders* that the plan should be done at once.	
confusion	n.	**2. peace**	질서, 조화
		The supervisor[15] is responsible for keeping *order* throughout the island.	

27 **perish**	v.	**decay, disappear, vanish** die, wither	사라지다
[périʃ] endure		The weaker animals must inevitably *perish* if they can't defend themselves.	

28 **pious**	adj.	**devout, reverent, religious**	신앙심 깊은
[páiəs] impious		Henry married the tactful[16] and *pious* Catherine Parr. *	

29 **pollute**	v.	**dirty, contaminate, corrupt**	오염시키다
[pəlúːt]		The dirt[17] gathered at the bottom *pollutes* the water.	

30 **reduce**	v.	**diminish, curtail, lessen** decrease, abate	감소시키다
[ridʒúːs] increase		The poor tobacco crops of 1755 greatly *reduced* the tobacco exports.	

Glossary ————
⑬ racial 인종의   ⑭ force 강요하다   ⑮ supervisor 감독자   ⑯ tactful 재치있는, 약삭빠른
⑰ dirt 더러움, 먼지

| 31 **reveal**** | v. | unveil, uncover, expose divulge | 드러내다 |

[riví:l]
cover, conceal

He *reveals* that the firm will concentrate on sales of its digital video cameras.

| 32 **rude** | adj. | discourteous, ill-mannered, impolite uncivil, coarse | 무례한 |

[ru:d]
courteous

He must be *rude* to come in without knocking.

| 33 **scandal** | n. | disgrace, dishonor, shame | 불명예 |

[skǽndl]

It is a *scandal* that she should do such a thing.

| 34 **size** | n. | dimensions, proportions, magnitude | 규모 |

[saiz]

The *size* of their brains was the same as modern people.

| 35 **submerse** | v. | dip, sink, plunge immerse | 가라앉다 |

[səbmə́:rs]

Two islands *submersed* in the sea because of the raising of sea level.

| 36 **subside**** | v. | diminish, die down | 진정되다 |

[səbsáid]

The heavy snow was *subsiding* little by little.

| 37 **summary** | n. | digest, extract, abstract | 요약 |

[sʌ́məri]
expansion

The reporter's *summary* about the accident was too brief.[18]

Glossary
[18] brief 간결한

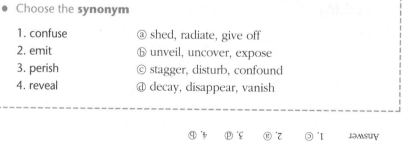

Quiz

● Choose the **synonym**

1. confuse   ⓐ shed, radiate, give off
2. emit   ⓑ unveil, uncover, expose
3. perish   ⓒ stagger, disturb, confound
4. reveal   ⓓ decay, disappear, vanish

Answer   1. ⓒ   2. ⓐ   3. ⓓ   4. ⓑ

26 일

| 1 **antipathy** | n. | **dislike, disgust, hatred** | 반감 |

[æntípəθi]
attachment

The campaign earned Nixon the *antipathy* of a number of independents.①

| 2 **assign** | v. | **distribute, allot** | 할당하다 |

[əsáin]

Over 70,000 Indians had to move to certain areas *assigned* to tribes.

| 3 **blot out*** | v. | **cover, hide** | 가리다 |

The mist② *blotted out* the sun.

| 4 **bold*** | adj. | **daring, courageous, valiant** | 대담한 |

[bould]
cowardly

Despite her *bold* words, there was a cold terror in her eyes.

| 5 **boom**** | v. | **flourish, thrive, prosper** | 번성하다 |

[buːm]

During the civil war, the American economy was *booming*.

| 6 **characteristic*** | adj. | **distinctive, special, peculiar** | 독특한 |

[kæ̀riktərístik]
general

She was charged with the *characteristic* duties of taking care of the youngest class.

| 7 **clear*** | adj. | **lucid, distinct, plain** apparent, manifest | 분명한 |

[kliər]
obscure

GNP lawmaker expressed *clear* opposition to the revision③ of the security law.

---

 lossary ────────────────

① independent 무소속자   ② mist 엷은 안개   ③ revision 개정

8 **coarse**	adj.	**crude, rude, rough**	교양 없는

[kɔːrs]
courtly

As a youth he was kind, but in later life he became *coarse*.

9 **concentrate**[*]	v.	**focus, cluster, intensify**	집중시키다

[kánsəntrèit]
dissipate

The company will *concentrate* on the domestic[④] market.

10 **contemplate**[*]	v.	**consider, ponder, meditate** reflect	심사숙고하다

[kántəmplèit]

John accepted a teaching position in Vancouver while he *contemplated* the future.

11 **cripple**[*]	v.	**maim, disable, ruin**	손상시키다

[krípl]

The life of the colored American is still *crippled* by the manacle[⑤] of segregation.[⑥]

12 **defeat**	v.	**conquer, overwhelm, subdue**	정복하다

[difíːt]
capitulate

He first became known in 1815 when he *defeated* the British Army.

13 **deviate**	v.	**diverge, wander, stray**	벗어나다

[díːvièit]

Ancient sailors looked at the stars in order that they would not *deviate* from their course.

14 **disconcert**	v.	**disturb, bewilder, embarrass** perplex	혼란시키다

[dìskənsə́ːrt]

The Prime Minister was clearly *disconcerted*.

15 **discrete**[*]	adj.	**distinct**	구별되는

[diskríːt]
blended

In Weber's mind, the *discrete* elements were tied together into a coherent[⑦] totality.

16 **eminent**	adj.	**distinguished, prominent, outstanding** renowned	탁월한

[émənənt]
uncelebrated

His *eminent* services during the war was rewarded.

lossary

④ domestic 국내의   ⑤ manacle 수갑, 족쇄   ⑥ segregation 인종 차별   ⑦ coherent 일관된

17 enemy	n.	foe, adversary, antagonist	적
[énəmi] benefactor		The *enemy* made a surprise attack.[8]	

18 **entertain**	v.	divert, amuse, please	즐겁게 하다
[èntərtéin]		The audience[9] were *entertained* by various local bands.	

19 fluent	adj.	eloquent, silver-tongued, smooth-spoken	유창한
[flú:ənt] stammering		His failure to become *fluent* in German led some teachers to believe he was disabled.	

20 hateful	adj.	detestable, abominable, loathsome offensive	지긋지긋한
[héitfəl] benevolent		He felt his wife *hateful,* but he never expressed the fact.	

21 **incessantly****	adv.	constantly, continuously	끊임없이
[insésəntli] intermittently		He had to *incessantly* plead with Congress for equipment for his army.	

22 liquid	n.	fluid	액체
[líkwid]		He drank the pale-gold *liquid* of champagne as if it had been water.	

23 malcontent	adj.	dissatisfied, discontented	불만이 있는
[mǽlkəntènt]		He is *malcontent* with the result of final exam.	

24 modify	v.	change, alter, vary	변경하다
[mάdəfài]		The lifestyle of the American people is being *modified.*	

25 mood	n.	disposition, temper	경향
[mu:d]		The current economic difficulties have played a role in provoking[10] the speculative[11] *mood.*	

glossary

[8] surprise attack 기습 공격　　[9] audience 청중　　[10] provoke 조장하다　　[11] speculative 투기적인

26 **overlook**	v.	disregard, neglect, ignore	무시하다
[òuvərlúk]		One must not *overlook* the influence of different religious systems.	

27 **pastime***	n.	entertainment, diversion, recreation	기분전환
[pǽstàim]		Such a *pastime* is certainly permissible[12] to an old writer.	

28 **quality**	n.	characteristic, attribute, trait property, character	특성
[kwάləti]		He has *qualities* of a ruler.	

29 **quarrel**	n.	dispute, argument, controversy	논쟁
[kwɔ́:rəl] accord		Having the same views of marriage, they never really had a *quarrel*.	

30 **refute**	v.	disprove, confute, rebut	반박하다
[rifjú:t] demonstrate		Galileo criticized and *refuted* many of Aristotle's views.	

31 **relentless**	adj.	unrelenting, stern, severe ruthless, pitiless	가혹한
[riléntlis] submissive		It is *relentless* of him to lash[13] her across the face.	

32 **remote***	adj.	secluded, distant, removed	멀리 떨어진
[rimóut] adjacent		While he was smoking, she would sit in a *remote* corner of the garden.	

33 **rotten**	adj.	decayed, foul, corrupt	썩은
[rάtn]		They would not accept diseased cattle, *rotten* flour and wormy corn.	

34 **span**	n.	length, distance	짧은 기간, 거리
[spæn]		The paper briefly summarizes[14] the vast problems during the eleven years of its *span*.	

Glossary
⑫ permissible 허용되는   ⑬ lash 때리다   ⑭ summarize ~을 요약하다

156

| 35 **stun** | v. | **astound, daze, stupefy** astonish, amaze | 놀라게하다 |

[stʌn]

Many readers were *stunned* by the tragic[15] end of the novel.

| 36 **trouble** | v. | 1. **disturb, annoy, vex** distress, bother | 괴롭히다 |

[trʌ́bəl]

The scene of the miserable children *troubled* his mind.

| | n. | 2. **effort, struggle, endeavor** exertion, pains | 노력, 수고 |

He takes a lot of *trouble* in doing homework.

| | n. | 3. **discomfort, inconvenience** | 불편 |

He had some *trouble* to look after her who fought against a disease.

| 37 **uproar** | n. | **disturbance, tumult, commotion** turbulence, clamor | 소동 |

[ʌ́prɔ̀ːr]
peace

Uproars in the other colonies' exchange rates did not impact on Virginia.

| 38 **various** | adj. | **diverse, varied** | 다양한 |

[vɛ́əriəs]
identical

They were particularly conspicuous[16] in the *various* naval[17] battles.

| 39 **woe** | n. | **distress, affliction, sorrow** anguish, agony | 고뇌 |

[wou]
bliss

She did not tell her family and friends about her *woes*.

ᴳlossary

[15] tragic 비극의   [16] conspicuous 눈에 잘 띄는   [17] naval 해군의

Quiz ● Choose the **synonym**

1. clear   ⓐ astound, daze, stupefy
2. deviate   ⓑ distant, removed, secluded
3. remote   ⓒ lucid, distinct, plain
4. stun   ⓓ diverge, wander, stray

Answer   1. ⓒ   2. ⓓ   3. ⓑ   4. ⓐ

27일

| 1 **abbreviate** | v. | **shorten, curtail, abridge** brief, truncate | 줄이다 |
| [əbríːvièit]
enlarge | | The International Monetary Fund is commonly *abbreviated* to 'IMF'. | |

| 2 **ailing** | adj. | **sick, ill, unwell** | 병든 |
| [eiliŋ]
hale | | Because of the *ailing* economy, states are spending millions on job training. | |

| 3 **avoid** | v. | **prevent, shun, evade** elude, escape | 피하다 |
| [əvɔ́id]
face | | I want to *avoid* saying anything that would change our relation. | |

| 4 **blind** | adj. | **sightless** | 눈이 먼 |
| [blaind]
seeing | | During the last four years of his life, he was completely *blind*. | |

| 5 **blow** | n. | **shock, calamity, disaster** | 뜻밖의 타격 |
| [blou] | | The guerrilla① struck a *blow* to the village. | |

| 6 **bondage** | n. | **slavery, confinement** | 속박, 감금 |
| [bándidʒ]
freedom | | He decided to free himself from *bondage* to British traders. | |

| 7 **brief** | adj. | **short, transitory, temporary** transient | 단기적인 |
| [briːf]
long | | There was a *brief* Sumerian renaissance,② led by the king about 2100 B.C. | |

Glossary
① guerrilla 게릴라병, 비정규병 ② renaissance 문예 부흥

8 comparable*	adj. **similar, equivalent, analogous** uniform	유사한

[kámpərəbəl]
disparate

There were clay⊚ figures that are *comparable* to those found in China.

---

9 disgust	v. **sicken, nauseate**	혐오감을 일으키다

[disgʌ́st]
charm

He *disgusted* his neighbors with his snobbish⊛ behavior.

---

10 display*	v. **show, exhibit**	보여주다

[displéi]
hide

Mr. Wheeler *displayed* the farm to Claude as if he were a stranger.

---

11 earnest	adj. **sincere, ardent, eager**	진지한, 열렬한

[ə́:rnist]
frivolous

Nixon undertook the campaign in an *earnest* passion.

---

12 enact*	v. **make into law, legislate**	제정하다

[enǽkt]
repeal

The movement pressured⊛ Congress to *enact* the 1964 Civil Rights Act.

---

13 failing	n. **shortcoming, defect, flaw**	결점

[féiliŋ]

They liked her, in spite of her *failings*.

---

14 foolish	adj. **silly, fatuous, stupid** dull	어리석은

[fú:liʃ]
smart

John Adams made a lot of *foolish* mistakes during his presidency.⑥

---

15 important*	adj. **significant, substantial, consequential**	중요한

[impɔ́:rtənt]
trivial

One of Cro-Magnon's truly *important* discoveries was how to make a fire.

---

16 judicious	adj. **wise, sensible, reasonable**	현명한

[dʒu:díʃəs]
irrational

Due to his *judicious* choice, he got through difficult situations.

Glossary

③ clay 점토   ④ snobbish 속물의   ⑤ pressure 강요하다   ⑥ presidency 대통령의 직

17 knack	n.	**skill, ability, talent**	솜씨
[næk] ineptitude		She got the *knack* of having people obey her instructions.	

18 massacre*	n.	**slaughter, annihilation, murder**	대량학살
[mǽsəkər]		The *massacre* of political opponents was followed by the confiscation.⑦	

19 mean	v.	**1. signify, imply, express**	의미하다
[miːn]		In his remark, he *meant* his will for resigning⑧ from the presidency.	
	adj.	**2. humble, ignoble, vulgar**	비열한
		She might have told them he was *mean* and fought with her a lot.	

20 mute	adj.	**silent, dumb, still**	무언의
[mjuːt] articulate		The birds are almost *mute*.	

21 participate**	v.	**share, partake**	나누다
[pɑːrtísəpèit]		The two friends *participated* their joy and luck.	

22 pit*	v.	**1. sink**	가라앉다
[pit]		After an explosion, the mine⑨ began to *pit* downward.	
	n.	**2. hole, cavity**	구멍
		He dug a *pit* and buried the rubbish⑩ in it.	

23 pitiless	adj.	**merciless, cruel, ruthless** implacable, relentless		무자비한
[pítilis] humane		He was so *pitiless* that he did cruel thing.		

lossary

⑦ confiscation 몰수   ⑧ resign 사임하다   ⑨ mine 광산   ⑩ rubbish 쓰레기

24 **proficient**	adj.	**skilled, adept, skillful**	능숙한

[prəfíʃənt]
unskilled

All of the students in Jack's class are *proficient* in Spanish.

25 **raise**	v.	**lift, elevate, hoist**	올리다

[reiz]
lower

Any organizing of workers to *raise* wages was an illegal[11] act in 1806.

26 **rare*****	adj.	**scarce, unusual, infrequent** extraordinary, exceptional	드문

[rɛər]
usual

They shared a friendship that was *rare* between a servant and his master.

27 **ridicule**	n.	**sneer, mock, jeer** mockery	조롱

[rídikjùːl]

Dirk Stroeve was merely an object of *ridicule*.

28 **scream**	v.	**shriek, cry**	소리치다

[skriːm]

He *screamed* out a warning not to touch the electric wire.

29 **stringent***	adj.	**severe, constricted, strict** tight	엄한

[stríndʒənt]

Spartan's way of rearing[12] their children is very *stringent*.

30 **superficial****	adj.	**external, shallow, outward**	표면적인

[sùːpərfíʃəl]
in-depth

She is a girl full of *superficial* beauty.

31 **timid****	adj.	**shy**	소심한

[tímid]
audacious

She overcame her *timid* nature to become an influential[13] woman during the Civil War.

32 **uniform***	adj.	**invariable, unchanging, consistent**	일관성있는

[júːnəfɔ̀ːrm]
various

He formed a *uniform* system of discipline that catered[14] to the revolutionary beliefs.

Glossary ───

⑪ illegal 불법의   ⑫ rear 교육하다   ⑬ influential 큰 영향을 주는 ⑭ cater 영합하다

| 33 **unsophisticated** | adj. | **simple, artless, naive** ingenuous | 순진한 |

[ʌ̀nsəfístəkèitid]
polished

He is not as *unsophisticated* as to believe something questionable.

| 34 **vision** | n. | **sight, perception, discernment** | 통찰력 |

[víʒən]

He tried to teach people the founder's *vision* of life.

| 35 **vista** | n. | **view, prospect, perspective** | 전망 |

[vístə]

They had the same interests and held a similar *vista* of the future.

| 36 **wily** | adj. | **shrewd, cunning, crafty** | 교활한 |

[wáili]
aboveboard

On account of his *wily* maneuvering,[15] she was appointed as a prime minister.

 lossary

⑮ maneuvering 전술

▲ Choose the **synonym** of the highlightened word in the sentence.

1. The immigrant's attitude toward the new country was generally not one of **despair**, but of accomplishment.
   ⓐ dispute   ⓑ adversary   ⓒ discouragement   ⓓ detestable

2. Unseen hands seemed to **draw** him back.
   ⓐ drag   ⓑ discomfort   ⓒ prospect   ⓓ ailment

3. Photography enabled investigators to measure the quantity of light **emitted** by stars.
   ⓐ disregarded   ⓑ diverged   ⓒ altered   ⓓ radiated

4. Hotter winters in normally chilly areas may **reduce** cold-related heart attacks.
   ⓐ allot   ⓑ confound   ⓒ plunge   ⓓ diminish

5. Strickland and Mrs. Ronaldson looked down with a slightly **pious** expression which indicated that they thought the quotation was from Holy Writ.
   ⓐ devout   ⓑ outstanding   ⓒ stern   ⓓ transitory

6. Defense industries **boomed**, and millions of men entered the armed forces.
   ⓐ blotted out   ⓑ crippled   ⓒ flourished   ⓓ extracted

7. The middle class is composed of a number of **discrete** segments.
   ⓐ ruthless   ⓑ distinct   ⓒ dissatisfied   ⓓ daring

8. The cultural norms may be vague and capable of **various** interpretations.
   ⓐ secluded   ⓑ varied   ⓒ discourteous   ⓓ severe

▲ Choose the **antonym** of the highlightened word in the sentence.

9. A **judicious** man goes his way with a decent grace.
   ⓐ equivalent   ⓑ cunning   ⓒ irrational   ⓓ naive

10. Dirk's garb of **woe** suggested that he had lost in one catastrophe every relation he had.
    ⓐ bliss   ⓑ calamity   ⓒ knack   ⓓ sneer

Take a Break

Honesty 정직(正直)

No legacy is so rich as honesty. 정직만큼 훌륭한 유산은 없다

Shakespeare 셰익스피어

The great consolation in life is 인생에서 가장 큰 위안은

to say what one thinks. 자신의 생각을 말하는 것이다.

Voltaire 볼테르

Honesty is the first chapter of the book of wisdom. 정직은 지혜라는 책의 제일장(第一章)이다

T. Jefferson T. 제퍼슨

To make your children capable of honesty is the beginning 교육의 시작은 자녀가 정직할 수 있도록

of education.   키우는 것이다.

J. Ruskin J. 러스킨

We must make the world honest 우리의 자녀들에게 '정직이 최상의 방책이다' 라고

before we can honestly say to our children 정직하게 말하려면

that honesty is the best policy. 먼저 우리는 세상을 정직하게 만들어야 한다

Bernard Shaw 버나드 쇼

28 일

#	word		meaning		뜻

1 aptly*   adv. **appropriately**   적절히

[ǽptli]

The region was *aptly* named the 'Iron Triangle' because the steel rails connected the cities.

2 attract*   v. **draw, allure, charm**   (마음을)끌다

[ətrǽkt]
repel

Many students were *attracted* to their teacher.

3 beverage   n. **drink**   음료수

[bévəridʒ]

The dormitory① bans students from drinking any kind of alcoholic *beverages*.

4 blunt   adj. **dull, obtuse**   무딘

[blʌnt]
sharp

All I could find was a *blunt* knife.

5 brood   v. **dwell on, ponder, meditate**   심사숙고하다

[bru:d]

Richard was named 'Gloomy Gus' because of his tendency② to *brood*.

6 control*   v. **manage, dominate, govern**   rule   지배하다

[kəntróul]

The governor's policies were means of *controlling* the economy of the colonies.③

7 controversy   n. **dispute, debate**   논쟁

[kántrəvə̀:rsi]

Brown had been abroad during most of the *controversy*.

---

glossary

① dormitory 기숙사   ② tendency 경향   ③ colony 식민지

| 8 **depressed*** | adj. | downcast, **melancholy, gloomy** | 우울한 |

[diprèst]
animated

Her *depressed* mood continued fairly long.

| 9 **dichotomy*** | n. | division | 분할 |

[daikátəmi]

She planned the concert to break the *dichotomy* of pure and popular art.

| 10 **enthusiasm*** | n. | eagerness, zeal, passion | 열정 |

[enθúːziæzəm]
apathy

Warren showed no marked *enthusiasm* for routine[4] farm chores.

| 11 **evoke*** | v. | draw, elicit, educe cause | 이끌어내다 |

[ivóuk]

The sudden accident has promoted to *evoke* social disorder.

| 12 **fate** | n. | doom, lot, destiny | 운명 |

[feit]
chance

The *fate* of the world rested upon their success.

| 13 **flair*** | n. | talent, aptitude, knack | 재주 |

[flɛər]

Bach developed a reputation as a brilliant musical *flair*.

| 14 **foresight** | n. | forethought | 선견지명 |

[fɔ́ːrsàit]
hindsight

Her *foresight* was more accurate than anyone else.

| 15 **formidable** | adj. | dreadful, threatening, fearful frightful | 무서운 |

[fɔ́ːrmidəbəl]
comforting

Armed with thirteen guns, he was a *formidable* opponent.[5]

| 16 **frugal** | adj. | economical, thrifty | 절약하는 |

[frúːgəl]
wasteful

He has been very *frugal* owing to the low state of his finances.

Glossary

④ routine 판에 박힌   ⑤ opponent 대항자

166

| 17 **funny** | adj. | **amusing, diverting** | 재미있는 |

[fʌ́ni]
dolorous

It will be a very *funny* event with face painting and special games.

| 18 **gift** | n. | **donation, present, alms** contribution, offering | 선물 |

[gíft]

They offered many *gifts* to the Indians.

| 19 **lessen** | v. | **diminish, decrease, abate** dwindle | 줄이다 |

[lésn]

His goal is to *lessen* hostilities[6] between press[7] and police.

| 20 **longing** | n. | **desire, yearning, aspiration** | 열망 |

[lɔ́(:)ŋiŋ]

His *longing* to pass the examination grew stronger.

| 21 **medicine** | n. | **drug** | 약 |

[médəsən]

We have cut the death rates around the world with modern *medicine*.

| 22 **movement** | n. | **drive, crusade** | 운동 |

[múːvmənt]

The anti-slavery *movement* became a formidable[8] force in northern politics.

| 23 **partition** | v. | **divide, separate, apportion** | 분할하다 |

[pɑːrtíʃən]

His room was *partitioned* into two by a screen.

| 24 **precise**** | adj. | **accurate, definite, strict** correct | 정확한 |

[prisáis]
loose

The investigators will inspect the *precise* details of the accident.

| 25 **publish** | v. | **announce, proclaim, declare** | 발표하다 |

[pʌ́bliʃ]

William Sherman *published* his personal memoirs[9] in 1875.

Glossary

⑥ hostility 적의   ⑦ press 언론   ⑧ formidable 강력한   ⑨ memoir(s) 회고록

26 **readily***	adv.	**easily, willingly**	쉽게, 기꺼이
[rédəli]		I don't *readily* make a decision about my future.	

27 **record****	n.	**document**	기록
[rékərd]		The fossil[10] *record* does not give any information on the origin of insects.	

28 **relieve**	v.	**ease, alleviate, assuage** mitigate, allay	완화시키다
[rilí:v] aggravate		Drugs are used to *relieve* the pain.	

29 **reside**	v.	**dwell, abide, live** sojourn, lodge	거주하다
[rizáid]		The Creek Indians once *resided* in much of what is now Alabama and Georgia.	

30 **rim**	n.	**edge, border, margin** boundary, verge	가장자리
[rim]		Claude approached[11] the man touching the *rim* of his hat.	

31 **shameful**	adj.	**disgraceful, humiliating, dishonorable** ignominious	불명예스러운
[ʃéimfəl]		The Civil War should be considered *shameful*.	

32 **shun**	v.	**elude, avoid, evade** escape	피하다
[ʃʌn] accept, adopt		Due to the scandal, she's been *shunned* by her neighbors.	

33 **spectacular***	adj.	**dramatic, sensational, impressive**	장엄한
[spektǽkjələr]		Each room had a *spectacular* view of the mountain.	

34 **stupid**	adj.	**dull, senseless, foolish**	어리석은
[stjú:pid] intelligent		It was *stupid* of him to lose his temper.	

35 **suspicion**	n.	**doubt, mistrust, distrust**	의심, 의혹
[səspíʃən]		There was *suspicion* that the intense⑫ radiation⑬ was coming from a Soviet nuclear test.	

36 **swallow**	v.	**eat, gorge, gulp** engulf, devour	삼키다
[swɑ́lou]		She *swallowed* the rest of her tea and went out.	

37 **tame**	adj.	**domesticated, mild, docile** domestic	길들여진, 순한
[teim] wild		The cat was so *tame* that it would eat from his hand.	

38 **trail**	v.	**drag, draw**	끌다
[treil]		Scarlet came down the stairs slowly, *trailing* the coat behind her.	

39 **wet**	adj.	**drenched, dampened, humid** moist, moistened	축축한
[wet] dry		He removed his *wet* gloves and set them aside⑭ to dry.	

40 **wrath***	n.	**anger, rage, fury** resentment, indignation	분노
[ræθ]		He looked back at her with *wrath* in his eyes.	

Glossary

⑫ intense 격렬한   ⑬ radiation 방사물   ⑭ aside 옆으로

Quiz   ● Choose the **synonym**

1. depressed   ⓐ dreadful, threatening, fearful
2. formidable   ⓑ dramatic, sensational, impressive
3. spectacular   ⓒ downcast, melancholy, gloomy
4. tame   ⓓ domesticated, mild, docile

Answer   1. ⓒ   2. ⓐ   3. ⓑ   4. ⓓ

29일

1 acid	adj. **sour, biting**	신랄한
[ǽsid] agreeable	Their voices sounded a little *acid,* as if they had been quarrelling.	
2 amass*	v. **accumulate, collect, gather**	모으다
[əmǽs] distribute	It was necessary for the colonies to *amass* a supply of coin through the medium① of trade.	
3 amaze	v. **astound, surprise, astonish**	몹시 놀라게 하다
[əméiz]	Earnest was *amazed* at how beautiful the mountain was.	
4 becoming	adj. **attractive, comely, suitable** appropriate	어울리는
[bikʌ́miŋ]	Though her father thought his dress awful, it was really rather *becoming.*	
5 cause**	v. **trigger, result in, initiate** bring about, elicit 야기시키다, 초래하다	
[kɔːz]	Cooling or net evaporation② *causes* surface water to become dense enough to sink.	
6 component**	n. **element, ingredient, constitutive**	성분
[kəmpóunənt]	Several *components* made it possible for humans to produce sounds.	
7 conflict	v. **clash, contend, fight**	싸우다
[kʌ́nflikt]	Roman tradition *conflicted* greatly with stoic③ doctrines.	

Glossary ──────────────────────────────
① medium 매개   ② evaporation 증발   ③ stoic 스토아 학파의, 금욕주의자의

8 consequence*   n.   **result, effect, outcome**   결과

[kánsikwèns]

The economic depression in US was unique⑥ in its *consequences*.

9 crack*   v.   **break, snap, slit**   split   깨뜨리다

[kræk]

The workers *cracked* the stone by using hammers.

10 crisis   n.   **emergency**   위기

[kráisis]

We will face energy *crisis*.

11 crude*   adj.   **rough, raw, unrefined**   천연[있는]그대로의, 가공하지 않은

[kru:d]
refined

The whites had only the *crude* concept of what the hills meant to the Indians.

12 durability*   n.   **endurance**   내구력

[djùərəbíləti]

The product is well-known for its *durability*.

13 effort   n.   **endeavor, exertion, struggle**   striving   노력

[éfərt]
ease

The *effort* to increase wages brought about hundreds of strikes in 1850s.

14 emerge**   v.   **appear, loom**   나타나다

[imə́:rdʒ]
disappear

On the ninth ballot Polk *emerged* as the first 'dark horse' nominee.⑤

15 endeavor   n.   **effort, struggle, exertion**   essay   노력

[endévər]

Benjamin Franklin devoted himself to intellectual *endeavors* and public service.

16 entitle   v.   **empower, qualify**   권리를 부여하다

[entáitl]

Every man was *entitled* to life, liberty, and the pursuit⑦ of happiness.

---

glossary

④ unique 독특한   ⑤ nominee 지명된 사람   ⑥ associate 제휴하다   ⑦ pursuit 추구

17 eternal

adj. **endless, everlasting, infinite** ceaseless, permanent 영원한

[itə́ːrnəl]
mortal

Freedom, democracy,[8] and human rights are *eternal* values of mankind.

18 explain

v. **elucidate, explicate, clarify** 설명하다

[ikspléin]
confuse

Lincoln *explains* in his speech about why the war was going on.

19 finish*

v. **terminate, end, conclude** 끝내다

[fíniʃ]

As soon as she *finished* training her new charge,[9] she was fired.

20 hollow*

adj. **empty** 텅 빈

[hálou]

The trees look so solid,[10] but in fact they are *hollow*.

21 impulsive

adj. **emotional** 충동적인

[impʌ́lsiv]
deliberate

The killer is *impulsive* and persuaded by moods.

22 insecure

adj. **unsafe, uncertain** 불안전한

[ìnsikjúər]
confident

The level of jealousy[11] increases when one feels *insecure* about love.

23 meet

v. **encounter, confront, face** 직면하다

[miːt]
avoid

Because of a severe[12] snowstorm, the mountaineers *meet* a danger.

24 melancholy

adj. **depressed, gloomy, dismal** despondent 우울한

[mélənkàli]
cheerful

He wondered why she was *melancholy*.

25 note

n. **eminence, distinction, repute** celebrity, reputation 명성

[nout]

He is a figure of international *note*.

Glossary

⑧ democracy 민주주의　　⑨ charge 담당　　⑩ solid 고체의　　⑪ jealousy 시기, 질투
⑫ severe 혹독한

172

| 26 **periphery**** | n. | **edge, border, fringe**   margin, verge | 주변부 |

[pərí:fəri]
center

The outer *periphery* of the hurricane is generally made up of rain bands.

| 27 **practical**** | adj. | **effective, practicable, useful** | 실용적인 |

[prǽktikəl]
academic

They would make a blade[13] so thin that it had no *practical* purpose.

| 28 **rapture** | n. | **ecstasy, joy, delight**   bliss, exultation | 황홀경, 기쁨 |

[rǽptʃər]

She kissed her son at once with *rapture*, and began to talk of his engagement.[14]

| 29 **reassure** | v. | **encourage, comfort** | 안심시키다 |

[rìːəʃúər]

The passengers[15] don't feel *reassured* when the ship's way is stopped.

| 30 **restrain** | v. | **repress, curb, suppress**   check, restrict | 억제하다 |

[riːstréin]
incite

The federal[16] government attempted to *restrain* the publication of a newspaper.

| 31 **rudimentary*** | adj. | **basic, elementary, fundamental** | 기초적인 |

[rùːdəméntəri]

She has only a *rudimentary* understanding of art.

| 32 **sentiment** | n. | **emotion, sentimentality, sensibility** | 감정 |

[séntəmənt]

His strong anti-British *sentiments* put him in opposition[17] to the Washington administration.

| 33 **shed*** | v. | **diffuse, discard, emit**   radiate | 빛(소리, 향기 등)을 내다,발하다 |

[ʃed]

The roses in the vase *shed* fragrance[18] all around the room.

| 34 **skirmish** | n. | **encounter, conflict, combat**   battle, collision | 작은 전투 |

[skə́ːrmiʃ]

The U.S. has fought minor *skirmishes* in hot spots around the world.

Glossary ——————————————————————————
⑬ blade 날, 칼날   ⑭ engagement 약혼   ⑮ passenger 승객   ⑯ federal 연방의
⑰ opposition 반대, 저항   ⑱ fragrance 향기

35 **stress**	n.	**emphasis, accent, force**	강조
[stres]		Hippocrates laid more *stress* upon the expected outcome of a disease than upon its diagnosis.[20]	

36 **sweep**	v.	**clean, clear**	청소하다
[swi:p]		He *swept* up a room before he received his guests.	

37 **trespass**	v.	**encroach, infringe, intrude** invade	침해하다
[tréspəs]		They were *trespassing* on privately-owned land.	

38 **upright**	adj.	**1. erect, vertical, perpendicular**	수직의
[ʌ́pràit] crooked		Unlike their apelike[21] ancestors, they walked *upright*.	
	adj.	**2. conscientious, righteous, virtuous**	정직한, 덕망있는
		He was a morally *upright* person.	

39 **vengeance**	n.	**avenging, revenge**	복수
[véndʒəns]		I have no animosity[22] against him, let alone desire for *vengeance*.	

40 **vigilant**	adj.	**attentive, wary, alert** awake, watchful	경계하는
[vídʒələnt] lax, neglectful, negligent		He try to keep a *vigilant* eye on both parts of his kingdom.	

*G*lossary

20 diagnosis 진단　　　21 apelike 유인원의　　　22 animosity 적의, 적개심

Quiz ● Choose the **synonym**

1. amass   ⓐ elucidate, explicate, clarify
2. explain   ⓑ repress, curb, suppress
3. restrain   ⓒ collect, gather, accumulate
4. trespass   ⓓ encroach, infringe, intrude

Answer　1. ⓒ　2. ⓐ　3. ⓑ　4. ⓓ

30 일

1 accumulate****

[əkjúːmjəlèit]
dissipate

v. collect, pile up, amass — 모으다

He *accumulated* lots of wealth due to his continuous[1] success of business.

2 anger

[ǽŋgər]
forbearance

n. resentment, wrath, fury indignation, rage — 분노

Mere politics and laws will never solve *anger* from racial injustice.

3 capacious

[kəpéiʃəs]

adj. spacious, roomy, commodious — 널찍한

He showed me a *capacious* room.

4 celebratory*

[séləbretəri]

adj. congratulatory, honoring — 축하할만한

He gave me a *celebratory* message about my winning the award.

5 clever

[klévər]
dull

adj. smart, intelligent, ingenious — 영리한

There is no doubt that Duddy is very shrewd[2] and *clever*.

6 comfort

[kʌ́mfərt]

v. soothe, console, solace — 위로하다

They *comforted* her over her husband's death.

7 destroy*

[distrɔ́i]
establish

v. ruin, smash, demolish — 파괴하다

On their route, the army *destroyed* anything and everything.

Glossary
① continuous 연속적인   ② shrewd 빈틈없는, 약삭빠른

8 **diminutive**[*]	adj.	small	작은
[dimínjətiv]		Young men's *diminutive* faults were accepted generously.	

9 **expert**	n.	specialist, authority, master	전문가
[ékspəːrt] dabbler		Many organizations have development programs with highly qualified *experts*.	

10 **fair**	adj.	unbiased, just, impartial disinterested	공정한
[fɛər] unfair		Labor in America faced a long, violent[3] struggle to win *fair* treatment.	

11 **fume**	n.	smoke	연기
[fjuːm]		The architect[4] was grinning behind the *fumes* of his cigarette.	

12 **glide**	v.	slide, slip	미끄러지다
[glaid]		The car *glided* on into the long road.	

13 **govern**	v.	rule, reign	지배하다
[gʌ́vərn]		The entire[5] activity of the organism is *governed* by definite laws.	

14 **grief**	n.	sorrow, woe, sadness	슬픔
[griːf] joy		The *grief* would be softened[6] by the lapse[7] of time.	

15 **hard**	adj.	solid, inflexible, unyielding	단단한
[hɑːrd] soft		The iced ground was as *hard* as concrete.[8]	

16 **inflexible**	adj.	rigid, unbending, stern resolute, steadfast	확고한
[infléksəbəl] adaptable		Bryan developed a somewhat *inflexible* musical talent.	

Glossary

③ violent 격렬한   ④ architect 건축가   ⑤ entire 전체의   ⑥ soften 부드럽게 하다
⑦ lapse (시간의) 경과   ⑧ concrete 콘크리트

17 interval*

[íntərvəl]

n. **space, distance, period**

(시간,거리의) 간격

After an *interval* of studying medicine, Harrison decided on a military career.

18 lone

[loun]
accompanied

adj. **solitary, lonely, secluded** separate

고독한

A *lone* statue⁹ stands in the park.

19 magnificent

[mægnífəsənt]
modest

adj. **splendid, august, stately** majestic, imposing

장엄한

Malaysia has its sun drenched⑩ beaches, enchanting⑪ islands, and *magnificent* mountains.

20 odor

[óudər]

n. **smell, fragrance, scent** perfume

냄새

The new type of kimchi doesn't have the distinctive⑫ *odor* that foreigners dislike.

21 only

[óunli]
diverse

adj. **sole, single, unique**

유일한

The *only* man willing to take command of the ship was Lieutenant⑬ John Worden.

22 particular*

[pərtíkjələr]
general

adj. **special, individual, specific** especial

특별한

Galileo tried to disprove⑭ one *particular* statement of Aristotle's.

23 polished

[páliʃt]

adj. **smooth, glossy, shiny**

윤이 나는

He moved to and fro between the great *polished* furniture.

24 rapid

[rǽpid]
leisurely

adj. **speedy, fast, fleet** swift

신속한

The *rapid* political change altered the structure of Chinese society so much.

25 rather**

[rǽðər]

adv. **somewhat, instead**

약간

The result of his plan would be *rather* interesting.

Glossary ──

⑨ statue 상, 조상　　⑩ drench ~을 흠뻑 적시다　　⑪ enchant 마음을 사로잡다, 넋을 잃게 하다

⑫ distinctive 뚜렷이 구별되는　　⑬ lieutenant 중위　　⑭ disprove ~의 오류를 입증하다

| 26 **realm*** | n. | sphere, domain, province   field | 범위, 영역 |

[relm]

He used the telescope to discover[15] many undiscovered *realms* of space.

| 27 **silent** | adj. | speechless, dumb, mute   tacit | 말이 없는 |

[sáilənt]
talkative

Charlie Chaplin was a *silent* movie star.

| 28 **slim** | adj. | slender, thin | 호리호리한 |

[slim]
chubby

Kate is pretty, *slim* with dark brown eyes.

| 29 **sound** | adj. | 1. uninjured, unharmed, healthy | 손상되지 않은 |

[saund]
impaired

In spite of earthquake, his house was almost *sound*.

instable

| | adj. | 2. firm, stable, unimpaired | 안정된, 건실한 |

The Bank of the United States produced *sound* currency[16] during the war.

| 30 **sparkle** | v. | spark, glitter, twinkle | 빛나다 |

[spá:rkəl]

His eyes *sparkled* with pleasure.

| 31 **stiff** | adj. | rigid, solid | 단단한 |

[stif]
flexible

The leaves of the young corn became less *stiff* and erect.

| 32 **stifle** | v. | smother, suffocate, choke   strangle | 숨막히게 하다 |

[stáifəl]

We were *stifled* by the heat last summer.

| 33 **tender** | adj. | soft, delicate, mild   lenient | 부드러운 |

[téndər]
rough

She kept cooking the meat until it was *tender*.

ɡlossary
⑮ discover 발견하다   ⑯ currency 통화, 유통 화폐

178

34 **velocity**[*]	n.	**speed, rapidity, celerity** pace	속도, 신속함
[vilásəti]		People started selling their stocks[⑰] at a fast *velocity*.	

35 **whirl**	v.	**spin, rotate, revolve** wheel	회전하다
[*h*wə:*r*l]		Francine *whirled* around to see Mr. Sheffield.	

⑰ stock 증권

▲ Choose the **synonym** of the highlightened word in the sentence.

1. We may attempt to predict weather but we cannot control it.
    ⓐ elicit   ⓑ separate   ⓒ govern   ⓓ accumulate

2. The unskilled of depressed regions are all disproportionately unemployed.
    ⓐ gloomy   ⓑ solid   ⓒ splendid   ⓓ unbiased

3. The English sent a formidable fleet of warships into the New Amsterdam harbor.
    ⓐ solitary   ⓑ dreadful   ⓒ speedy   ⓓ special

4. Some of the limiting factors in population growth have been lessened.
    ⓐ infringed   ⓑ abated   ⓒ glittered   ⓓ revolved

5. The movement to establish a college began during the U.S. War of
    Independence.
    ⓐ avenging   ⓑ distinction   ⓒ drive   ⓓ constitutive

6. The major components of musical sound include tone, timbre, and texture.
    ⓐ debates   ⓑ periods   ⓒ divisions   ⓓ ingredients

7. Architects used techniques making walls hollow and filling this wall space with
    materials.
    ⓐ empty   ⓑ infinite   ⓒ rigid   ⓓ ease

8. The competition in capitalism is restrained by a variety of conditions.
    ⓐ reigned   ⓑ consoled   ⓒ smothered   ⓓ repressed

▲ Choose the **antonym** of the highlightened word in the sentence.

9. Most experts agree that it will be necessary to combine all three
    recommendations.
    ⓐ masters   ⓑ professionals   ⓒ mechanics   ⓓ dabblers

10. The widow smiled, and would not show me her grief.
    ⓐ woe   ⓑ joy   ⓒ domain   ⓓ avenging

Take a Break

해커스보카 스터디중 : 단어는 곧 돈이다.

31 일

1 **accompany**	v.	escort, attend, companion	동반하다

[əkʌ́mpəni]
leave

She volunteered[①] to *accompany* her mother.

2 **amuse**	v.	entertain, please, cheer	즐겁게 하다

[əmjúːz]
annoy

He *amused* himself by reading a novel.

3 **appeal**	n.	entreaty, request, petition	탄원, 청원

[əpíːl]

An *appeal* to a higher court resulted in a victory of labor unions.

4 **arouse**	v.	awaken, incite, stimulate	유발하다

[əráuz]
annoy

The strange sight *aroused* his curiosity.[②]

5 **boundary**	n.	border, limit	경계(선)

[báundəri]

Slaves were purchased from over the *boundaries* of the empire.[③]

6 **bury***	v.	cover, hide	가리다

[béri]
disclose

Helen *buried* her face in her hands.

7 **collective***	adj.	accumulated, assembled	축적된

[kəléktiv]

By using our *collective* power as voters and consumers, we can reduce pollution.[④]

Glossary
① volunteer 자진하여 ~하다   ② curiosity 호기심   ③ empire 제국   ④ pollution 오염

8 **commend**	v.	**laud, praise, applaud** exalt	칭찬하다
[kəménd] admonish		He *commended* the ten black soldiers for their exceptional[5] courage and bravery.	

9 **confine***	v.	**limit, restrict, enclose** imprison	가두다, 제한하다
[kənfáin]		Israel *confined* Palestinians to their communities.	

10 **cumbersome***	adj.	**burdensome, awkward, bulky** clumsy	다루기 힘든
[kʌ́mbərsəm]		Although the machine looks *cumbersome*, it is actually easy to use.	

11 **equal**	adj.	**equivalent, tantamount**	동등한
[íːkwəl] disparate		Congress passed an order declaring that black and white troops were *equal*.	

12 **evade**	v.	**escape, elude, shun**	피하다
[ivéid] confront		People often manage to *evade* the result of their folly.[6]	

13 **false***	adj.	**erroneous, wrong, incorrect**	잘못된
[fɔːls] veracious		He had also heard *false* rumors about young Harrison's character.	

14 **foe**	n.	**enemy, opponent, adversary** antagonist	적
[fou] friend		He pursued the retreating[7] *foe* into Spanish Florida.	

15 **gallant***	adj.	**brave, valiant, daring** valorous, intrepid	용감한
[gǽlənt] coward		Henrietta made arrangements to meet her *gallant* friend.	

16 **hostility**	n.	**enmity, antagonism**	적대감
[hastíləti] amity		Roman grain[8] buyers were treated with extreme *hostility* by the local authorities.	

glossary
⑤ exceptional 이례적인, 예외적인   ⑥ folly 어리석음   ⑦ retreat 후퇴하다, 도망가다   ⑧ grain 곡물, 곡식

17 **impudent**	adj.	**brazen, insolent, rude**	뻔뻔한, 무례한
[ímpjədənt] polite		Some TV programs are going to be *impudent* little by little at some level.	

18 **integral***	adj.	**essential, crucial**	필수적인
[íntigrəl] unnecessary		With its syncopations,[9] ragtime[10] played an *integral* part in the jazz legacy.[11]	

19 **jealous**	adj.	**envious, covetous**	질투하는
[dʒéləs]		I've always been *jealous*, but I trained myself never to show it.	

20 **launch***	v.	**establish, initiate, commence**	착수하다
[lɔ:ntʃ]		We're *launching* a major forestry[12] campaign.	

21 **lively**	adj.	**energetic, active, vigorous** brisk	활기찬
[láivli] dull		The *lively* controversy on the popular topic makes Brock's manuscript interesting.	

22 **magnify****	v.	**amplify, intensify, augment** enlarge	확대하다
[mǽgnəfài] belittle		He is looking through the *magnifying* glass at the ground.	

23 **mistake**	n.	**error, blunder, slip**	실수
[mistéik]		Realizing his *mistake*, he withdrew[13] his forces.	

24 **nature***	n.	**1. entire and physical universe**	자연
[néitʃər]		Anaximenes believed air to be the primary[14] substance of *nature*.	
	n.	**2. tendency, characteristic, attribute**	특징, 성향
		Due to its massive *nature*, the ship's draft was enormous.	

⑨ syncopation 당김음   ⑩ ragtime 재즈 연주 형식의 하나   ⑪ legacy 유증, 유산   ⑫ forestry 삼림 관리
⑬ withdraw 철회하다   ⑭ primary 주요한

25 operative

[ápərətiv]
ineffective

adj. **effective, efficient, effectual**　　　효과적인

The telephone banking service was no longer *operative*.

26 peer

[piər]

v. **equal, mate, match**　　　대등하다

Her skill of knitting *peers* her mother's.

27 plague

[pleig]

n. **epidemic, outbreak**　　　전염병

Because of the *plague*, Albrecht immediately left Italy in 1505.

28 plead

[pliːd]

v. **appeal, entreat, beg**　supplicate　　　탄원(간청)하다

He *pleaded* for time and clemency,[15] but the Pope was inflexible.

29 pray

[prei]

v. **entreat, supplicate, implore**　petition, beseech　　　간청하다

I *prayed* for her to come back to me once again.

30 proven*

[prúːvən]

adj. **established, verified**　　　증명된

The new employee was a man of *proven* ability.

31 provoke*

[prəvóuk]
relax

v. **incite, irritate, vex**　enrage, exasperate　　　~를 자극하다

Her rude[16] attitude *provoked* his anger.

32 register*

[rédʒəstər]

v. **1. sign up for, enroll**　　　등록(기록)하다

A student who *registers* for eight credit hours is classified[17] as full-time student.

n. **2. list, catalogue**　　　목록

Guests write their names in the hotel *register*.[18]

Ꮆlossaᴙy

⑮ clemency 온유, 관대　　⑯ rude 무례한　　⑰ classify 분류하다　　⑱ register 등록부

| 33 **respect** | n. | **esteem, deference, reverence** veneration | 존경 |

[rispékt]
scorn

With his decisive[19] handling of the dispute, we had won the *respect* of everyone.

| 34 **respectable** | adj. | **estimable, honorable, reputable** | 존경할만한 |

[rispéktəbəl]
disreputable

He is an eminently[20] *respectable* lawyer.

| 35 **rig**** | v. | **equip, furnish** | 장비를 갖추다 |

[rig]

We *rigged* up a simple shower at the back of the cabin.

| 36 **sterile*** | adj. | **barren, unproductive, fruitless** | 불모의 |

[stéril]
fertile, fecund

The loss of the rain forests would bring droughts,[21] floods, and *sterile* soil.

| 37 **sufficient*** | adj. | **enough, adequate, ample** | 충분한 |

[səfíʃənt]
deficient

We can only prosecute[22] if there is *sufficient* evidence.

| 38 **transparent** | adj. | **clear, lucid, limpid** pellucid, crystalline | 투명한 |

[trænspéərənt]
opaque

They try to make their accounts as *transparent* as possible.

Glossary ─────────────────────────────────

⑲ decisive 결정적인   ⑳ eminently 매우, 대단히   ㉑ drought 가뭄, 한발   ㉒ prosecute 기소하다

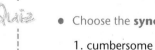

● Choose the **synonym**

1. cumbersome   ⓐ clear, lucid, limpid
2. launch   ⓑ barren, unproductive, fruitless
3. sterile   ⓒ awkward, burdensome, clumsy
4. transparent   ⓓ establish, start

32일

1 **appreciably***

adv. **estimably, perceptibly, significantly**　　　상당히

[əprí:ʃiəbli]
inappreciably

The temperature dropped *appreciably* this morning.

2 **assess***

v. **evaluate, estimate, judge**　appraise, calculate　　　평가하다

[əsés]

With the help of her counselors, Helen began to *assess* her life.

3 **banish***

v. **expel, exile, deport**　　　추방하다

[bǽniʃ]

Her father was *banished* from the family because of alcoholism.

4 **console**

v. **comfort, solace, soothe**　　　위로하다

[kənsóul]
agitate

No one could *console* her when her mother died.

5 **constrict**

v. **compress, contract**　　　압축하다

[kənstríkt]
widen

The drug causes the blood vessels① to *constrict*.

6 **consume***

v. **expend, exhaust**　　　소비하다

[kənsú:m]
produce

They *consume* a lot more than they earn.

7 **exclude**

v. **expel**　　　몰아내다

[iksklú:d]
admit

The new law *excluded* millions of working people, as did social security.

Glossary
① vessel 혈관

8 **exclusive**	adj.	**excluding**	배타적인

[iksklúsiv]
admissive

A desire for *exclusive* possession of their friends is natural to some people.

9 **exert***	v.	**exercise, wield**	(힘) 발휘하다

[igzə́:rt]

He won both games without even seeming to *exert* himself.

10 **extraordinary**	adj.	**exceptional, remarkable, unusual** uncommon	이상한

[ikstrɔ́:rdənèri]
normal

He had an *extraordinary* ability to understand others.

11 **illustration**	n.	**explanation, description**	설명

[ìləstréiʃən]

Archaeological[2] data are historical documents in their own right, not mere *illustrations* to written texts.

12 **immoderate**	adj.	**extreme, excessive, exorbitant** radical	과도한

[imádərit]
moderate

The *immoderate* speculation[3] kept the stock market artificially[4] high.

13 **impunity**	n.	**exemption**	면죄

[impjú:nəti]

Men used to be able to violently abuse their wives with almost *impunity*.

14 **interpret**	v.	**explain, explicate, elucidate** account for	설명하다

[intə́:rprit]
misconstrue

His later political activities have been variously *interpreted*.

15 **lavish**	v.	**expend, waste, squander**	낭비하다

[lǽviʃ]
scant

The British *lavish* time, effort, and huge sums of money on pets.

16 **level**	adj.	**even, flat, plain** horizontal	평평한

[lévəl]
uneven

The top of the tree was *level* with the roof of the house.

Glossary

② archaeological 고고학적인 ③ speculation 투기 ④ artificially 인공적으로

17 **mania**	n.	excitement, enthusiasm	열광
[méiniə]		Tom has a *mania* for old coin collecting.	

18 **manifest**	adj.	evident, obvious, apparent plain, distinct	명백한
[mǽnəfèst] implicit		It is *manifest* that he does not know what it is to be an artist.	

19 **merciful**	adj.	compassionate, humane, sympathetic clement	자비로운
[mə́ːrsifəl] merciless		Nature is sometimes *merciful*, but sometimes so cruel.	

20 **meticulously***	adv.	carefully	주의깊게
[mətíkjələsli] indiscreetly		The project needs to be *meticulously* planned since we only have four weeks to complete it.	

21 **moral**	adj.	ethical, righteous, virtuous	도덕적인
[mɔ́(ː)rəl] amoral		Sociologists⑤ are indifferent to the *moral* implications⑥ of their research.	

22 **nervous**	adj.	excitable, uneasy	신경질적인
[nə́ːrvəs] calm		He's a quiet, *nervous* man who doesn't like meeting new people.	

23 **occurrence**	n.	event, incident, affair	사건
[əkə́ːrəns]		Street-fights are an everyday *occurrence* in the city.	

24 **overstate***	v.	exaggerate	과장하다
[òuvərstéit] understate		Newspaper stories usually *overstated* the strength of the order.	

25 **pact**	n.	compact, contract, bond	협정
[pækt]		They signed a nuclear *pact* and several agreements in science.	

Glossary

⑤ sociologist 사회학자   ⑥ implication 함의, 의미

26 **perform****	v.	**execute, carry out, accomplish** achieve, fulfill	수행하다
[pərfɔ́:rm]		In spite of her youth, she *performed* her White House duties well.	

27 **perpetual**	adj.	**everlasting, ceaseless, constant**	끊임없는
[pərpétʃuəl] transient		His *perpetual* doubts hurt her, for he believed in nothing.	

28 **post**	n.	**column, pillar, pole**	기둥
[poust]		He drove the car into a concrete *post*.	

29 **prolific***	adj.	**productive, fertile**	결실이 많은
[proulífik] unfruitful		He has proven himself over the last four decade a *prolific* director.	

30 **proof***	n.	**evidence, testimony**	증거
[pru:f]		They have no direct *proof* of his hypothesis.[7]	

31 **scrutinize**	v.	**examine, investigate, study** dissect	정밀조사하다
[skrú:tənàiz]		James *scrutinized* the painting at the museum closely.	

32 **sententious**	adj.	**concise, terse, succinct**	간결한
[senténʃəs]		She found his *sententious* style was particularly pleasing.	

33 **serene****	adj.	**calm, peaceful, tranquil** undisturbed, placid	조용한, 평화로운
[sirí:n] agitated		His painting shows a *serene* summer night in the woods.	

34 **substitute****	v.	**exchange, replace**	대체하다
[sʌ́bstitjù:t]		They *substituted* saccharin[8] for the sugar during the war.	

35 **surpass***	v.	**exceed, excel, outdo** transcend, beat	능가하다
[sərpǽs]		The Egyptians far *surpassed* all other ancient civilizations.	

36 **survival****	n.	**existence**	생존
[sərváivəl]		Their disregard for the environment threatens the long-term *survival* of the planet.	

37 **ubiquitous****	adj.	**omnipresent, existing everywhere**	어디에나 존재하는
[juːbíkwətəs] inexistent		We troubled sleeping due to *ubiquitous* mosquitoes around us.	

38 **undergo***	v.	**experience, suffer**	(고통, 어려운 일을)겪다
[ʌndərgóu]		The United States has *undergone* many recessions.	

39 **worn-out**	adj.	**exhausted**	다 써버린
[wɔ́ːrn-aut]		Most broken *worn-out* appliances end up⁹ in landfills.¹⁰	

40 **wicked**	adj.	**evil, vicious, vile** impious, profane, blasphemous	사악한
[wíkid] upright		A *wicked* grin appeared on his face.	

Glossary ───────────

⑨ end up 결국에는 ~이 되다   ⑩ landfill 쓰레기

  ● Choose the **synonym**

1. appreciably   ⓐ calm, peaceful, tranquil
2. manifest   ⓑ evident, obvious, apparent
3. perpetual   ⓒ estimably, perceptibly, significantly
4. serene   ⓓ everlasting, ceaseless, constant

Answer 1. ⓒ   2. ⓑ   3. ⓓ   4. ⓐ

33일

1 adhere*	v.	stick, cleave, cling	달라붙다
[ædhíər] disjoin		Some tiles are not properly *adhered* to the wall.	
2 barren**	adj.	sterile, lifeless, infertile unproductive	불모의
[bǽrən] fertile		The *barren* soil of the Rocky Mountains provides few nutrients to the grasses.	
3 blemish	n.	stain, defect, speck	결점, 얼룩
[blémiʃ]		Roosevelt never mentioned the *blemish* on his father's great reputation in his autobiography.	
4 comprehensible**	adj.	understandable, apprehensible, knowable	이해할 수 있는
[kàmprihénsəbəl] incomprehensible		Experience taught her that life could be predictable and *comprehensible*.	
5 depart	v.	start, leave	출발하다
[dipá:rt] arrive		Schedules of those who *departed* early might need to be changed.	
6 detect**	v.	find, register, spot discern, discover	발견하다
[ditékt]		When she persuaded him, he *detected* the lack of conviction in her tone.	
7 diffuse*	v.	spread, distribute, scatter disperse	퍼뜨리다, 흩어놓다
[difjú:z] concentrate		The kitchen stove *diffused* its warmth all over the house.	

Glossary

| 8 **firm** | adj. | **stable, steadfast, determined** reliable | 확고한 |

[fəːrm]
changeable

He was *firm* in his convictions on the Union.

| 9 **float*** | v. | **stay on the top** | 뜨다 |

[flout]
sink

She was put on a raft① to *float* down the river.

| 10 **glance** | v. | **skim** | 흘끗 보다 |

[glæns]
stare

She yawned② again and *glanced* at her alarm clock.

| 11 **gush** | v. | **spurt, spout** | 분출하다 |

[gʌʃ]

Oil *gushed* out from the hole in the tanker.③

| 12 **incite** | v. | **stimulate, spur, instigate** provoke | 자극하다 |

[insáit]
curb

She was expelled for *inciting* her classmates to rebel against their teachers.

| 13 **jump** | v. | **spring, bound, hop** leap | 뛰다 |

[dʒʌmp]

Five people saved themselves by *jumping* from the window.

| 14 **majestic** | adj. | **stately, grand, august** imposing, magnificent | 장엄한 |

[mədʒéstik]

The *majestic* gates now sit quietly in the middle of fast-moving vehicles.

| 15 **maneuver** | n. | **scheme, plot, design** | 계획 |

[mənúːvər]

His *maneuver* failed in its major purpose for the lack of co-work.④

| 16 **mar*** | v. | **spoil, damage, ruin** | 망쳐놓다 |

[mɑːr]
adorn

The storm *marred* the pleasure of the trip.

Glossary
① raft 뗏목　　② yawn 하품하다　　③ tanker 급유기　　④ co-work 공동작업, 협력

17 **miserly**	adj.	**stingy, mean**	인색한
[máizərli] generous		His *miserly* attitude made everybody turn against[5] him.	

18 **originate**[*]	v.	**initiate, spring, emanate**	시작되다
[ərídʒənèit] end		The philosophy of stoicism[6] *originated* in Greece.	

19 **pace**	n.	**1. step, gait**	걸음걸이
[peis]		When she thought she heard someone following her, she quickened her *pace*.	
	v.	**2. walk, step**	걷다
		He *paced* nervously up and down the hospital room, waiting for the news.	

20 **platform**	n.	**stage, pulpit**	강단
[plǽtfɔːrm]		He climbed on to the *platform* and began to address the crowd.	

21 **pose**	v.	**propound, propose, suggest**	(문제를)제기하다
[pouz] withdraw		Computer crime *poses* special challenges in detection and prosecution.[7]	

22 **position**	n.	**station, place, locality** site	위치
[pəzíʃən]		Single parent families are in a much more difficult *position* economically.	

23 **push**	v.	**shove, thrust**	밀다
[puʃ] pull		He *pushed* through the crowd of people that had gathered at the scene of accident.	

24 **rotate**[**][*]	v.	**turn, revolve, spin** wheel, roll	회전하다
[róuteit]		Tropical cyclones[8] *rotate* clockwise[9] in the Southern Hemisphere.	

Glossary

⑤ turn against 외면하다   ⑥ stoicism 금욕주의   ⑦ prosecution 처벌   ⑧ cyclone 사이클론, 큰 태풍
⑨ clockwise 시계방향으로

194

25 **scatter****	v.	disperse, widely spread dissipate, strew	흩뿌리다
[skǽtər] gather		I *scattered* grass seed all over the lawn.	

26 **sedentary***	adj.	stationary	움직이지않는
[sédəntèri] moving		Her obesity⑩ is partly due to her *sedentary* occupation.	

27 **sneer**	v.	jeer, deride, ridicule scorn, scoff	조롱하다
[sniər]		She *sneered* at him thinking of him as a hypocrite.⑪	

28 **soak***	v.	saturate, steep, drench wet	적시다
[souk]		Mother told me to *soak* the beans for two hours in the water.	

29 **stake**	n.	stick, post	말뚝
[steik]		Jeanne d'Arc was later burned at the *stake* in Rouen.	

30 **station**	n.	standing, rank	지위
[stéiʃən]		Hoover had been born poor, and had worked his way up to a higher *station* in life.	

31 **stout**	adj.	strong, stalwart, sturdy	튼튼한
[staut] weak		He is a *stout* believer in the theory that a bad news never travels alone.	

32 **sway**	v.	1. swing, oscillate, waver	흔들다
[swei]		The wind *sways* the heavy heads in a field of ripe barley.⑫	
	v.	2. rule, reign, govern	다스리다
		She was *swayed* as easily as a child by the nearest influence.	

Glossary

⑩ obesity 비만   ⑪ hypocrite 위선자   ⑫ barley 보리

33 **trigger****	v.	**cause, generate, start** initiate	일으키다

[trígər]

News of the masquerade[13] *triggered* rioting and fires in Pittsburgh.

34 **unexampled**	adj.	**unprecedented, matchless, peerless**	비길 데 없는

[ʌ̀nigzǽmpld]

Her beautiful voice was *unexampled* in the world.

35 **voluntary**	adj.	**spontaneous, free, unforced**	자발적인

[váləntèri]
compelled

In these days, many people want to have a *voluntary* donation.[14]

36 **waste**	v.	**squander, dissipate, lavish**	낭비하다

[weist]
save

They *waste* a lot of water washing vegetables under running[15] water.

37 **weaken**	v.	**enfeeble, undermine, impair** diminish	약화시키다

[wí:kən]
strengthen

Julia was *weakened* by her long illness.

Glossary

⑬ masquerade 가장무도회 ⑭ donation 기부   ⑮ running 흐르는

VOCABULARY

Hackers **TOEFL**
TEST 11 |제 31 일 ~ 제 33 일|

▲ Choose the **synonym** of the highlightened word in the sentence.

1. Altruistic suicide is the result of strong collective pressure and social approval.
   ⓐ assembled　　ⓑ dispersed　　ⓒ informed　　ⓓ conflicted

2. The society launched an educational campaign directed toward politicians and power brokers.
   ⓐ defended　　ⓑ commence　　ⓒ curbed　　ⓓ assured

3. Erosion causes the edge of its cap to weaken and fall.
   ⓐ convince　　ⓑ sort　　ⓒ undermine　　ⓓ surround

4. The nurse was pitiful to her patient's distress, but she had little to say that could console him.
   ⓐ ignite　　ⓑ soothe　　ⓒ taint　　ⓓ qualify

5. The government commission recently concluded that contract killers have 99% impunity, only 1% are ever convicted.
   ⓐ exemption　　ⓑ scrutiny　　ⓒ vocation　　ⓓ account

6. The cessation of the Cold War provoked a revival of nationalism, especially in eastern Europe.
   ⓐ crashed　　ⓑ alleviated　　ⓒ noticed　　ⓓ incited

7. The prickly pear anchors itself on rocky, barren slopes and grows to about 3 meters high.
   ⓐ infertile　　ⓑ ghastly　　ⓒ brazen　　ⓓ naive

8. News of the killings triggered rioting and fires in the Pittsburgh rail yards.
   ⓐ caused　　ⓑ elevated　　ⓒ attacked　　ⓓ entombed

▲ Choose the **antonym** of the highlightened word in the sentence.

9. First, farmers selected the oyster bed, cleared the bottom of old shells and other debris, then scattered clean shells about.
   ⓐ enchanted　　ⓑ rescued　　ⓒ gathered　　ⓓ secured

10. The lowest strata of the caste system are referred to as 'untouchables', because they are excluded from the performance of rituals which confer religious purity.
    ⓐ lifted　　ⓑ admitted　　ⓒ bowed　　ⓓ concurred

Take a Break

서부 개척 운동 西漸運動 (*westward movement*)

미국사회는 동부 13주를 모체로 해서 점차 서쪽으로 확대해가는 형태로 발전해 왔는데, 이 서점운동에 따라 프런티어도 당초의 애팔래치아 산맥 지대로부터 미시시피강 유역, 나아가서는 그레이트 플레인스로 통하는 서쪽으로 이동하였다. 이 단계에서는 북부의 자영농민과 남부의 플랜터의 땅을 찾아가는 움직임이 그 주된 원동력이었는데, 19세기 중엽에 미국이 태평양연안의 영토를 획득하고, 캘리포니아에서 금광이 발견되어 골드러시가 일어나자 서점운동은 급속도로 진행되었다. 1849년 캘리포니아로 금을 캐러 온 사람들을 '포티 마이너스(forty miners)' 라고 하였는데, 이들은 금이 처음 발견된 1848년부터 1858년까지 약 5억 5,000만 달러에 이르는 금을 채굴하였다. 1850년 9월 캘리포니아는 정식으로 미국의 한 주가 되었는데, 이처럼 단시간에 인구가 늘어서 주(州)로 승인된 예는 미국 역사상 드문 일이다. 골드 러시 이후 태평양연안을 거점으로 동진(東進)하는 프런티어도 생겨 광물자원의 채굴이 그 추진력이 되었다. 그리하여 19세기 말에는 로키산맥 지대를 최후로 거의 전지역에 이주가 끝났으며, 프런티어 라인(미개척 영역)의 소멸과 더불어 한 시대의 흐름으로서 서부 개척 운동도 종결되었다.

광대한 개척작업은 땅의 입수를 용이하게 하여 농업발달에 기여함과 동시에, 공업제품에도 충분한 국내시장을 제공하였다. 그리고 여기에는 자립의 기회가 열려 있었기 때문에 동부의 과잉노동인구를 흡수하는 안전판의 기능을 다함과 동시에, 미국사회의 유동성(流動性)을 높여 그 중산계급화를 촉진하는 한 원인이 되었다. 정치면에서도 기존의 사회적 제약이 적은 프런티어는 자유 · 평화라고 하는 이념에 제대로 들어맞아 보통선거운동 등에 무시할 수 없는 영향을 끼쳤고, 자치의식도 높았다. 그리고 대자연에 맞서 살아 나가야 하는 냉혹한 상황 속에서 '프런티어 스피릿' 이라 부르는 개척정신의 기풍이 배양되어 미국 국민의 국민성의 일부가 되기도 하였으며, 그들의 개인주의 · 현실주의 · 합리주의 혹은 개개의 독창성을 존중하는 성향을 강화해 주었다.

이와 같이 프런티어는 미국사회에 중요한 의미를 지니며, 특히 그 경제적 발전에서 불가결의 것이라는 생각이 널리 퍼져 있었는데, 그런 만큼 프런티어가 소멸하였다는 의식(意識)은 미국인들 사이에 심각한 위기감을 불러일으켜 새로운 프런티어를 찾아 해외진출로 나서게 하는 하나의 계기가 되었다.

34일

1 accretion**
[əkríːʃən]

n. accumulation

축적(물)

Neptune was formed by the *accretion* of icy planetesimals.[1]

2 agriculture**
[ǽgrikʌltʃər]

n. farming

농업

Money was distributed disparately between industry and *agriculture*.

3 attach
[ətǽtʃ]
detach

v. fasten, affix, join   annex

붙이다

He needs to *attach* his photograph to the paper.

4 blast
[blæst]

n. explosion, outburst, burst

폭발

Thirty-six people died in the *blast* yesterday.

5 burst
[bəːrst]

v. explode, blow up

폭발하다

Clay could see that her heart was *bursting* with homesickness.[2]

6 character
[kǽriktər]

n. feature, trait, characteristic

특징

Fidelity to humans is dog's well-known *character*.

7 dimly*
[dímli]
distinctly

adv. faintly

희미하게

She was only *dimly* aware of the risk.

ᵍlossary ────────────

① planetesimal 미소행성체   ② homesickness 향수

199

8 **doom**	n.	**fate, ruin, death** destiny	운명, 파멸
[du:m]		The *doom* of the Russian despotism[3] was already determined before the war.	

9 **dread**	n.	**fear, awe**	공포
[dred]		The *dread* made the affliction[4] spread widely.	

10 **easy**	adj.	**facile, simple**	쉬운
[í:zi] hard		The bicycle was widely accepted because of its *easy* maintenance.	

11 **enchant**	v.	**fascinate, captivate, charm**	매혹시키다
[entʃǽnt] disillusion		She was *enchanted* with her new neighbors.	

12 **enlarge***	v.	**amplify, extend, augment** magnify, expand	확대시키다
[enlá:rdʒ] compress		He refused to join the liberals who hoped to *enlarge* the New Deal.	

13 **excessive**	adj.	**undue, exorbitant, extravagant**	지나친
[iksésiv] meager		Many congressmen considered his claims *excessive*.	

14 **exploit**	n.	**feat, accomplishment**	위업
[éksplɔit]		The adventurous side of his *exploit* made him feel that he was a real hero.	

15 **extract***	v.	**extort, derive**	이끌어 내다
[ikstrǽkt]		Slaves were put to work on plantations to *extract* maximum harvests from the cotton fields.	

16 **fierce****	adj.	**furious, vicious, aggressive** brutal, ferocious	사나운
[fiərs] mild		The Chickisaw Indians were known as *fierce* warriors.[5]	

Glossary
③ despotism 독재　　④ affliction 고통, 고뇌　　⑤ warrior 전사

17 fiery*

adj. **fervent, passionate, afire** burning   불같은

[fáiəri]
frigid

He was known for his iron will and *fiery* personality.

---

18 glee

n. **exultation, merriment, hilarity**   환희

[gliː]
gloom

He began to dance with an expression of *glee*.

---

19 honor

n. **fame, repute, reputation**   명예

[ánər]
scorn

She knew that he had waited a long time for the *honor*.

---

20 languid*

adj. **listless, faint, feeble** exhausted, weak   기운없는, 희미(창백)한

[læŋgwid]
vivacious

Fran was startled to see her friend so *languid*.

---

21 legend

n. **fable, myth**   전설

[lédʒənd]

There is a great number of tales and *legends* about crows.

---

22 lengthen*

v. **prolong, extend, stretch** protract   연장하다

[léŋkθən]
abbreviate

The primary school education now has been *lengthened* to six years in America.

---

23 loyal

adj. **faithful, devoted**   충성스러운

[lɔ́iəl]
faithless

The soldiers were intensely *loyal* and obeyed orders from their American officers.⑥

---

24 mortal

adj. **fatal, lethal, deadly**   치명적인

[mɔ́ːrtl]

Captain James Sparkman received a *mortal* wound.

---

25 noxious*

adj. **noisome, stinking, fetid**   매우 유해한, 불쾌한, 악취가 나는

[nákʃəs]
innocuous

They discarded⑦ *noxious* chemicals in the river.

---

 lossary

⑥ officer 장교   ⑦ discard 버리다

26 **pierce**	v.	**penetrate**	관통하다
[piərs]		He looked up into the sunlight *piercing* through the branches.	

27 **positive***	adj.	1. **precise, accurate, explicit**　certain	뚜렷한,명백한
[pázətiv] irresolute		Her answer was *positive* enough to make the teacher understood.	
negative	adj.	2. **affirmative**	긍정적인,단언하는
		We should remember that soy has many *positive* benefits.	

28 **pretend**	v.	**feign, affect, assume**	~인 체하다
[priténd]		She got back to her bed and *pretended* to read her schedules.	

29 **productive**	adj.	**prolific, fertile, fruitful**	비옥한
[prədʌ́ktiv] sterile		The workers already knew how to make the land most *productive*.	

30 **range**	n.	**extent, scope, compass**	범위
[reindʒ]		Galileo learned the wide intellectual *range* of mathematical reasoning® from Archimedes.	

31 **sensation**	n.	**excitement, stimulation, agitation**	흥분
[senséiʃən]		He was seized by an overwhelming *sensation* as he stared at the painted walls.	

32 **signify**	v.	**express, indicate, mean**	나타내다
[sígnəfài]		He *signified* his agreement with a nod.	

33 **simultaneously****	adv.	**concurrently, at the same time**	동시에
[sàiməltéiniəsli] separately		The two pictures are taken *simultaneously* from different camera angles.	

Glossary

⑧ reasoning 추론

34 true*	adj.	**accurate, real, authentic** genuine, actual	진짜의
[tru:] false		I didn't realize the *true* seriousness of the problem until I checked the fuel gauge.[9]	

35 unbiased	adj.	**fair, impartial, unprejudiced** disinterested	공평한
[ʌnbáiəst] unfair		The New York Times is smart in getting *unbiased* professional opinions.	

36 vast**	adj.	**immense, huge, enormous** extensive, prodigious	광대한, 막대한
[væst] narrow		The continent they had begun settling was enormously *vast*.	

37 visionary	adj.	**fanciful, imaginary, illusory**	환상의
[víʒənèri] realistic		Many people think that Chris' ideas are *visionary*.	

38 vogue*	n.	**mode, fashion, style**	유행, 성행
[voug]		Short skirts are very much in *vogue*.	

39 weariness*	n.	**fatigue**	피로
[wíərinis]		The hard work at the construction site drove him to the extreme *weariness*.	

40 wither	v.	**fade, wilt, shrivel**	시들다, 쇠퇴하다
[wíðər] flourish		Mrs. Hopgood's roses seemed to *wither* before one's eyes.	

Glossary
⑨ gauge 계량기

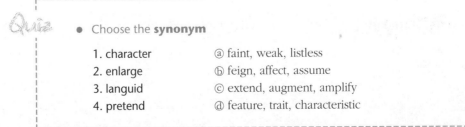

Quiz • Choose the **synonym**

1. character
2. enlarge
3. languid
4. pretend

ⓐ faint, weak, listless
ⓑ feign, affect, assume
ⓒ extend, augment, amplify
ⓓ feature, trait, characteristic

Answer 1. ⓓ 2. ⓒ 3. ⓐ 4. ⓑ

35 일

| 1 **accelerate*** | v. | **speed up, expedite, hasten** quicken | 가속하다 |

[æksélərèit]
decelerate

The new tariff act① *accelerated* the downfall of American trade.

| 2 **adjust** | v. | **fit, adapt, suit** | 적응하다 |

[ədʒʌ́st]
disarrange

As her eyes *adjusted* to the light, she saw that he was grim.②

| 3 **alleviate** | v. | **ease, lessen, abate** | 완화하다 |

[əlíːvièit]
augment

Frei's economic reforms have *alleviated* crushing③ poverty to some degree.

| 4 **allot** | v. | **divide, distribute, allocate** assign | 할당하다 |

[əlát]
retain

Two hours a week are *allotted* to instruction in English.

| 5 **aromatic*** | adj. | **flavorful, fragrant** | 향기로운 |

[ǽrəmǽtik]
acrid

Aromatic herbs④ are often used in foods.

| 6 **blaze** | n. | **flame** | 불꽃 |

[bleiz]

The firemen extinguished the *blaze*.

| 7 **celebrated*** | adj. | **renowned, famous, well-known** distinguished | 유명한 |

[séləbrèitid]
unknown

Sherman's march to the sea was probably the most *celebrated* military action.

① tariff act 관세법　　② grim 단호한, 무자비한　　③ crushing 엄청난　　④ herb 허브

| 8 **compete** | v. | **contend, vie, rival** | 경쟁하다 |

[kəmpíːt]

It was very difficult for English colonies to *compete* with the Dutch.

| 9 **credulous** | adj. | **gullible** | 쉽게 믿는 |

[krédʒələs]
skeptical

None but very *credulous* people give credit to fables⑤ these days.

| 10 **decrease*** | v. | **diminish, dwindle, abate**   lessen | 줄이다 |

[dikríːs]
increase

Factory owners began to *decrease* wages in order to lower the cost.

| 11 **defend** | v. | **guard, shield, shelter**   protect | 방어하다 |

[difénd]
attack

They *defended* the castle⑥ bravely.

| 12 **definite*** | adj. | **decisive, unambiguous, unequivocal**   fixed, express | 명확한 |

[défənit]
equivocal

Without a quite *definite* goal, there could be no movement at all.

| 13 **dictate**** | v. | **determine, require, impose**   ordain, prescribe | 지시(강요)하다 |

[díkteit]

Johnson *dictated* the nomination⑦ of Vice-President Humphrey.

| 14 **distinction*** | n. | **difference** | 차이 |

[distíŋkʃən]
analogy

Dickinson makes an important *distinction* between the rights and the duties.

| 15 **embed*** | v. | **fix, fasten, root** | 새겨넣다 |

[imbéd]

The story of the American Dream has been *embedded* deeply in American culture.

| 16 **escape** | v. | **flee, evade, avoid** | 피하다 |

[iskéip]
abide

The English came to America to *escape* religious persecution.⑧

G l o s s a r y

⑤ fable 우화   ⑥ castle 성   ⑦ nomination 지명, 명명   ⑧ persecution 박해

17 **excellent**	adj.	**fine, eminent**	뛰어난
[éksələnt] mediocre		Deimos would offer an *excellent* base for the study of Mars.	

18 **fasten**	v.	**fix, attach**	고정하다
[fǽsn] loose		He *fastened* the rope tight to the tree.	

19 **forge***	v.	**1. drive, plunge**	-를 -로 이끌다
[fɔ:rdʒ]		The Germans *forged* ahead toward Honsfeld.	
	v.	**2. make, fabricate, fashion**	만들다
		Fairfax *forged* an army with good soldiers who were well-trained.	

20 **foul**	adj.	**filthy, dirty, stained** polluted	더러운
[faul] fair		Police shut up the well,[9] because they said it was full of *foul* water.	

21 **gleam**	v.	**flash, beam, glimmer**	빛나다
[gli:m]		Her hair seemed to *gleam* above her black collar.	

22 **horror**	n.	**fear, dread, panic**	공포
[hɑ́:rər]		Her throat went dry with *horror*.	

23 **imaginary**	adj.	**fanciful, visionary**	상상의
[imǽdʒənəri] real		I awoke from an *imaginary* trouble to face a real one.	

24 **inconstant**	adj.	**fickle, variable, volatile** unstable	변하기 쉬운
[inkánstənt] resolute		Weather becomes *inconstant* with atmospheric[10] heating.	

Glossary ——————————————————————————
⑨ well 우물   ⑩ atmospheric 대기의

206

25 **initial** *	adj.	**first**, beginning, inceptive	처음의
[iníʃəl] final		The chief designer approved the *initial* design of the satellite.	

26 **lay off** *	v.	**fire**, discharge, dismiss	해고하다
[lei ɔːf]		The employer plans to *lay off* some of his workers next week.	

27 **limber**	adj.	**flexible**	유연한
[límbər] rigid		The child picked up a *limber* branch of the tree.	

28 **motif** **	n.	1. **theme**, subject, topic	주제
[moutíːf]		Nature has often provided a *motif* to artists.	
	n.	2. **design**, device, **pattern** figure	문양
		Her new quilt① has a repetitive *motif* of rose.	

29 **motionless**	adj.	**fixed**, still, stationary	정지한
[móuʃənlis] active		Max remained *motionless* for a while, then he stood up.	

30 **patience**	n.	**endurance**, fortitude, perseverance	인내
[péiʃəns] restiveness		Keeping a diary demands *patience*.	

31 **qualify**	v.	**entitle**, authorize	~에게 자격을 주다
[kwáləfài]		His teaching experience *qualifies* him to do the new job.	

32 **sorrow**	n.	**distress**, anguish, grief sadness, woe	슬픔
[sárou] joy		The news of her death will bring *sorrow* to many hearts.	

Glossary ─────────────────────
① quilt 담요

207

33 spend	v.	**expend, squander, waste** lavish, consume	소비하다

[spend]
save

The rich stopped *spending* on luxury items.

34 spot*	v.	**detect, find, locate** pinpoint, recognize	발견하다

[spɑt]

Almost instinctively, he *spotted* the lack of conviction in her tone.

35 steadfast**	adj.	**unwavering, steady, resolute** firm, stanch	확고한

[stédfæst]
vacillating

It is my *steadfast* belief that more women should stand for Parliament.

36 treachery	n.	**betrayal, treason**	배반

[trétʃəri]
dependability

Brown was arrested and charged with *treachery*.

37 ultimate	adj.	**final, supreme, utmost**	궁극적인

[ʌ́ltəmit]

The *ultimate* objective of his research is to expand the Earth's bio resources.

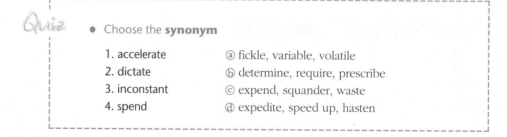

Quiz

● Choose the **synonym**

1. accelerate
2. dictate
3. inconstant
4. spend

ⓐ fickle, variable, volatile
ⓑ determine, require, prescribe
ⓒ expend, squander, waste
ⓓ expedite, speed up, hasten

Answer   1. ⓓ   2. ⓑ   3. ⓐ   4. ⓒ

36 일

| ¹ **auxiliary** | adj. | **subsidiary, subordinate, additional** | 보조적인 |

[ɔ:gzíljəri]
leading

To finish their work, they needed an *auxiliary* help from the expert.

| ² **bizarre*** | adj. | **erratic, strange** | 기괴한 |

[bizá:r]
ordinary

He could observe one of the most *bizarre* phenomena in his trip.

| ³ **bow** | v. | 1. **stoop, bend** | 구부리다 |

[bau]

He extended his arm to Francine and *bowed* slightly to her.

| | v. | 2. **submit, yield** | 굴복하다, 따르다 |

Finally, she *bowed* to her parent's wish.

| ⁴ **brook** | n. | **stream, creek, branch** | 시냇물 |

[bruk]

The trunk① of a fallen tree lay beside the *brook*.

| ⁵ **check** | n. | 1. **inspection, examination** | 조사 |

[tʃek]

A spot *check*② showed that the products were defective.

expedite

| | v. | 2. **stop** | 막다 |

The doctor tried to *check* the spread of cholera.

Glossary

① trunk 나무의 굵은 줄기 　② spot check 무작위 샘플 검사

6 **combat**	v.	**struggle, fight, battle**	싸우다

[kámbæt]
surrender

They formed many alliances such as NATO to *combat* Communism.

7 **contest**	n.	**struggle, conflict, battle** combat, fight	싸움

[kántest]

The election was a *contest* between Lyndon B. Johnson and Barry M. Goldwater.

8 **device**	n.	**plan, scheme, project** design	계획

[diváis]

I will let you know the *device* to catch the girls' attention.

9 **ebb***	v.	**1. subside abate, recede** retire	쇠퇴하다,약하게하다

[eb]
flow

Economic boom and recession *ebbed* and flowed in our country.

	n.	**2. reflux**	간만,썰물

Ernest places great emphasis upon the *ebb* flow of British credit sales in the colonies.

10 **elementary***	adj.	**rudimentary, basic, primary** fundamental	기초적인

[èləméntəri]
advanced

He had not even an *elementary* notion of disguising his state of mind.

11 **fashion***	n.	**1. style, vogue, mode**	유행

[fǽʃən]

She always follows the latest *fashions*.

	v.	**2. shape, make, produce** mold, fabricate	만들다

His masterful[3] diplomacy *fashioned* a broad international coalition against Iraq.

	v.	**3. fit, adjust, suit** adapt	적응시키다

The scientist *fashioned* a theory to general understanding.

③ masterful 훌륭한

12 **flow**	v.	stream, run	흐르다
[flou]		Rivers *flow* into the ocean.	

13 **force***	n.	strength, power, might energy	힘
[fɔːrs] impotence		The Liberal Party is a secondary *force* in British politics.	

14 **legendary***	adj.	mythological, fabulous, mythical	전설적인
[lédʒəndəri] historical		Mary is a *legendary* heroine of the battle of Monmouth in the Revolutionary War.	

15 **liberal**	adj.	tolerant, broad-minded, generous	관대한
[líbərəl] stingy		He is very *liberal* to the opponent.	

16 **notable**	adj.	noteworthy, noticeable, remarkable extraordinary	주목할만한
[nóutəbəl] unnoteworthy		Great Britain experienced a *notable* decline in its exports.	

17 **nutrition**	n.	nourishment	영양
[njuːtríʃən]		It is imperative④ to improve the *nutrition* of the children.	

18 **obedient**	adj.	submissive, docile	순종적인
[oubíːdiənt] disobedient		Christians are supposed to be subordinate and *obedient* to church.	

19 **obvious****	adj.	apparent, conspicuous, clear manifest, evident	명백한
[ábviəs] obscure		It was *obvious* that he didn't understand what she meant.	

20 **output****	n.	production	결과물
[áutpùt] input		The factory has doubled its *output* in recent months.	

Glossary

④ imperative 필수적인

21 **pension****	n.	subsidy, money	연금
[pénʃən]		He retired on a *pension*.	

22 **potent**	adj.	powerful, mighty, influential	강력한
[póutənt] impotent		Jackson remained a *potent* force in the Democratic party.	

23 **probe**	v.	examine, explore, investigate	정밀조사하다
[proub]		Detectives questioned for hours, *probing* for any inconsistencies⑤ in his history.	

24 **quaint**	adj.	strange, odd, unusual extraordinary, uncommon	기이한
[kweint]		The respected customs of yesterday now seem merely *quaint*.	

25 **reap***	v.	harvest, gather	수확하다
[ri:p]		The slaves *reaped* the wheat in the field all day.	

26 **senseless**	adj.	stupid, foolish, silly idiotic	어리석은
[sénslis] wise		Some teenagers have been infatuated⑥ to worship *senseless* and unintelligent idols.	

27 **stammer**	v.	stutter, hesitate, falter	말을 더듬다
[stǽmər]		She *stammers* when she feels nervous.	

28 **stock****	n.	inventory, reserve, hoard store	저장, 축적
[stɑk]		He has a good *stock* of information.	

29 **strain**	v.	stretch, tighten	(팽팽히) 늘이다, 잡아당기다
[strein]		Supplies will be further *strained* by new demands of consumers.	

Glossary
⑤ inconsistency 불일치, 모순 ⑥ infatuated 몰두한

30 **stroke**	n.	striking, blow, beating beat	일격
[strouk]		We would end the massive damage caused by burning coal, all in one *stroke*.	

31 **sturdy**	adj.	strong, robust, stalwart muscular, stout	튼튼한
[stə́:rdi] decrepit		*Sturdy* looking, a band⑦ of girls were following a string of awkward Americans.	

32 **surrender**	v.	submit, yield	넘겨주다
[səréndər]		We must not *surrender* our town to the enemy.	

33 **tactics**	n.	strategy, maneuvering	전술
[tǽktiks]		Prohibitionists achieved their goals because of their group *tactics*.	

34 **tale**	n.	story, narrative, fiction account	이야기
[teil]		She told an entirely fanciful *tale* about her trip.	

35 **wallow**	v.	flounder, welter	허우적거리다
[wálou]		Brown bears love to *wallow* in the water on warm days.	

36 **weakness**	n.	flaw, defect, fault	약점
[wí:knis]		I've discovered his *weakness*.	

37 **widespread****	adj.	prevalent, broadly accepted, sweeping extensive	널리퍼진
[wáidsprèd] uncommon		There was *widespread* fear that a revolution might break out⑧ in the US.	

Glossary

⑦ band 떼, 무리　　　⑧ break out 발생하다

▲ Choose the **synonym** of the highlightened word in the sentence.

1. People are trapping elephants to use them for clearing land for **agriculture**.
   ⓐ vogue   ⓑ nourishment   ⓒ farming   ⓓ distress

2. At the dawn of the space age it is possible to perceive only **dimly** its scope and possibilities.
   ⓐ faintly   ⓑ notably   ⓒ influentially   ⓓ clearly

3. American writers began to look across their **enlarged** continental homeland for their subjects and themes.
   ⓐ qualified   ⓑ extended   ⓒ plunged   ⓓ struggled

4. Soil formation is extremely slow, especially in its **inintial** stages.
   ⓐ definite   ⓑ beginning   ⓒ productive   ⓓ skeptical

5. Some fast-moving fog may cover **vast** areas.
   ⓐ mythological   ⓑ extensive   ⓒ noteworthy   ⓓ distinct

6. The soil erosion has **accelerated** due to new demands placed on the land.
   ⓐ flourished   ⓑ captivated   ⓒ tightened   ⓓ speeded up

7. Smallpox was the first **widespread** disease to be eliminated by human intervention.
   ⓐ stationary   ⓑ definite   ⓒ fickle   ⓓ prevalent

8. The Civil War was a trying time for both the Union and the Confederacy alike, but the question of its outcome was **obvious** from the start.
   ⓐ last   ⓑ apparent   ⓒ fanciful   ⓓ torrential

9. Stroeve **pretended** to look at pictures, but I saw that his thoughts were constantly with his wife.
   ⓐ assumed   ⓑ stopped   ⓒ avoided   ⓓ shielded

▲ Choose the **antonym** of the highlightened word in the sentence.

10. The abstract algebra used today evolved out of the fundamentals of **elementary** algebra.
    ⓐ stained   ⓑ primary   ⓒ flexible   ⓓ advanced

Take a Break

"*Perseverance*" 끈기

Perseverance is more prevailing than violence. 끈기는 폭력보다 더 낫다.

Plutarch 풀루타르크(그리스 전기작가)

The finest edge is made with the blunt whetston. 아무리 잘 드는 칼날도 뭉툭한 숫돌로 만들어진다.

J. Lyly J. 릴리(영국 극작가)

The difference between Perseverance and obstinacy is that one 끈기와 고집의 차이는 끈기는 강한 의지력에서 나오고,

often comes from a strong will, and the other from a strong won't. 고집은 강하게 바라지는 않는 것에서 나오는 것이다.

H. W. Beecher H. W 비처(미국목사)

All that you do, do with your might. 무슨 일이든 전력을 다해서 하라.

thing done by halves are never done right. 하다가 마는 것은 제대로 하는 것이 아니다.

R. H Stoddard R. H. 스토다드(미국시인)

Perseverance is falling nineteen times and succeeding the twentieth. 끈기란 열아홉 번 실패해도 스무 번째 성공하는 것이다

S. Anderson S. 앤더슨(미국작가)

37일

1 **accomplish**[*]

v. **work out, fulfill, achieve** execute, complete   성취하다

[əkámpliʃ]

Nothing could keep him from making an effort to *accomplish* his ends.

2 **accordingly**[*]

adv. **for that reason**   따라서

[əkɔ́ːrdiŋli]

He was told to speak briefly; *accordingly*, he cut short[①] his speech.

3 **alarm**

n. **fright, terror, dismay**   공포

[əláːrm]
composure

She felt *alarm* at the sight of the snake

4 **ancestor**

n. **forefather**   조상

[ǽnsestər]
descendant

James took pride in his *ancestors'* role in the American Revolution.

5 **anchor**

v. **fix, secure, fasten**   고정시키다

[ǽŋkər]
unfasten

After the boat is *anchored,* Mike jumps overboard into the water.

6 **backbone**[**]

n. **foundation, spine**   중추

[bǽkbòun]

Agriculture has formed the *backbone* of the country's economy.

7 **bode**[*]

v. **foretell, presage**   징조가 되다

[boud]

The early sales figures[②] *bode* well for the success of the book.

✎ lossary ────────────────────────────

① cut short 간단하게 하다   ② sales figure 판매숫자, 판매량

| 8 **cargo** | n. | freight, load, burden | 화물 |

[ká:rgou]

The sailors unloaded their *cargo* from the ship.

| 9 **companion** | n. | partner, fellow, mate   associate | 친구 |

[kəmpǽnjən]

Her cat became her closest *companion* during the absence of her parents.

| 10 **compel*** | v. | oblige, force, impel | 강요하다 |

[kəmpél]

Slave women were *compelled* to work at tedious jobs each day.

| 11 **consider**** | v. | contemplate, meditate, ponder   reflect | 깊이 생각하다 |

[kənsídər]
ignore

One must carefully *consider* what to do first.

| 12 **deceit** | n. | fraud, deception, cheating | 사기 |

[disí:t]
honesty

A culture of *deceit* has long been an integral[3] part of Japan's success.

| 13 **disappoint** | v. | frustrate, baffle | 실망시키다 |

[dìsəpɔ́int]
fulfill

Environmentalists are *disappointed* by the initiatives[4] coming out of the White House.

| 14 **emphatic** | adj. | forcible, strong | 강력한 |

[imfǽtik]
weak

She was aware of *emphatic* knocking at her door.

| 15 **ensue*** | v. | follow, track, succeed | 뒤따라 일어나다 |

[ensú:]
antecede

Two students quarreled and a fight *ensued*.

| 16 **equip** | v. | furnish, provide | 장비를 갖추다 |

[ikwíp]

The laboratory is *equipped* for atomic[5] research.

Glossary

③ integral 핵심적인   ④ initiative 솔선, 주도   ⑤ atomic 원자의

17 **establish****	v.	organize, constitute, set up institute, found	설립하다

[istǽbliʃ]
abrogate

Washington's first concern was to *establish* the executive® departments.

18 **exorbitant***	adj.	expensive, excessive, extravagant immoderate	과도한

[igzɔ́ːrbətənt]
reasonable

It's an excellent restaurant but the prices are *exorbitant*.

19 **explicit**	adj.	clear, unambiguous, definite	명백한

[iksplísit]
ambiguous

There was often an *explicit* analogy between the social and the biological societies.

20 **frantic***	adj.	frenzied, insane, frightening	미친(광란의)

[frǽntik]

Before the game, there was a *frantic* rush to get the last few seats.

21 **hectic***	adj.	full of excitement, feverish, fervid	매우 흥분한

[héktik]
tranquil

I've had a pretty *hectic* day at the school.

22 **hostile**	adj.	antagonistic, inimical, unfriendly	적대적인

[hástil]
amicable

The president was *hostile* to women's rights.

23 **humorous**	adj.	funny, comical	우스운

[hjúːmərəs]
unwitty

Dave tried to entertain her with *humorous* accounts.

24 **idiotic**	adj.	foolish, stupid, fatuous	바보스러운

[ìdiátik]

His conduct at the party was really *idiotic*.

25 **ingenuous**	adj.	frank, candid, naive	솔직한

[indʒénjuːəs]
covert

He is not always *ingenuous* in his actions.

Glossary
⑥ executive 행정의

26 jubilant*

[dʒúːbələnt]
mournful

adj. **exulting, joyful**

환희에 찬

She seemed to be *jubilant* at her success.

---

27 mode*

[moud]

n. **form, arrangement**

형태

The North Americans showed a desire for an effective *mode* of transportation.

---

28 ominous**

[ámənəs]
auspicious

adj. **foreboding, threatening**

불길한

The Oregon crisis was *ominous* because it coincided with[7] a threat of war with Mexico.

---

29 pardon

[páːrdn]
punish

v. **forgive, absolve, condone** acquit

용서하다

Ford soon *pardoned* Nixon for the crimes during office.

---

30 progressive*

[prəgrésiv]
reactionary

adj. **advanced, forward**

발전하는

Oil had made Kuwait one of the most *progressive* countries in the world.

---

31 prohibit

[prouhíbit]
permit

v. **forbid, inhibit**

금지하다

The law *prohibits* employers from hiring illegal aliens.[8]

---

32 provide**

[prəváid]

v. **supply, afford, furnish**

제공하다

The hotel *provides* a shoe-cleaning[9] service for guests.

---

33 provision

[prəvíʒən]

n. **food, supplies**

식량

The method of harvesting from nature's *provision* is the oldest known subsistence[10] strategy.

---

34 rage

[reidʒ]
forbearance

n. **anger, fury, wrath**

분노

His face was trembling with *rage*.

⬤ lossary ─────────────

⑦ coincide with ~와 동시에 일어나다   ⑧ alien 외국인   ⑨ shoe-cleaning 신발을 닦아주는
⑩ subsistence 생존

35 **refresh**	v.	**freshen, enliven, reanimate**	새롭게하다
[rifréʃ] jade		Although it is untenable,[11] his demand for a socialism is *refreshing*.	

36 **sip**	v.	**drink, absorb, sup**	홀짝홀짝 마시다
[sip]		The lady *sipped* her tea delicately.	

37 **top**	n.	**apex, acme, peak** pinnacle, culmination, vertex	정상
[tɑp] bottom		They finally got on the *top* of the mountain.	

38 **troublesome***	adj.	**onerous, difficult, annoying** burdensome	힘든(성가신)
[trʌ́blsəm] innocuous		To amend[12] faulty land titles was a *troublesome* job to Thomas Lincoln.	

39 **visible**	adj.	**apparent, manifest, obvious** conspicuous	눈에 띄는
[vízəbəl]		The oasis is hardly *visible* in some part of the desert.	

40 **weak**	adj.	**fragile, frail, delicate** feeble	약한
[wi:k] strong		The cold made her feel tired and *weak*.	

lossary

⑪ untenable 지지할 수 없는 ⑫ amend 수정하다

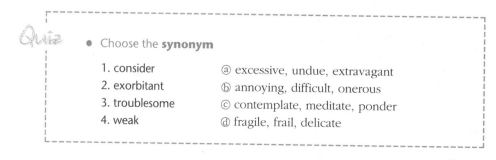

Quiz ● Choose the **synonym**

1. consider
2. exorbitant
3. troublesome
4. weak

ⓐ excessive, undue, extravagant
ⓑ annoying, difficult, onerous
ⓒ contemplate, meditate, ponder
ⓓ fragile, frail, delicate

Answer   1. ⓒ   2. ⓐ   3. ⓑ   4. ⓓ

38 일

1 **abhor***	v.	loathe, hate, detest	혐오하다
[æbhɔ́:r] admire		Some people genuinely *abhorred* slavery.	

2 **ambition***	n.	goal, desire	야망
[æmbíʃən]		His *ambition* was to be a great scientist.	

3 **bulk***	n.	great quantity	거대함
[bʌlk]		Because of its great *bulk*, the elephant was hard to move.	

4 **charitable**	adj.	generous, benign, kind	관대한
[tʃǽrətəbəl] harsh		Grandmother was always *charitable* to our mistakes.	

5 **cheerful**	adj.	gay, joyful, jolly buoyant	쾌활한
[tʃíərfəl] gloomy		Although she always remained *cheerful*, she led an extremely dull life so far.	

6 **confer**	v.	bestow, give, grant	수여하다
[kənfə́:r] refuse		An honorary degree① was *conferred* on him.	

7 **deny**	v.	gainsay, contradict, reject	부인하다
[dinái] confirm		He *denied* that he was a communist.	

glossary
① honorary degree 명예 학위

8 **dreary**	adj.	**gloomy, dismal**	우울한
[dríəri]		Yesterday was a *dreary* winter's day.	

9 **endowment**	n.	**gift, capacity, talent**	재능
[endáumənt]		He inherited natural *endowments* from his parents.	

10 **fix**	v.	**fasten, attach**	고정시키다
[fiks] alter		They *fixed* a painting to the wall.	

11 **fruitless**	adj.	**futile, sterile, unproductive**	쓸모없는
[frú:tlis] fecund		He went to Madrid in a *fruitless* attempt to persuade Spain.	

12 **glance**	n.	**glimpse**	흘끗봄
[glæns] focus		She had a *glance* at her alarm clock.	

13 **grace**	n.	**gracefulness, elegance, refinement**	우아함
[greis]		He was admired for her composure,② beauty, and *grace*.	

14 **impart**	v.	**give, bestow, grant** confer	주다
[impá:rt]		I will *impart* a knowledge of the Art to my own children.	

15 **joyful**	adj.	**glad, delighted, buoyant** elated, jubilant	쾌활한
[dʒɔ́ifəl] despairing		His father was a large, powerful man, who tended to be *joyful*.	

16 **lordly**	adj.	**grand, magnificent, majestic** lofty	위엄 있는
[lɔ́:rdli] humble		*Lordly* authority of the king began to be questioned.	

Glossary

② composure 침착, 평정

17 maid	n.	**girl, maiden, lass**	소녀
[meid]		A *maid* in his house was badly tortured[3] by Tran.	

18 melt	v.	**fuse, dissolve, thaw**	녹다
[melt] solidify		All the gold must be *melted* immediately and stamped with some mark.	

19 mirth	n.	**gaiety, glee, merriment**	즐거움
[məːrθ] melancholy		Cries of suppressed *mirth* issued from the next room.	

20 mostly	adv.	**generally, chiefly**	대부분
[móustli]		The soldiers were *mostly* fighting for their own ideologies.	

21 motion*	n.	**movement, move, gesture**	움직임
[móuʃən] inertia		The rocking[4] *motion* of the boat made Julia feel sick.	

22 obtain**	v.	**gain, earn, achieve** acquire, attain	얻다
[əbtéin]		Despite a lack of money, Charles managed to *obtain* a good education.	

23 outspoken	adj.	**frank, open, candid**	솔직한
[àutspóukən] reserved		She was a woman of *outspoken* interest in people.	

24 pant	v.	**gasp**	숨을 헐떡이다
[pænt]		The dog lay *panting* on the doorstep.[5]	

25 precipitation**	n.	**acceleration, haste, impetuosity**	재촉
[prisìpətéiʃən]		Some political factors contributed to the *precipitation* of the Great Depression.	

Glossary

③ torture 괴롭히다　　④ rocking 흔들리는　　⑤ doorstep 문간의 층계

26 **promote***	v.	**further, encourage, advance**	촉진하다
[prəmóut] check		There was a meeting to *promote* trade between China and America.	

27 **purified****	adj.	**cleansed**	정화된
[pjúərəfàid] defiled, sullied, tarnished		Her contact lenses were *purified*.	

28 **seize**	v.	**grasp, grab, grip** clutch, capture	움켜잡다
[si:z] loose		Robert *seized* my hand suddenly and dragged[6] me away from the window.	

29 **stare**	v.	**gaze**	응시하다
[stɛər]		Maxwell *stared* at his three employees in shock.	

30 **stoop**	v.	**bend, lean, bow** crouch	구부리다
[stu:p]		*Stooping* down, he picked up the bag of fruits.	

31 **surreal****	adj.	**having a strange dream-like quality**	초현실적인
[səríːəl]		The *surreal* images became hugely popular in the 1980s.	

32 **talkative**	adj.	**garrulous, wordy, verbose**	수다스러운
[tɔ́:kətiv] silent, laconic		She is so *talkative* that no one wants to marry her.	

33 **tough**	adj.	**firm, strong, hard** sturdy	강한(단호한)
[tʌf] weak		There was need for *tough* personal leadership to keep the system working.	

34 **transcend****	v.	**go beyond**	초월하다
[trænsénd]		The size of the universe *transcends* our understanding.	

Glossary
⑥ drag 끌다

| 35 **troop** | n. | band, squad, party | 군대 |

[tru:p]

Troops were sent in to stop the riots.

| 36 **twinkle** | v. | glimmer, sparkle | (반짝반짝)빛나다 |

[twíŋkəl]

Her eyes *twinkled* with great pleasure from the news of his coming.

| 37 **virtue** | n. | goodness, uprightness, morality | 미덕 |

[və́:rtʃu:]
vice

Among her many *virtues* are loyalty, courage, and truthfulness.

| 38 **ware** | n. | goods, merchandise | 상품 |

[wɛər]

Rich merchants sent their *wares* to the distant Indies.

| 39 **yawn** | v. | gape | 하품하다 |

[jɔ:n]

The horse *yawned* with its chopped-out[7] mouth.

Glossary ───────────────────────────────

⑦ chopped-out 갈라진(말의 입모양을 형상)

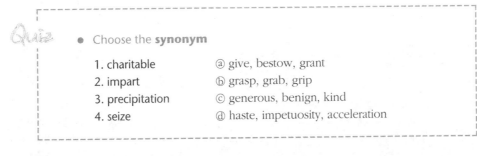

Quiz   ● Choose the **synonym**

1. charitable
2. impart
3. precipitation
4. seize

ⓐ give, bestow, grant
ⓑ grasp, grab, grip
ⓒ generous, benign, kind
ⓓ haste, impetuosity, acceleration

39일

1 **abrupt***
[əbrʌ́pt]
dilatory

adj. **sudden, hasty, hurried**　　　　　갑작스러운

The war caused an *abrupt* stop of the policy to help farmers.

2 **adapt**
[ədǽpt]
unfit

v. **suit, adjust, fit**　　　　　적응시키다

One must *adapt* method to circumstances.

3 **adequate**
[ǽdikwit]
inadequate

adj. **sufficient, suitable**　　　　　충분한

His research cannot be completed without *adequate* funding.

4 **advocate***
[ǽdvəkit]
impugn

v. **support, argue for, speak for**　claim　　　지지하다, 주장하다

The environmentalists also tried to *advocate* the conservation of energy.

5 **anguish**
[ǽŋgwiʃ]
relief

n. **pain, suffering, agony**　　　　　고통

He found himself unable to react to her *anguish*.

6 **appendix***
[əpéndiks]

n. **supplement, adjunct**　　　　　첨가, 부록

Frederick Hocker provides a useful *appendix* of nautical① terms.

7 **appropriate**
[əpróuprièit]
inappropriate

adj. **suitable, proper**　　　　　적절한

Her clothes were not *appropriate* for a job interview.

Glossary
① nautical 선박의

8 assumption** n. supposition   가정

[əsʌ́mpʃən]

The result of the experiment shook the basic *assumption* of his theory.

9 deposit v. entrust, save, store   맡기다, 저축하다

[dipázit]

Letters must be *deposited* in the box to send.

10 duty n. obligation   의무

[djúːti]

Most of the passenger remained calm and the crew did their *duty*.

11 employ** v. use, utilize, exploit   이용하다

[emplɔ́i]

High-frequency[2] signals are *employed* for radio transmission.[3]

12 envelop v. surround, enclose   둘러싸다

[envéləp]

A sense of conspiracy[4] began to *envelope* the events of last week.

13 follow v. succeed, ensue   뒤따르다

[fálou]
precede

Steuben set a standard and all soldiers and officers were to *follow* it.

14 food n. provisions   음식

[fuːd]

The Indians greeted the Spaniards with *food* and shelter.

15 fragrance* n. scent   향기

[fréigrəns]
malodor

Her room was full of sweet *fragrance* of roses.

16 gloomy adj. 1. shadowy, dim, dark   어두운

[glúːmi]
brilliant

We can see the *gloomy* dark shadows once in a while.

Glossary

② high-frequency 고주파수   ③ transmission 전파   ④ conspiracy 공모, 음모

cheerful	adj.	2. **dismal, dejected, despondent**	우울한
		After his wife was dead, he became more and more *gloomy*.	

17 **hint**	n.	**suggestion, implication, allusion**	암시
[hint] instruction		He did not tell the name of him, but he gave me a *hint*.	

18 **implore**	v.	**supplicate, beseech, entreat** beg	간청하다
[implɔ́:r]		He *implored* her to come with him, but she refused.	

19 **imposing***	adj.	**substantial, considerable, grand**	상당한
[impóuziŋ]		The Philistine army grew to be an *imposing* force.	

20 **luxurious***	adj.	**sumptuous, ornate, rich**	사치스러운
[lʌgʒúəriəs] ascetic		Only the rich could have the *luxurious* accommodations for long journeys.	

21 **maintenance**	n.	**subsistence, livelihood, upkeep**	생계
[méintənəns]		The problem of the *maintenance* costs became so serious.	

22 **matter***	n.	**substance, material, stuff**	물질
[mǽtər]		Earthworms[5] help to transport organic[6] *matter* through the soil.	

23 **nurture***	v.	**raise, rear, nurse**	양육하다
[nə́:rtʃər] disregard		Parents always want to know the best way to *nurture* children.	

24 **outdo**	v.	**surpass, excel**	~을 능가하다
[autdú:]		Both players tried to *outdo* each other to show how tough they can be.	

Glossary

⑤ earthworm 지렁이   ⑥ organic 유기체의

25 **oversee**	v.	supervise, superintend, watch	감독하다
[òuvərsíː]		Harrison returned to North Bend to *oversee* his farm.	

26 **pain**	adj.	suffering, distress, torture torment, pang	고통
[pein]		He had been complaining of eye *pain* because of long hours of studying.	

27 **prosper**	v.	succeed, thrive, flourish	번영하다
[práspər]		My father was no longer *prospering* in business.	

28 **purveyor****	n.	supplier	공급업자
[pərvéiər]		The *purveyor* of wine didn't show up on the appointed time.	

29 **replace***	v.	supersede, supplant, substitute	대체하다
[ripléis]		Clean air in many cities had been *replaced* by smog.	

30. **request**	v.	entreat, supplicate, beseech solicit	간청하다
[rikwést]		The staff *requested* that he reconsider his decision.	

31 **scold**	v.	reprove, reproach, reprimand rebuke	꾸짖다
[skould] praise		She was severely *scolded* by her boss.	

32 **sequence**	n.	succession, series	연속
[síːkwəns]		That the page numbers must be in *sequence*.	

33 **sovereign**	adj.	supreme, chief, paramount	최고의
[sávərin]		Most European monarchs⑦ no longer have *sovereign* control.	

Glossary ――――――――――――――――――――――――――――――――――

⑦ monarch 독재자

34 **splendid**	adj.	**wonderful, magnificent, superb**	화려한
[spléndid] unimpressive		There are some *splendid* mansions near Rome.	

35 **startle***	v.	**astonish, surprise, astound** frighten, alarm	깜짝 놀라게 하다
[stá:rtl]		I was *startled* to see Peter there and fell off the chair.	

36 **suspect**	v.	**surmise, suppose, guess** imagine, conjecture	짐작하다
[səspékt]		Sue *suspected* he was honest about his confession.	

37 **typical***	adj.	**common, usual, normal** symbolic, representative	일반적인
[típikəl] uncharacteristic		The *typical* crimes of younger males are larceny® and breaking.	

⑧ larceny 절도

▲ Choose the **synonym** of the highlightened word in the sentence.

1. In discussions of cultural diversity, attention has focused on explicit aspects of culture.
   ⓐ definite ⓑ ingenious ⓒ hectic ⓓ liberal

2. The few places left on earth that have not been altered by humankind are almost invariably hostile to humans.
   ⓐ antagonistic ⓑ occult ⓒ mute ⓓ peculiar

3. Some ominous evidence suggests that disease may be passed from one to another.
   ⓐ covetous ⓑ obvious ⓒ headstrong ⓓ foreboding

4. Very few people in the modern world obtain their food supply by hunting.
   ⓐ forbid ⓑ entitle ⓒ acquire ⓓ allot

5. He advocated sociology as the study of the relationship of the individual's experience.
   ⓐ hampered ⓑ supported ⓒ permitted ⓓ scared

6. His inference depends on an assumption that employers are rational people.
   ⓐ inclination ⓑ supposition ⓒ procedure ⓓ recompense

7. Course work went beyond the typical classical curriculum of the time to emphasize history, science, mathematics, and modern languages.
   ⓐ representative ⓑ elementary ⓒ voluntary ⓓ sociable

8. Hippocrates did not employ any aid to diagnosis beyond his own powers of observation and logical reasoning.
   ⓐ advance ⓑ signify ⓒ use ⓓ cheat

▲ Choose the **antonym** of the highlightened word in the sentence.

9. The male pheasant-tailed jacana doesn't help to protect and nurture its partner.
   ⓐ soothe ⓑ ponder ⓒ imprison ⓓ disregard

10. In their decay, rich merchants kept still an aroma of their splendid past.
    ⓐ sovereign ⓑ despondent ⓒ unimpressive ⓓ hasty

Take a Break

Dreams Come True

40 일

1 annoy	v.	**irritate, bother, pester** 귀찮게 하다
[ənɔ́i] console		Tom really *annoyed* me in the meeting.

2 arrogant	adj.	**haughty, insolent, overbearing** 오만한
[ǽrəgənt] humble		The coward is always *arrogant* with weaker people.

3 assemble**	v.	**gather, bring together, collect** convene, congregate 모으다
[əsémbəl] scatter		We four were all *assembled* in the big white dining-room.

4 attire*	n.	**clothing** 의상
[ətáiər]		I don't think jeans are appropriate *attire* for a wedding.

5 avid*	adj.	**greedy, avaricious, covetous** 탐욕스러운
[ǽvid]		During the summer, the bears become *avid* fishers.

6 bite	v.	**gnaw, chew** 물다
[bait]		The mosquitoes are really *biting* my arms and legs.

7 bitter	adj.	**harsh, acrid, biting** 가혹한 (격렬한)
[bítər] mild		He worked to avoid *bitter* fights within the Democratic party.

Glossary

8 **bound**[*]	n.	**limit, precinct, boundary** border	경계
[baund]		His authority kept the controversy within *bounds* of toleration.	

9 **cluster**[*]	v.	**group, gather**	모이다
[klʌ́stər] disperse		The children *clustered* around the juggler.①	

10 **complex**[*]	n.	**group of buildings**	복합건물군
[kɑ́mpleks]		They are building a new shopping *complex* in the town.	

11 **convenient**	adj.	**handy**	편리한
[kənvíːnjənt] inconvenient		I find it *convenient* to be able to do my banking② by phone.	

12 **customary**[*]	adj.	**habitual, accustomed, conventional**	관례적인, 습관적인
[kʌ́stəməri] occasional		It is *customary* to burn a flag when it becomes torn.	

13 **danger**	n.	**jeopardy, hazard, risk** peril	위험
[déindʒər] security		Many national parks are in *danger* of environmental destruction.	

14 **dangle**[*]	v.	**hang**	매달리다
[dǽŋɡəl]		He was seated on a desk, his legs *dangling* in the air.	

15 **earn**	v.	**gain, acquire, win**	얻다
[əːrn]		She *earned* a reputation for honesty.	

16 **faction**	n.	**coalition, group, party** ring	파벌
[fǽkʃən]		The party is in danger of breaking into③ two or more *factions*.	

Glossary

① juggler 마술사　　② banking 은행업무　　③ break into ~로 나누어지다

234

17 **fault**	n.	**blemish, flaw, shortcoming**	결점
[fɔːlt] merit		His *faults* are accepted as the necessary complement④ to his merits.	

18 **grind**	v.	**powder, mill**	갈다
[graind]		The Hopi girls learned how to *grind* corn and make pottery⑤ from their mother.	

19 **injury**	n.	**impairment, detriment, harm** damage	손상
[índʒəri]		In constant pain from the back *injury*, JFK soon contracted⑥ malaria.	

20 **innocuous***	adj.	**harmless**	해가없는
[ináːkjuːəs / inɔ́k-] pernicious		The snake is *innocuous*, so you don't have to worry that much.	

21 **link***	n.	**bond, tie, connection**	결합
[liŋk]		They had severed all political *links* with the Left.⑦	

22 **moan**	v.	**groan, mourn**	신음하다
[moun]		She *moaned* in her sleep and snuggled⑧ closer to him.	

23 **mourn**	v.	**grieve, lament, deplore** bewail	슬퍼하다
[mɔːrn] delight		They *mourned* for their children killed in the war.	

24 **murmur***	v.	**grumble, mumble, mutter**	중얼거리다
[mə́ːrmər]		Her mother came up and *murmured* in her ear how lovely she looked.	

25 **nasty**	adj.	**filthy, dirty, foul** impure, polluted	더러운, 불쾌한
[næsti] clean		There's a *nasty* smell in the room.	

𝓖lossary

④ complement 보충요소   ⑤ pottery 도자기   ⑥ contract (병에) 걸리다.   ⑦ the Left 좌파
⑧ snuggle 곁에 다가붙다

26 **port**	n.	1. **harbor, haven**	항구
[pɔ:rt]		East Jersey imported and exported goods through the *port* of New York.	

	n.	2. **shelter, refuge, sanctuary**	피난처
		The damaged ship managed to make *port* under her own stream.	

27 **prospect**	n.	**possibility, chance, perspective** outlook	전망
[práspekt]		There are good *prospects* for growth in the retail® sector.	

28 **random***	adj.	**unpredictable, arbitrary, haphazard** aimless	마구잡이의
[rǽndəm] purposive		The choice of poems included in the collection seems somewhat *random*.	

29 **realize**	v.	**grasp, understand, comprehend** conceive	이해하다
[rí:əlàiz]		Whitney soon *realized* that the South would not readily accept change.	

30 **robust***	adj.	**strong, vigorous, stalwart** sturdy	튼튼한
[roubʌ́st] weak		His *robust* body is very attractive.	

31 **satisfy**	v.	**gratify, meet, satiate** suffice	만족시키다
[sǽtisfài] pique		He tried to *satisfy* his master by doing all that he had been ordered to do.	

32 **siege**	n.	**blockade, besieging**	포위(공격)
[si:dʒ]		The *siege* lasted almost a year.	

33 **slavery**	n.	**bondage, servitude, enslavement** subjection	노예신세
[sléivəri]		Millions of Africans were sold into *slavery* between the 17th and 19th centuries.	

&lossary ───────────────────────────

⑨ retail 소매업

34 **slide**	v.	**glide**	미끄러지다
[slaid]		Tears were *sliding* down her cheeks.	

35 **terminate****	v.	**stop, finish, end** conclude	끝나다
[tə́:rmənèit] initiate		It was an unfortunate marriage, which *terminated* in divorce.	

36 **treasure**	v.	**prize, cherish**	소중히 하다
[tréʒər]		He *treasured* the memories of his grandfather.	

37 **universal**	adj.	**general, generic, common**	보편적인
[jùːnəvə́:rsəl] parochial		Steuben set a standard that became *universal* in the army.	

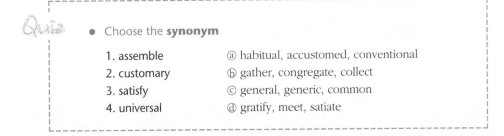

Quiz
● Choose the **synonym**

1. assemble   ⓐ habitual, accustomed, conventional
2. customary   ⓑ gather, congregate, collect
3. satisfy   ⓒ general, generic, common
4. universal   ⓓ gratify, meet, satiate

Answer   1. ⓑ   2. ⓐ   3. ⓓ   4. ⓒ

41 일

| **1 abject** | adj. | **miserable, wretched, mean** | 비참한 |
| [ǽbdʒekt] | | Simon lived in *abject* poverty as an independent scholar. | |

| **2 ache*** | v. | **hurt, pain** | 아프다 |
| [eik] | | My whole body *aches* with a bad cold. | |

| **3 altitude** | n. | **height, elevation** | 고도 |
| [ǽltətjùːd] depth | | The climate of the Middle Atlantic region varies① with the *altitude*. | |

| **4 assist**** | v. | **help*** | 돕다 |
| [əsíst] hamper | | The man *assisted* police with their inquiries.② | |

| **5 attentive** | adj. | **heedful, regardful, watchful** careful | 주의 깊은 |
| [əténtiv] neglectful | | She listened to him with *attentive* eyes. | |

| **6 bar** | v. | **block, obstruct, impede** hinder, stunt | 방해하다 |
| [baːr] uphold | | Members voted to *bar* women from entering the school. | |

| **7 beneficial** | adj. | **helpful, profitable, advantageous** | 유용한 |
| [bènəfíʃəl] detrimental | | To the planter,③ slavery④ was most *beneficial* to productivity of his crop. | |

Glossary ────────────────────────────────
① vary 다양하다   ② inquiry 연구, 조사   ③ planter 농장주   ④ slavery 노예제도

| 8 **celestial*** | adj. | **heavenly** | 하늘의 |

[siléstʃəl]
terrestrial

There are no sizable[5] *celestial* bodies between Earth and Mars.

| 9 **crush** | v. | **shatter, smash, crumble** | 박살 내다 |

[krʌʃ]

The army *crushed* whatever get in their way, the homes, buildings, and people.

| 10 **dead** | adj. | **deceased, extinct, lifeless** | 죽은 |

[ded]
alive

By the time the battle ended, ten Americans were *dead*.

| 11 **desperate** | adj. | **hopeless, critical, as a last resort** | 절망적인, 필사적인 |

[déspərit]
composed

Desperate to get out of debt,[6] he signed on as a civilian[7] employee.

| 12 **encourage**** | v. | **hearten, stimulate, support** | 격려하다 |

[enkə́:ridʒ]
discourage

He *encouraged* President John Adams to end the quarrel.[8]

| 13 **fade*** | v. | **wane, vanish, wither** decrease | 사라지다 |

[feid]
wax

Hopes of peace settlement are beginning to *fade*.

| 14 **fancy** | n. | **imagination, fantasy** | 공상 |

[fǽnsi]
reality

Though it may have been only my *fancy,* I thought she reddened.[9]

| 15 **feud** | n. | **hostility** | 불화 |

[fju:d]
harmony

The origin[10] of the *feud* is involved in mystery.

| 16 **flat** | adj. | **horizontal, level, even** plane | 평평한 |

[flæt]
mountainous

Anaximenes believed that the world was *flat* like a disc, and not globe shaped.

Glossary

⑤ sizable 상당한 크기의, 꽤 큰 ⑥ debt 빚 ⑦ civilian 민간인 ⑧ quarrel 싸움
⑨ redden 얼굴이 빨개진다 ⑩ origin 발단

| 17 **frank** | adj. | **candid, outspoken** | 솔직한 |
| [fræŋk]
secretive | | The girl had been *frank* and courageous.[11] | |

| 18 **gigantic** | adj. | **huge, enormous, colossal** immense | 거대한 |
| [dʒaigǽntik]
pétty | | Lincoln's program represented[12] a *gigantic* expansion of presidential powers. | |

| 19 **hasten** | v. | **hurry, accelerate, expedite** quicken | 재촉하다 |
| [héisn] | | I beg[13] you to *hasten* to my aid.[14] | |

| 20 **hoarse** | adj. | **husky** | 목쉰 |
| [hɔːrs]
mellifluous | | I had told him till my throat was *hoarse* that he must have made a mistake. | |

| 21 **imminent** | adj. | **impending** | ~이 임박한 |
| [ímənənt]
remote | | A declaration of war seemed *imminent*. | |

| 22 **inadvertent** | adj. | **heedless, careless, negligent** | 부주의한 |
| [ìnədvə́ːrtənt]
advertent | | Her *inadvertent* remark[15] hurted him deeply. | |

| 23 **latent** | adj. | **potential, hidden, dormant** | 잠재된 |
| [léitənt]
patent | | A *latent* interest in mining exploded[16] in the early 1980s. | |

| 24 **lazy** | adj. | **idle, indolent, slothful** sluggish | 게으른 |
| [léizi]
industrious | | People are used to being *lazy*, not wanting to change. | |

| 25 **lofty** | adj. | **high, elevated, tall** sublime | 높은, 당당한 |
| [lɔ́ːfti]
low | | I turned my eyes up to the *lofty* attic[17] windows. | |

26 **luminous**	adj.	**bright, shining, brilliant** radiant	빛나는
[lú:mənəs]		She looked out upon the green and *luminous* garden.	

27 **lusty***	adj.	**vigorous, strong, robust** hearty	건강한
[lʌ́sti] effete		His *lusty* arm shows that he is in good shape.	

28 **mankind***	n.	**human**	인류
[mænkáind]		The campaign is held[18] for the peace of *mankind*.	

29 **modest**	adj.	**humble, decent**	겸손한
[mádist] impudent		Darwin was *modest* of his monumental[19] achievements to the very end.[20]	

30 **multitude**	n.	**throng, mass, host** crowd	군중, 무리
[mʌ́ltitʃùːd]		Political power has been in the hands of the *multitude*.	

31 **persist***	v.	**continue, last**	지속되다
[pəːrsíst] cease		The playboy masquerade[21] *persisted* throughout his later years.	

32 **pile**	v.	**heap, gather, stack**	쌓다
[pail]		He eats only the insides of each bagels,[22] leaving the crusts[23] *piled* on his plate.[24]	

33 **sacred***	adj.	**divine, holy**	신성한
[séikrid] profane		The campaign is currently focusing on the protection[25] of *sacred* sites.[26]	

34 **scruple****	n.	**hesitation, uneasiness, qualms**	망설임, 양심의 가책
[skrú:pəl]		He is a shameless and a man of no *scruples*.	

Glossary
[18] hold 개최하다 [19] monumental 기념비적인 [20] to the very end 최종까지, 죽을때까지 [21] masquerade 가장무도회
[22] bagel 베이글(빵 종류) [23] crust 빵껍질 [24] plate 접시 [25] protection 보호 [26] site 장소

35 **scrupulous**	adj.	**careful, painstaking, meticulous**	꼼꼼한
[skrú:pjələs] remiss		The police officer is noted for[27] *scrupulous* performance of duties.	

36 **splendor**	n.	**brilliance, grandeur, pomp**	광채, 장대함
[spléndər]		We were overwhelmed by the *splendor* of the mountain scenery.	

37 **strike****	v.	**hit, assault, attack**	치다
[straik]		If he didn't *strike* the hostiles,[28] he would be subject to[29] local criticism.	

38 **terror**	n.	**fear, dread, horror**	심한 공포
[térər]		*Terror* took possession of[30] the minds of nearly all the people.	

39 **vulgar**	adj.	**coarse, mean, rude**	저속한
[vʌ́lgər] delicate		John never talks to a person who is in *vulgar* manner.	

lossary

㉗ be noted for ~로 유명하다 ㉘ the hostiles 적대자들 ㉙ be subject to ~을 받기 쉽다, ~의 대상이 되다
㉚ take possession of 점유하다

● Choose the **synonym**

1. beneficial   ⓐ hopeless, critical, as a last resort
2. desperate   ⓑ huge, enormous, immense
3. gigantic   ⓒ last, continue
4. persist   ⓓ helpful, profitable, advantageous

42 일

---

1 **actual**
[ǽktʃuəl]
imaginary

adj. **real, factual, genuine**　　　　　　실제의

There is a big difference between the opinion polls[1] and *actual* election results.

---

2 **adjourn***
[ədʒə́:rn]
advance

v. **suspend, postpone, delay**　defer　　　연기하다

Court was *adjourned* when the witness[2] was unable to keep order.[3]

---

3 **adore***
[ədɔ́:r]
execrate

v. **worship, esteem, revere**　　　　　　숭배하다

She *adored* the singing of the birds and the smell of flowers.

---

4 **artificial****
[ɑ̀:rtəfíʃəl]
natural

adj. **synthetic**　　　　　　　　　　　　인위적인

Her room was decorated[4] with *artificial* flowers.

---

5 **associate**
[əsóuʃièit]
divide

v. **conjoin, unite, combine**　　　　　　연합시키다

I'd rather not *associate* myself with extremist.[5]

---

6 **attend**
[əténd]

v. **wait on, serve**　　　　　　　　　　　시중들다

Dr. Smith has *attended* our family for twenty years.

---

7 **benevolent**
[bənévələnt]
malevolent

adj. **kind, humane, generous**　　　　　관대한

Religion can educate the inferior[6] people to a more *benevolent* life.

---

glossary

① poll 여론조사　　　② the witness 목격자　　　③ keep order 질서를 지키다　　　④ decorate 장식하다
⑤ extremist 극단론자　　　⑥ inferior 열등한

8 endure	v.	**sustain, bear, stand** tolerate	견디다
[endjúər]		Bryan *endured* a great many hardships in his life.	

9 enormous**	adj.	**immense, vast, huge** gigantic, mammoth	거대한
[inɔ́ːrməs] tiny		Hoover's public reputation was *enormous* in the country.	

10 genial	adj.	**cordial, friendly, kindly**	다정한
[dʒíːnjəl] discourteous		His *genial* manner won[7] him a host of friends.	

11 hang*	v.	**dangle, suspend**	매달리다
[hæŋ]		In his room, there is a picture *hanging* on the wall.	

12 inept	adj.	**inapt, unsuitable, inappropriate**	부적합한
[inépt] adept		He is *inept* at dealing with[8] foreigners.	

13 inflate*	v.	**bloat, expand, swell**	팽창하다
[infléit] deflate		The hot-air balloon slowly *inflated* and took off.[9]	

14 interrupt*	v.	**hinder, stunt, intermit** stop	가로막다
[ìntərʌ́pt]		The British were *interrupting* American trade in the United States territory.[10]	

15 judicial	adj.	**judicious, juridical**	사법의
[dʒuːdíʃəl]		American *judicial* system failed when faced with volatile[11] racial[12] issues.	

16 manful	adj.	**manly**	남자다운
[mǽnfəl]		Wayne's *manful* attempts overwhelmed us completely.	

Glossary

[7] win 얻게하다	[8] deal with 다루다	[9] take off 이륙하다	[10] territory 영토
[11] volatile 불안정한	[12] racial 인종의		

17 **marvelous***	adj.	**wonderful**, **astonishing**, **amazing** miraculous	경이로운
[máːrvələs] ordinary		It's *marvelous* what we can do with plastic surgery[13] these days.	

18 **operate***	v.	**run**, **work**, **manage**	작동하다
[ápərèit]		The drug *operates* on the central nervous system.[14]	

19 **organic**	adj.	**systematic**	유기적인
[ɔːrɡǽnik]		There is an *organic* link between the music and the meaning.	

20 **outlive***	v.	**survive**, **outlast**	살아남다
[àutlív]		She *outlived* her husband by thirty years.	

21 **pedestrian**	n.	**walker**	보행자
[pədéstriən]		*Pedestrians* are advised to walk on the right side.	

22 **practicable***	adj.	**feasible**, **possible**, **workable** usable	실행 가능한
[prǽktikəbəl] impracticable		Ray chose the most *practicable* route to the town.	

23 **relish**	n.	**taste**, **flavor**, **savor**	맛
[réliʃ]		The spicy[15] *relish* is one of the merits of mustard.[16]	

24 **resist***	v.	**withstand**, **confront**	저항하다
[rizíst] submit		The colonists[17] will *resist* the British imperialism.[18]	

25 **retire**	v.	**withdraw**, **retreat**, **recede** retract	물러나다
[ritáiər] advance		Maxwell *retired* in 1865 to carry on[19] his laboratory[20] work.	

glossary

[13] plastic surgery 성형수술 [14] nervous system 신경계 [15] spicy 매운 [16] mustard 겨자
[17] colonist 식민지주민 [18] imperialism 제국주의 [19] carry on 진행하다 [20] laboratory 실험실

| 26 **review** | n. | survey, reexamination, inspection | 재검토 |
| [rivjúː] | | The new products are constantly under *review*. | |

| 27 **sensibility** | n. | susceptibility, sensitivity, sensitiveness | 감수성 |
| [sènsəbíləti] apathy | | He is an artist of the finest *sensibility* and perception.[21] | |

| 28 **spontaneous** | adj. | voluntary, uncompelled, willing | 자발적인 |
| [spɑntéiniəs] premeditated | | Her successful jump brought a *spontaneous* cheer[22] from the crowd. | |

29 **stagger****	v.	1. totter, falter, waver	비틀거리다
[stǽgər]		She *staggered* as she walked to the door.	
	v.	2. astonish, confuse	당황시키다
		He was completely *staggered* by the horrible sight.	

| 30 **stagnant** | adj. | inert, inactive | 활발하지 못한 |
| [stǽgnənt] dynamic | | The global grain[23] supply has basically remained *stagnant* since 1990. | |

| 31 **stain** | v. | blot, spot, soil | 더럽히다 |
| [stein] cleanse | | His teeth were *stained* with nicotine from years of smoking. | |

| 32 **strategy** | n. | tactics | 전략 |
| [strǽtədʒi] | | Game theory predicts[24] that each player will look for a dominant[25] *strategy*. | |

| 33 **thriller**** | n. | suspense | 긴장감 |
| [θrílər] | | We decided to see a *thriller* movie. | |

Glossary ───

[21] perception 직관   [22] cheer 갈채, 성원   [23] grain 곡물   [24] predict 예언하다
[25] dominant 우세한

34 **toil**	v.	**work, labor, strive**	힘들게 일하다
[tɔil]		I've been *toiling* away at the homework all weekend.	

35 **utterly***	adv.	**completely**	완전히
[ʌ́tərli]		He was *utterly* fascinated⁰ by her.	

36 **valid***	adj.	**just, sound, cogent**	타당한
[vǽlid] groundless		The farmers had a *valid* complaint against railroad shippers.⁰	

37 **withhold**	v.	**hold back, restrain, reserve**	보류하다
[wiðhóuld]		I *withheld* the payment⁰ until they completed the work.	

38 **wonder***	n.	**awe, astonishment, marvel**	경이로움
[wʌ́ndər] unconcern		Harriet Truman brought the *wonders* of freedom to many African Americans.	

Glossary

㉖ fascinate 유혹하다　　㉗ railroad shipper 철도 수하물 운반자　　㉘ payment 지급

▲ Choose the **synonym** of the highlightened word in the sentence.

1. A man who made very good arrowheads could use his skills to make these tools
    and forego **actual** hunting.
    ⓐ critical   ⓑ extraordinary   ⓒ real   ⓓ primary

2. The scope of photography has **inflated** enormously.
    ⓐ thwarted   ⓑ fused   ⓒ expanded   ⓓ cheered

3. Francis **outlived** when his high-flying aircraft was shot down over the Soviet
    Union.
    ⓐ gratified   ⓑ liquidated   ⓒ accorded   ⓓ survived

4. In these days, the **thriller** films are widespread and very popular.
    ⓐ affection   ⓑ suspense   ⓒ verge   ⓓ junction

5. He was no doubt in constant **terror** of the evil spirits.
    ⓐ dread   ⓑ load   ⓒ quarter   ⓓ contour

6. Some snakes serve a useful purpose to **mankind**.
    ⓐ omnivore   ⓑ human   ⓒ mammal   ⓓ primate

7. In many factories, robots **assemble** mechanical components.
    ⓐ keep   ⓑ hoist   ⓒ shroud   ⓓ gather

8. A petrochemical plastic is used in soda bottles and **attire** fibers.
    ⓐ odor   ⓑ stack   ⓒ felony   ⓓ clothing

▲ Choose the **antonym** of the highlightened word in the sentence.

9. A photographer sometimes brave discomfort and **danger** to get a great picture.
    ⓐ security   ⓑ faith   ⓒ haven   ⓓ influx

10. After cumulative and collaborative work of more than five years, the National
    Biological Service has produced a **marvelous** two-volume work.
    ⓐ practicable   ⓑ vulgar   ⓒ ordinary   ⓓ lusty

Take a Break

내가 가끔 조용히 찾아가게 되는 그대여...

월트 휘트먼

그대와 함께 있고자,

내가 가끔 조용히 그대 있는 곳으로 가게 되는 그대여,

내가 그대 옆을 지나가거나,

가까이 앉았거나,

함께 같은 방안에 있을 때,

그대는 모르리라.

그대 때문에.

내 마음 속에서 흔들리는 미묘한 감동적인 불꽃을.

O You Whom I often And Silently Come

Walt Whitman

O You Whom I often And Silently Come where you

are that I may be with you,

As I walk by your side near, or remain in

the same room with you,

Little you know the subtle electric fire that for

your sake is playing within me.

43 일

1 advance*
[ədvǽns]
delay

v. improve, refine, progress 진보하다

Nuclear technology has *advanced* considerably.①

2 brittle*
[brítl]
solid

adj. breakable 부서지기 쉬운

The boy swiftly gripped② the *brittle* stick of candy.

3 careful**
[kέərfəl]
careless

adj. deliberate, cautious, discreet conscientious, prudent주의 깊은

Rebmann kept a *careful* record of his journey.

4 convert
[kənvə́:rt]

v. change, transform 바꾸다

He destroyed the Indian's culture by trying to *convert* them to Christianity.③

5 convey
[kənvéi]

v. carry, transport, transmit 나르다

His luggage was *conveyed* to the hotel.

6 core*
[kɔ:r]

n. center, heart 핵심

The *core* of Clinton's plan is to set up regional health alliances.

7 curative*
[kjúərətiv]
irremediable

adj. healing 치유하는

They were surprised at the *curative* power of a new drug.

---

glossary ─────────────────────────────

① considerably 상당히, 매우   ② grip 단단히 잡다   ③ Christianity 기독교

| 8 **custody** | n. | imprisonment, confinement, care | 감금, 관리 |

[kʌ́stədi]

Charles took two Confederate④ emissaries⑤ into *custody*.

| 9 **disregard** | v. | ignore, neglect, overlook | 무시하다 |

[dìsrigá:rd]
notice

We could have afforded to *disregard* what people thought or did.

| 10 **drive** | v. | impel, compel, force | 억지로 ~하게 하다 |

[draiv]
check

The prime minister⑥ was *driven* by the scandal to resign.

| 11 **entangle** | v. | complicate, involve | 뒤얽히게 하다 |

[entǽŋgl]
disentangle

A shower, the sunlight, and blossoms⑦ were *entangled*.

| 12 **fascinate** | v. | charm, captivate, allure   enchant | 매혹시키다 |

[fǽsənèit]
offend

The philosophical question has *fascinated* humanity⑧ for centuries.

| 13 **great** | adj. | huge, gigantic, grand   immense, enormous | 거대한 |

[greit]
little

The city was burned to the ground and *great* controversy⑨ was to arise.

| 14 **hamper** | v. | impede, hinder, prevent   obstruct | 방해하다 |

[hǽmpər]
aid

The development of a scientific approach to chemistry was *hampered* by several factors.

| 15 **ignorant** | adj. | illiterate, uneducated | 무지한 |

[ígnərənt]
learned

Thousands of children leaving school are *ignorant* of even basic skills.

| 16 **impel** | v. | compel, drive, urge | 강요하다 |

[impél]
restrain

Revenge often *impelled* persons to accuse others who were innocent.

Glossary

④ Confederate 동맹국, 연합국 ⑤ emissary 사절   ⑥ prime minister 수상   ⑦ blossom 꽃
⑧ humanity 인류, 인간   ⑨ controversy 논쟁, 논의

17 improvised	adj.	**impromptu**	즉석에서 만들어진
[ímprəvàizd]		New Deal was thought to be an *improvised* plan, but was actually very thought-out.⑩	
18 instantly	adv.	**immediately, instantaneously**	즉시
[ínstəntli]		He turned on his side⑪ and *instantly* began to snore.⑫	
19 kindle**	v.	**ignite, fire, inflame**	불을 붙이다
[kíndl] smother		He *kindled* a wood with a match.⑬	
20 lighten	v.	**illuminate, brighten, shine**	(빛으로) 밝히다
[láitn] darken		The glow⑭ from the candle *lightened* the whole room.	
21 malice	n.	**ill will, spite, enmity** malevolence	악의
[mǽlis] benevolence		She smiled, and her eyes shone with *malice* I knew already.	
22 migrate*	v.	**immigrate, emigrate**	이주하다
[máigreit]		The five tribes⑮ agreed to *migrate* beyond the Mississippi.	
23 milestone*	n.	important event	획기적인 사건
[máilstòun]		Penicillin can be called as a *milestone* in medical history.	
24 momentous	adj.	**important, consequent, serious**	중대한
[mouméntəs] trivial		After America's entrance into the war, the *momentous* event happened.	
25 out of the question**	adj.	impossible	불가능한
possible		Their victory was *out of the question*.	

ɡlossary ――――――――――――――――――――――――――――――――――――
⑩ thought-out 신중히 생각된   ⑪ turn on one's side 옆으로 몸을 돌리다   ⑫ snore 코를 골다
⑬ match 성냥   ⑭ glow 새빨간 빛   ⑮ tribe 부족

26 **plunge***	v.	**drop, dip, thrust**	던져넣다
[plʌndʒ]		They cooked the peas[16] by *plunging* them into boiling water.	

27 **presently***	adv.	**immediately, directly, soon** shortly	곧
[prézəntli]		I'll do my homework *presently,* after I've finished reading the book.	

28 **reckless***	adj.	**careless, rash, heedless** irresponsible	무모한
[réklis]		He was found guilty[17] of *reckless* driving.	

29 **reflection**	n.	**image**	영상
[riflékʃən]		Narcissus fell into his own *reflection* without recognizing that he was looking at himself.	

30 **sensitive**	adj.	**impressionable, susceptible**	민감한
[sénsətiv] impervious		He succeeded in drawing attention[18] to her *sensitive* conscience.[19]	

31 **serious**	adj.	**important, momentous, grave**	심각한
[síəriəs] light		Global climate change is the most *serious* environmental challenge that we face.[20]	

32 **simultaneous***	adj.	**concurrent, concomitant, synchronous**	동시에 일어나는
[sàiməltéiniəs]		There was a flash[21] of lightening and a *simultaneous* sound of thunder.	

33 **soar**	v.	**tower, rise, ascend** mount	높이 솟다
[sɔːr] plummet		Khufu's pyramid *soars* 481 feet into the sky.	

34 **sprinkle**	v.	**scatter, strew, disperse**	(흩) 뿌리다
[spríŋkəl] pour		Mary *sprinkled* perfume on the pillow.[22]	

g l o s s a r y

[16] pea 콩   [17] guilty 유죄의   [18] draw attention 관심을 끌다   [19] conscience 양심
[20] face 직면하다   [21] flash 번뜩임, 섬광   [22] pillow 베개

35 **stately**	adj.	**magnificent, grand, majestic** imposing	웅장한
[stéitli] shabby		Some of the staff[23] lived in *stately* homes.	

36 **touch**	v.	**impress, move, stir**	감동시키다
[tʌtʃ]		I was very *touched* by his kind letter.	

37 **uncivil**	adj.	**impolite, discourteous, impudent**	무례한
[ʌnsívəl] civil		He'd never said an *uncivil* word to her in his life.	

38 **unlawful****	adj.	**illegal, illicit, illegitimate**	불법적인
[ʌnlɔ́ːfəl] justifiable		It was not *unlawful* for workers to engage[24] peacefully in union activity.	

39 **vicious**	adj.	**immoral, depraved, corrupt** malicious	부도덕한
[víʃəs] virtuous		The Church fought many *vicious* activities including the consumption[25] of alcohol.	

Glossary

[23] staff 직원　　　　[24]. engage 종사하다, 관여하다　　[25] consumption 소비

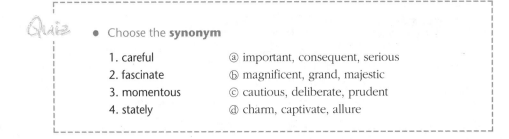

● Choose the **synonym**

1. careful
2. fascinate
3. momentous
4. stately

ⓐ important, consequent, serious
ⓑ magnificent, grand, majestic
ⓒ cautious, deliberate, prudent
ⓓ charm, captivate, allure

44 일

| 1 **absorb***
[əbsɔ́:rb]
exude | v. | **take in, imbibe, soak**
He *absorbed* the characteristics① of English music. | 흡수하다 |

| 2 **accuse**
[əkjú:z]
exculpate | v. | **indict, impeach, blame** charge
She *accused* me of conspiring② with him to make her
marry him. | 고발하다(비난하다) |

| 3 **angry**
[ǽŋgri]
calm | adj. | **indignant, resentful, irate**
Many workers were *angry* about the changes brought③
by the factory system. | 분노한 |

| 4 **apathetic***
[æ̀pəθétik]
alert | adj. | **indifferent, unconcerned, uninterested**
The masses④ are politically *apathetic*. | 무관심한 |

| 5 **comprehensive**
[kɑ̀mprihénsiv]
specific | adj. | **inclusive, broad, extensive**
There was a *comprehensive* summary⑤ of the life of
Theodore Roosevelt. | 포괄적인 |

| 6 **continual**
[kəntínjuəl]
transient | adj. | **incessant, ceaseless**
The many factions⑥ and political parties caused almost
continual turmoil.⑦ | 끊임없는 |

| 7 **design**
[dizáin]
accomplish | v. | **intend, plan, project**
Their plan was *designed* to give aid⑧ to any European
country damaged. | 계획하다 |

ɡ l o s s a r y

① characteristic 특성, 특징   ② conspire 공모하다   ③ bring 야기하다   ④ the masses 일반 대중
⑤ summary 요약   ⑥ faction 파벌   ⑦ turmoil 소란, 혼란   ⑧ aid 도움, 원조

8 **financial**	adj.	**monetary, pecuniary**	재정상의
[finǽnʃəl]		*Financial* problems forced him to return to Tennessee in less than a year.	

9 **furnish**	v.	**provide, supply**	공급하다
[fə́ːrniʃ] strip		The idea *furnished* President Kennedy with his success in easing[9] cold war tensions.	

10 **futile****	adj.	**useless**, **ineffective, vain**	쓸모없는
[fjúːtl] effective		It was *futile* to try to teach him French.	

11 **idle**	adj.	**indolent, lazy, slothful**	게으른
[áidl] busy		He is born *idle*, and can't pass his exam if he doesn't do more work.	

12 **inactive**	adj.	**inert, lazy, inanimate** passive	활동하지 않는
[inǽktiv] energetic		Mt. St. Helens had been *inactive* for about one hundred years.	

13 **inconsistent**	adj.	**incompatible, inharmonious, incongruous** incoherent	일치하지 않는
[ìnkənsístənt] consistent		New legislation[10] was *inconsistent* with the existing treaty[11] with China.	

14 **incontrovertible**	adj.	**indisputable**	명백한
[ìnkɑntrəvə́ːrtəbəl] questionable		I made an *incontrovertible* testimony[12] to the existence of the document.	

15 **lean**	v.	**incline, bend**	(의견 등이) 기울다
[liːn]		We decided that Castro was *leaning* towards communism.[13]	

16 **native**	adj.	**innate, inborn, congenital** inherent	선천적인
[néitiv] acquired		His *native* stupidity will never be changed by education.	

Glossary

⑨ ease 완화하다   ⑩ legislation 법률제정   ⑪ treaty 조약, 협정   ⑫ testimony 증언
⑬ communism 공산주의

| 17 **notify** | v. | **inform, acquaint** | 통지하다 |

[nóutəfai]

After Robert failed to come home, his mother *notified* the police.

| 18 **passive*** | adj. | **inactive, inert** | 수동적인 |

[pǽsiv]
active

For 2000 years, women are confined⑭ to *passive* roles in society.

| 19 **persuade** | v. | **induce, prompt, assure** | 설득하다 |

[pə:rswéid]
discourage

He never gave up trying to *persuade* Helen to reveal her secret.

| 20 **private** | adj. | **individual, personal, secret** confidential | 사적인 |

[práivit]
public

The president refused to talk about his *private* life.

| 21 **progressively*** | adv. | **increasingly** | 점차적으로 |

[prəgrésivli]

We must clean up the air by setting *progressively* tighter pollution limits on power plants.⑮

| 22 **pseudo** | adj. | **sham, counterfeit, false** fake | 가짜의 |

[sú:dou]
genuine

We can make a distinction⑯ between true and *pseudo* humanism.

| 23 **recover** | v. | **regain, reclaim, retrieve** | 되찾다 |

[rikʌ́vər]
forfeit

Police have failed to *recover* the stolen jewelry.⑰

| 24 **regardless** | adj. | **inattentive, neglectful** | 부주의한 |

[rigá:rdlis]
heedful

He was criticized⑱ for his *regardless* manners at the conference.⑲

| 25 **remainder** | n. | **remnant, residue, rest** | 나머지 |

[riméindər]

Lewis moved to Cambridge for the *remainder* of his life.

Glossary

⑭ confine 한정하다　　⑮ power plant 발전소　　⑯ distinction 특징　　⑰ jewelry 보석
⑱ criticize 비판하다　　⑲ conference 회의

26 **scare**	v.	**terrify, alarm, startle** frighten	겁주다
[skɛər]		We lit[20] fires to *scare* away wolves.	

27 **shelter**	v.	**protect, shield, harbor** guard, safeguard	보호하다
[ʃéltər]		The Quakers *sheltered* many runaway[21] slaves.	

28 **spur**[*]	n.	**stimulus, incitement, incentive**	자극
[spəːr] curb		His wife acted as a relentless[22] *spur* to his ambition.	

29 **suggest**	v.	**indicate, hint, intimate**	암시하다
[səgdʒést] express		Some evidences *suggest* that he is guilty.	

30 **surge**[**]	v.	**increase, accelerate**	증가하다
[səːrdʒ]		After school, the children *surged* around the playground.	

31 **unaccountable**	adj.	**inexplicable, strange, incomprehensible**	불가사의한
[ʌnəkáuntəbəl] lucid		In ancient[23] times, a total eclipse[24] was thought to be *unaccountable*.	

32 **unbecoming**	adj.	**inappropriate, unsuitable**	어울리지 않는
[ʌnbikʌ́miŋ] becoming		His new hat and suit[25] are *unbecoming*.	

33 **unstable**	adj.	**unsteady, inconstant, weak**	불안정한
[ʌnstéibəl] steady		The unbalance of wealth created an *unstable* economy.	

34 **unyielding**	adj.	**inflexible, firm, adamant** stanch, resolute	단호한
[ʌnjíːldiŋ] pliant		Eugene showed himself an *unyielding* and successful agent.[26]	

🔒 l o s s a r y ───

[20] light 불을 붙이다	[21] runaway 도망간	[22] relentless 냉혹한	[23] ancient 고대의
[24] eclipse 개기식	[25] suit 양복	[26] agent 대리인	

35 **vagabond****	adj. **wandering, nomadic, vagrant**	방랑하는
[vǽgəbànd]	In his old age, the writer led a *vagabond* life.	

36 **vague****	adj. **imprecise, obscure, indistinct**	흐릿한
[veig] express	In the darkness, we could see the *vague* shape of something coming.	

37 **vital****	adj. **essential, important, indispensable**	필수적인
[váitl]	Taylor's role is *vital* to an understanding of the memorable[27] debates of 1850.	

38 **withstand****	v. **resist**	저항하다
[wiðstǽnd] capitulate	I don't think he is capable of *withstanding* the hardship for long.	

lossary

[27] memorable 주목할만한

Quiz

● Choose the **synonym**

1. absorb   ⓐ essential, important, indispensable
2. futile   ⓑ regain, reclaim, retrieve
3. recover   ⓒ ineffective, useless, vain
4. vital   ⓓ imbibe, soak, take in

Answer   1. ⓓ   2. ⓒ   3. ⓑ   4. ⓐ

45일

1 abound [əbáund] lack	v.	**teem, swarm** 풍부하다 Wild dolphins *abound* in Canada's Bay of Fundy.
2 abstract* [æbstrǽkt] concrete	adj.	**theoretical, unpracticed** 추상적인, 이론적인 His lectures were so *abstract* that we failed to understand them clearly.
3 apex [éipeks] nadir	n.	**tip, summit, zenith** acme, climax 정상 John was at the *apex* of his career① in his twenties.
4 compact* [kəmpǽkt] loose	adj.	**compressed, tightly packed** 빽빽한 The *compact* department store was crowded because of sale.
5 conference [kánfərəns]	n.	**meeting, convention** 회의 She initiated② weekly press *conferences* with women reporters.
6 considerate [kənsídərit] inconsiderate	adj.	**thoughtful, charitable** 사려 깊은 The present generation should be more *considerate* to the poor beggars.
7 coordination* [kouɔ̀ːrdənéiʃən]	n.	**the harmonious functioning of parts** 공동작용 Ballet dancers must develop great physical *coordination*.

Glossary
① career 직업　　② initiate 시작하다

| 8 **crowd** | n. | throng, multitude, group | 군중 |

[kraud]

A vast *crowd* assembled③ in the stadium.

| 9 **curious** | adj. | inquisitive, interested | 호기심 있는 |

[kjúəriəs]
impassive

His book was read by the *curious* public as well as professional geologists.④

| 10 **doctrine*** | n. | principle, tenet, dogma | 주의, 원칙 |

[dáktrin]

The Truman *Doctrine* would change the foreign policy of the United States.

| 11 **drastically*** | adv. | extremely, severely, thoroughly | 심하게 |

[drǽstikəli]

In Arizona, a small reduction⑤ in rainfall can *drastically* influence the growth of trees.

| 12 **elegant*** | adj. | sophisticated, delicate, polished graceful | 우아한 |

[éləgənt]
crude

Chester A. Arthur will be remembered for being the most *elegant* president.

| 13 **entity*** | n. | thing, individual, object | 실체 |

[éntəti]

The company is no longer an independent *entity*.

| 14 **era*** | n. | epoch, period, age time | 시대 |

[íərə]

The microchip opened the *era* of the personal computer.

| 15 **experiment** | n. | test, trial | 실험 |

[ikspérəmənt]

Some scientists designed *experiments* to test the theory.⑥

| 16 **flourish*** | v. | thrive, prosper, boom | 번성하다 |

[flə́ːriʃ]
wither

Watercolor painting began to *flourish* in Britain around 1750.

Glossary

③ assemble 모이다 ④ geologist 지질학자 ⑤ reduction 감소 ⑥ theory 이론

17 **horrible**	adj.	**terrible, dreadful, hideous** grim, ghastly	무서운
[hɔ́:rəbəl]		Gary had to face the *horrible* economic conditions.	

18 **hue****	n.	**tint, color, shade**	색깔
[hju:]		The jewel shone with every *hue* under the lamp light.	

19 **impair**	v.	**injure, deteriorate**	손상시키다
[impέər] improve		Lack of sleep *impaired* her concentration.[7]	

20 **irritate**	v.	**vex, fret, anger** enrage, infuriate	화나게 하다
[irətèit] appease		The news *irritated* the Republicans,[8] but Adams was not deterred.[9]	

21 **jeopardize***	v.	**threaten, endanger**	위태롭게 하다
[dʒépərdàiz] protect		I don't want to *jeopardize* your relationship with him.	

22 **marvel**	n.	**wonder**	경이로움
[má:rvəl]		It's a *marvel* she came back alive.	

23 **measureless**	adj.	**limitless, boundless, infinite** immense	무한한
[méʒərlis] measurable		He has been a *measureless* consumer of literature.[10]	

24 **monotonous**	adj.	**tedious, dull, unvaried**	단조로운
[mənátənəs] varying		I never could take an interest in a *monotonous* melody.	

25 **notice**	n.	**information, intelligence**	정보
[nóutis]		John never received any kind of *notice* for the decision.	

glossary

[7] concentration 집중   [8] the Republican 공화당원   [9] deter 그만두게 하다   [10] literature 문학

26 **nurse**	v.	**tend, attend**	돌보다

[nəːrs]

My mother had *nursed* her baby during her brief illness.

27 **opportune**	adj.	**timely, seasonable**	시기가 좋은

[àpərtjúːn]
untimely

It was *opportune* for the colonists to use slavery as a labor force.[11]

28 **panic**	n.	**terror, fright, alarm**	공포

[pǽnik]
equanimity

She got into a real *panic* when she lost the tickets.

29 **pensive**	adj.	**thoughtful, meditative, reflective**	생각에 잠긴

[pénsiv]

Room 303 also served as a sanctuary[12] for people who had *pensive* moods.

30 **photosynthesis****	n.	the production of special sugar-like substances that keep plants alive	광합성

[fòutousínθəsis]

They experimented[13] relating to *photosynthesis* in a biology[14] class.

31 **remedy**	n.	**cure, treatment**	치료(법)

[rémədi]

The most important peaceful *remedy* for boredom[15] is work.

32 **reputation**	n.	**repute, honor, fame** renown	평판

[rèpjətéiʃən]

His papers helped to earn him the *reputation* of an artist.

33 **stab**	v.	**thrust, plunge**	찌르다

[stǽb]

She *stabbed* him in the leg with a knife.

34 **strictly****	adv.	**tightly, severely, precisely**	엄격하게

[stríktli]

Strictly speaking, he is nothing less than beggar.

Glossary

⑪ labor force 노동력   ⑫ sanctuary 신성한 장소   ⑬ experiment 실험하다   ⑭ biology 생물학
⑮ boredom 지겨운 일상

35 **trend***	n.	**tendency, direction, inclination**	경향
[trend]		The current *trend* is towards more part-time employment.	

36 **unsettled**	adj.	**unstable, unsteady, shaky** changeable, infirm	변하기 쉬운
[ʌnsétld] stable		His position in the company has been still *unsettled*.	

37 **wearisome**	adj.	**tiresome, boring, tedious** monotonous, prosaic	지루한
[wíərisəm]		We finally came back to our sweet home after a *wearisome* journey.	

38 **weave**	v.	**intertwine, twist, curl** meander, twine	엮다
[wiːv]		The machinery⑯ to *weave* cotton⑰ into cloth was driven by water power.	

▲ Choose the **synonym** of the highlightened word in the sentence.

1. The bones become lighter and more brittle because of a loss of calcium.
    ⓐ judicial　　　ⓑ heedful　　　ⓒ breakable　　　ⓓ gullible

2. Geochemical models suggest that the core consists of a sphere of iron or iron sulfide.
    ⓐ port　　　ⓑ heart　　　ⓒ error　　　ⓓ edge

3. Saturation pertains to relative purity, or the amount of white light mixed with a hue.
    ⓐ inclination　　　ⓑ throng　　　ⓒ dcgma　　　ⓓ tint

4. Many agents are sometimes vicious in their practices.
    ⓐ immoral　　　ⓑ harsh　　　ⓒ moderate　　　ⓓ benign

5. The insulator absorbs heat during the day and slowly releases it at night.
    ⓐ offends　　　ⓑ blocks　　　ⓒ notices　　　ⓓ takes in

6. Some researchers have examined the brains of patients in a futile search.
    ⓐ dogged　　　ⓑ innate　　　ⓒ useless　　　ⓓ lunatic

7. Ions play vital roles in the body's metabolic processes.
    ⓐ famous　　　ⓑ important　　　ⓒ careful　　　ⓓ ignorant

8. Scree, which abounds in the Rocky Mountains, has its origins in the ice ages.
    ⓐ nourishes　　　ⓑ climbs　　　ⓒ ends　　　ⓓ teems

▲ Choose the **antonym** of the highlightened word in the sentence.

9. An elegant and compelling theory is of no use if its predictions are wrong.
    ⓐ crude　　　ⓑ bizarre　　　ⓒ shrewd　　　ⓓ everlasting

10. He tried to listen to the monotonous cry of an owl.
    ⓐ mild　　　ⓑ amiable　　　ⓒ varying　　　ⓓ spontaneous

Take a Break

Homestead Act

  남북전쟁이 한참이던 1962년, 미국의회는 Homestead Act를 통과시켰다. 이 법률에는 5년간 일정한 토지에 거주하여 개척을 한 자(이민포함)에게는 160에이커의 토지를 무상으로 지급한다는 것과, 거주시작 6개월이 지나면, 그 토지를 1에이커에 1달러 25센트의 염가로 구입할 수 있다는 것이 규정되어 있었다. 이것은 주로 미시시피강 이서(以西)의 미개척 지역을 신속히 개척하고 동부산업자본의 국내시장 확대를 촉진시키는 동시에 자영농민의 수를 늘리려는 것이었다. 이 법률에 의하여 1883년까지 약 2300만 에이커의 토지가 주어지고 정주자가 증가하여 프런티어(미개척지)의 소멸을 앞당기게 되었으나, 한편으로는 토지투기에 악용되기도 하였다. 특정한 개인이나 사적 집단이 아니고, 국가 또는 공공단체에 의하여 소유되는 토지인 공유지는 미국 역사적 개념상, 미국 토지정책에서 중요한 대상이 된다. 미국연방정부는 미시시피강 서쪽의 광활한 영역을 장악하여, 남북전쟁 때에 홈스테드(Homestead Act)로 자작농 조성을 촉진하였다. 그 후, 철도건설과 고등교육시설을 위해서 많은 공유지가 투입되었으며, 10세기 말부터는 공유지에 포함된 권리의 전면양도가 아니라, 국가에 의한 광산권의 유보와 같은 제약이 생겼다. 제 2차 세계대전 후부터는 석유자원의 채굴권 · 삼림보유 등의 목적으로, 공유지의 비 양도정책이 시행되었다.

46일

---

1 alternate

[ɔ́:ltərneit]
keep

v. interchange, occur successively　　　번갈아 일어나다

Good luck and misfortune *alternate* each other.

---

2 appliance

[əpláiəns]

n. instrument, apparatus, device　tool　　　도구, 장치

You had better not turn on two or more *appliances* simultaneously.[1]

---

3 bore

[bɔ:r]
interest

v. weary, tire　　　싫증 나게 하다

The hard work *bored* the worker all day long.

---

4 brain

[brein]

n. intellect　　　지능

I'm sure there must be a solution,[2] if only he had the *brains* to see it.

---

5 cheer

[tʃiər]
discourage

v. inspirit, animate, encourage　　　격려하다

Her letters *cheered* him so much that he began to feel like working.

---

6 contain*

[kəntéin]

v. comprise, hold　　　포함(수용)하다

The declaration *contained* a basic principle.

---

7 deter*

[ditə́:r]
abet

v. preclude, prevent, inhibit　avert　　　방해하다

Slavery[3] *deterred* the development of the forces of production.

ℊlossary

① simultaneously 일제히, 동시에　② solution 해답　　③ slavery 노예제도

| 8 **examine** | v. | **inspect, probe, investigate** | 검사하다 |

[igzǽmin]

Kemper dissected④ the bodies, and *examined* the internal organs.⑤

| 9 **extravagant** | adj. | **wasteful, prodigal** | 낭비하는 |

[ikstrǽvəgənt]
restrained

He feels that he has been *extravagant*, prodigal of everything.

| 10 **familiar** | adj. | **intimate, close, friendly** | 친숙한 |

[fəmíljər]
aloof

We're so *familiar* with gasoline that it no longer seems very dangerous.

| 11 **fast** | adj. | **quick, swift, rapid**   fleet | 빠른 |

[fǽst]
slow

Tom was famous for running *faster* than a horse on a 19 km course.

| 12 **gleaming*** | adj. | **shining** | 반짝이는 |

[glíːmiŋ]

John strode⑥ across the stage and took his seat at the *gleaming* black grand piano.

| 13 **guarantee** | v. | **insure, warrant** | 보증하다 |

[gæ̀rəntíː]

The link of medical institutions⑦ will *guarantee* better health care systems.

| 14 **guiltless** | adj. | **innocent, blameless, immaculate** | 무죄의 |

[gíltlis]
guilty

Historians acknowledge that the German people were far from *guiltless*.

| 15 **hurt** | v. | **injure, damage, impair** | 손상시키다 |

[həːrt]
benefit

In many ways, the railroads *hurt* small shippers⑧ and farmers.

| 16 **inadequate*** | adj. | **insufficient** | 불충분한 |

[inǽdikwit]
adequate

Because of *inadequate* preparation, the program ended in failure.

Glossary

④ dissect 절단하다, 해부하다 ⑤ the internal organs 내장, 장기 ⑥ stride 성큼 걷다   ⑦ institution 협회, 기관
⑧ shipper 선적인

| 17 **inborn*** | adj. | **innate, native, natural** | 선천적인 |

[ínbɔ́ːrn]
acquired

The fundamental⁹ nervous reactions¹⁰ are *inborn* in both of man and animals.

| 18 **incentive** | n. | **stimulus, goad, prod** motive, spur | 자극 |

[inséntiv]

A perpetual¹¹ autonomy¹² in the West was the strongest *incentive* to emigration.¹³

| 19 **inclination**** | n. | **preference, tendency, trend** | 성향 |

[ìnklənéiʃən]

The Mongols had little *inclination* to ally with other nomadic¹⁴ peoples of northern Asia.

| 20 **inquisitive** | adj. | **inquiring, curious** | 호기심이 강한 |

[inkwízətiv]
indifferent

The *inquisitive* explorer tried to solve some of nature's riddles.¹⁵

| 21 **intent** | n. | **intention, design, purpose** | 의도 |

[intént]
accident

He declared his *intent* to enforce the law and was willing to seek agreement.

| 22 **intuition** | n. | **insight** | 직관 |

[ìntjuíʃən]
ratiocination

I realized by *intuition* that something was missing.

| 23 **mad** | adj. | **insane, lunatic, crazy** | 미친 |

[mæd]

They met a *mad* woman with her mouth open.

| 24 **madden** | v. | **infuriate, enrage, anger** provoke, annoy | 화나게 하다 |

[mǽdn]
allay

Maddened by the loss of so many of their men, the British killed all the Americans in the fort.¹⁶

| 25 **meddlesome** | adj. | **interfering, intrusive, officious** | 간섭하는 |

[médlsəm]

Cinderella's daily life was suffering because of her *meddlesome* step sisters.

---

glossary

⑨ fundamental 근본적인   ⑩ nervous reaction 신경반응   ⑪ perpetual 영구적인   ⑫ autonomy 자치
⑬ emigration 이주   ⑭ nomadic 유목생활을 하는   ⑮ riddle 수수께끼   ⑯ fort 요새

26 **menace**	v.	**threaten, intimidate**	위협하다
[ménəs]		The boss *menaced* his secretary with immediate dismissal.[17]	

27 **naive**	adj.	**ingenuous, simple, unaffected**	단순한
[nɑːíːv] sophisticated		He was hopelessly *naive* about the realities of combat and army life.	

28 **numberless**	adj.	**myriad, countless, infinite** innumerable, numerous	무수한
[nʌ́mbərlis] numerable		He told me of *numberless* injustices[18] to which he had been a victim.[19]	

29 **outrage**[*]	v.	**anger, offend**	격분 시키다
[áutrèidʒ]		Youthful Americans were *outraged* by social injustice.	

30 **pointed**	adj.	**sharp, piercing, severe** keen	뾰족한
[pɔ́intid] blunt		The coyote resembles a medium-sized dog with a *pointed* face.	

31 **principal**[**]	adj.	**prime, chief, foremost** paramount, capital	주요한
[prínsəpəl]		Hemley was one of the *principal* authors of WWF's 1997 tiger report.	

32 **rebel**	n.	**insurgent, traitor**	반역자
[rébəl]		Austin was considered by the government to be a *rebel*.	

33 **rigorous**[**]	adj.	**severe, demanding, harsh** rigid, austere	엄격한
[rígərəs] facile		We should pursue a *rigorous* program of Mars exploration.	

34 **savor**[**]	n.	**flavor, taste**	맛
[séivər]		Life seems to have lost most of its *savor* for him.	

Glossary
17 dismissal 해고　　18 injustice 부당한 처사　　19 victim 희생자

270

35 slight	adj.	**insignificant, trivial, trifling**	사소한
[slait]		If Picasso had died before 1906, his mark[20] on 20th century art would have been *slight*.	

36 smart	adj.	**clever, shrewd, intelligent** sharp	영리한
[smɑ:rt] dull		I will put my money on the *smart* minority[21] rather than the dumb majority.[22]	

37 smash	v.	**shatter, crush, crash**	박살 내다
[smæʃ]		A crowd of gangs started *smashing* windows.	

38 sporadic**	adj.	**infrequent**, rare, scarce	산발적인
[spərǽdik] regular		Every year in this month, there are *sporadic* outbursts[23] of disasters.	

39 stop	v.	**interrupt, arrest, halt**	중단하다
[stɑp] start		Developing countries are required to *stop* production and consumption of the chemical.	

Glossary

[20] mark 영향　　　[21] minority 소수　　　[22] majority 다수　　　[23] outburst 돌발

Quiz ● Choose the **synonym**

1. alternate　　　ⓐ prime, chief, foremost
2. cheer　　　　ⓑ interrupt, arrest, halt
3. principal　　　ⓒ interchange, occur successively
4. stop　　　　ⓓ inspirit, animate, encourage

Answer　1. ⓒ　2. ⓓ　3. ⓐ　4. ⓑ

47일

1 admirable
[ǽdmərəbəl]

adj. **praiseworthy, fine, excellent**　　훌륭한

He gave an *admirable* answer not often shown by the ordinary students.

2 amiable
[éimiəbəl]
surly

adj. **kind, friendly, amicable**　　상냥한

The *amiable* Cassidy made many friends with her neighbors.

3 ascend
[əsénd]
descend

v. **mount, soar, arise**　　올라가다

He *ascended* the back stairs to carry her to his room.

4 assassinate
[əsǽsənèit]

v. **murder, kill, slay**　　살해하다

Just before he was *assassinated*, Robert Kennedy delivered a speech[1] attacking the national index.[2]

5 awe*
[ɔː]
scorn

n. **amazement, surprise, wonder**　　경외심

The complexity of the universe inspires great *awe*.

6 broad
[brɔːd]
narrow

adj. **wide, extensive, vast** spacious　　폭넓은

Democrats launched a *broad* offensive against Bush's tax cut proposal.

7 conscientious
[kànʃiénʃəs]
conscienceless

adj. **just, upright, honest**　　양심적인

Taylor was a *conscientious* military[3] officer, and popular with his brave manner.

Glossary

① deliver a speech 연설하다　② national index 국가지침, 국가정책　③ military 군대의

8 **constant**	adj.	invariable, uniform, unchanging stable	변함없는
[kánstənt] capricious		Without the *constant* flow of water, a human population could not exist.	

9 **cram****	v.	jam, stuff	(쑤셔)넣다
[kræm]		We *crammed* the fireplace full of pine-boughs.④	

10 **dilemma**	n.	predicament, strait	곤경
[dilémə]		Disposal⑤ of wastes was a *dilemma* to be dealt with.⑥	

11 **enlist****	v.	join in, recruit	참가하다
[enlíst]		Dasch *enlisted* in the Germany army at the age of 14.	

12 **enliven**	v.	invigorate, animate	생기를 주다
[enláivən] subdue		The room was *enlivened* by the colorful picture of flowers.	

13 **envy**	n.	jealousy	질투
[énvi]		Her hair has been an object⑦ of *envy* to many women.	

14 **estimate**	v.	assess, value, appraise evaluate	평가하다
[éstəmèit]		She always tried to *estimate* a person's abilities by his performance.	

15 **leap**	v.	jump, bound, spring vault, hop	뛰어오르다
[li:p] drop		He tried to *leap* over to the other side of the stream.	

16 **merry**	adj.	jolly, mirthful, hilarious gay	명랑한
[méri] gloomy		They had told me he was a *merry*, light-hearted⑧ youth.	

Glossary

④ pine-bough 소나무가지   ⑤ disposal 처분   ⑥ deal with 다루다   ⑦ object 대상
⑧ light-hearted 쾌활한

17 **narrow-minded**	adj.	**intolerant, illiberal**	편협한
[nǽroumáindid] broad-minded		He was really *narrow-minded* in business.	

18 **original**	adj.	**inventive, creative**	독창적인
[ərídʒənəl] banal		Galileo had already started the deep process of *original* thinking.	

19 **picture****	v.	**imagine, represent, portray** depict	묘사하다
[píktʃər]		Johnson *pictured* Goldwater as a dangerous radical.[9]	

20 **predominant**	adj.	**prevailing, prevalent, dominant**	지배적인
[pridámənənt] subordinate		Western way of thinking was already *predominant* in Asia.	

21 **preliminary**	adj.	**introductory, preparatory**	예비의
[prilíməneri]		*Preliminary* research indicates[10] that solar radiation[11] may have decreased by as much as 10 percent.	

22 **preoccupation***	n.	**involvement**	관련
[pri:àkjəpéiʃən]		Ford hoped his action would end the nation's *preoccupation* with Watergate.	

23 **preserve****	v.	**save, maintain, keep** conserve	보존하다
[prizə́:rv]		He took important steps to *preserve* the wildlife of his state.	

24 **prodigious**	adj.	**wonderful, marvelous, amazing** astonishing	놀라운
[prədídʒəs] commonplace		Reverence[12] continues to be paid to her *prodigious* memory.	

25 **radiant***	adj.	**bright, vivid, brilliant** beaming, shining	빛나는
[réidiənt]		The window stood wide open, and the *radiant* moonlight streamed[13] in.	

Glossary

[9] radical 과격론자, 급진주의자 [10] indicate ~을 나타내다. 알리다 [11] radiation 방사에너지 [12] reverence 숭배, 경의
[13] stream 비치다

26 **research***	v.	**investigate, study, examine** scrutinize	조사하다

[ríːsəːrtʃ]

The 260 students were involved in *researching* the Adam Lewis Center for Environmental Studies.

27 **reverence**	n.	**worship, veneration, homage** respect, awe	존경

[révərəns]
contempt

The Bishop received the *reverences* of his visitors with a benign[14] smile.

28 **reverse**	v.	**invert**	뒤집다

[rivə́ːrs]

Europe has not only stopped its population growth but actually *reversed* it.

29 **right**	adj.	**correct, proper, appropriate**	올바른

[rait]
wrong

All the evidence shows that fertility[15] is falling and we're moving in the *right* direction.

30 **satire***	n.	**irony, sarcasm**	풍자

[sǽtaiər]

His essay is actually a bitter *satire* attacking the folly[16] of politicians.

31 **segregate**	v.	**isolate, separate, dissociate**	격리하다

[ségrigèit]
mix

AIDS patients are *segregated* in a separate part of the prison.

32 **sensible**	adj	**judicious, sagacious, wise** intelligent, sage	현명한

[sénsəbəl]
foolish

An interpreter[17] would ask a few questions just to find a *sensible* answer.

33 **stable**	adj.	**invariable, constant, steady** steadfast, unchangeable	안정된

[stéibl]
unstable

For 300 years, New Spain had been the most loyal and *stable* of all of Spain's colonies.[18]

34 **strong***	adj.	**robust, staunch, mighty** potent, vigorous	강력한

[strɔ(ː)ŋ]
weak

Her biography[19] became a *strong* encouragement[20] to the boy.

Glossary

⑭ benign 부드러운 ⑮ fertility (땅의) 생산력 ⑯ folly 어리석음 ⑰ interpreter 통역자, 해석자
⑱ colony 식민지 ⑲ biography 전기 ⑳ encouragement 격려

| 35 **tease** | v. | **irritate, bother, trouble** annoy, harass | 괴롭히다 |

[ti:z]
soothe

The Alien Act *teased* the people who were the immigrants[21] in America.

| 36 **tempting**** | adj. | **inviting, attractive, seductive** alluring | 유혹하는 |

[témptiŋ]
. repulsive

The company decided to test the *tempting* new method of manufacture.[22]

| 37 **type**** | n. | **kind** | 유형 |

[taip]

She is the *type* of person I look up to.

| 38 **unreasonable** | adj. | **irrational, preposterous, absurd** senseless, stupid | 불합리한 |

[ʌnríːzənəbəl]
proper

The disappearance of competition would lead to *unreasonable* price rises.

| 39 **worthy** | adj. | **worthwhile, deserving** | 가치 있는 |

[wə́ːrði]
worthless

It's an interesting story, but I doubt if it is really *worthy* of the Nobel Prize.

ᵍlossary ────────────────────────────
㉑ immigrants 이민자   ㉒ manufacture 제조

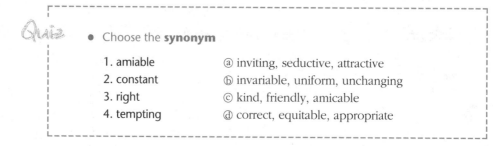

Quiz   ● Choose the **synonym**

1. amiable   ⓐ inviting, seductive, attractive
2. constant   ⓑ invariable, uniform, unchanging
3. right   ⓒ kind, friendly, amicable
4. tempting   ⓓ correct, equitable, appropriate

Answer   1. ⓒ   2. ⓑ   3. ⓓ   4. ⓐ

48일

1 **absolutely***	adv. **totally, ultimately, perfectly**	절대적으로
[ǽbsəlùːtli]	Political unity was considered *absolutely* essential for the stability① of the nation.	

2 **caption***	n. **title, heading**	표제
[kǽpʃən]	The *caption* of the column is 'How to Reach Happiness'.	

3 **categorize***	v. **to arrange in classes, classify, class**	분류하다
[kǽtigəràiz]	He doesn't like to be *categorized* as a socialist.②	

4 **cherish**	v. **treasure**	소중히 하다
[tʃériʃ] reject	They *cherished* democratic③ ideas that they hoped to realize.	

5 **communicate**	v. **transmit, convey**	전달하다
[kəmjúːnəkèit] hide	He *communicates* the message that they should vote for the man.	

6 **discipline**	n. **training, drill, exercise** practice	훈련
[dísəplin]	The Continental Army would need a special form of *discipline*.	

7 **gratify**	v. **satisfy, appease**	만족시키다
[grǽtəfài] exasperate	The journey was one of the most *gratifying* experiences of his life.	

Glossary

① stability 안정　　② socialist 사회주의자　　③ democratic 민주주의의

7 **halt**	v.	**stop, cease**	멈추다
[hɔːlt] start		After his inauguration,[4] he quickly *halted* the fighting in Africa.	

8 **hardship**	n.	**trial, oppression, suffering**	고난
[háːrdʃìp] comfort		The Colonial Currency Act led to increased *hardship* after the French and Indian war.	

9 **instrument**	n.	**tool, implement**	도구
[ínstrəmənt]		Galileo built an *instrument* which illustrates[5] his great craftsmanship.[6]	

10 **intrude**	v.	**trespass, encroach, violate**	침범하다
[intrúːd]		People did not want a government to *intrude* on the country's economy.	

11 **labor**	n.	**toil, work**	노동
[léibər] leisure		The Railway Strike led many workers to join a growing national *labor* organization.	

12 **legacy***	n.	**tradition, culture, inheritance** heritage	유산
[légəsi]		The idea of equality[7] of opportunity is the *legacy* of the French Revolution.	

13 **maladroit**	adj.	**unskillful, awkward, clumsy** inept	서투른
[mæ̀lədrɔ́it] deft		The president was blamed for the *maladroit* handling of the press conference.[8]	

14 **merciless**	adj.	**pitiless, relentless, inexorable**	무자비한
[mə́ːrsilis] charitable		To certain crimes, the Church is *merciless*.	

15 **monstrous**	adj.	**tremendous, gigantic, enormous** prodigious, colossal	거대한
[mánstrəs] petty		He exposed the fact that we had built a *monstrous* castle in the air.	

16 **negotiate**	v.	**bargain, treat**	협상하다
[nigóuʃièit] break off		President Jackson *negotiated* with the Indians, giving them a guarantee[9] of perpetual autonomy.[10]	

17 **offense**	n.	**crime, transgression, misdemeanor** felony	범죄
[əféns]		Out of the percentage of people in prison, 59.6% are in prison for a drug *offenses*.	

18 **operation**	n.	**transaction, business, affair**	업무
[àpəréiʃən]		Washington was extremely influential[11] in the initial[12] *operation* of the new government.	

19 **oversight**	n.	**mistake, blunder, slip** error	실수
[óuvərsàit]		She apologized[13] for the *oversight*.	

20 **peaceful***	adj.	**serene, tranquil, placid** calm	평온한
[píːsfəl] agitated		The Hopi people were very *peaceful*, and had practically no sports or gambling.	

21 **peak****	n.	**summit, maximum, pinnacle** acme, top	정점
[piːk] nadir		The union reached its *peak* membership of 100,000 in 1912.	

22 **piquant**	adj.	**1. spicy**	톡쏘는
[píːkənt]		The Mexican salad was mixed with extraordinarily[14] *piquant* dressing.	
banal	adj.	**2. sharp, pungent**	신랄한
		It's not exactly the kind of *piquant* comment you expect.	

23 **quit****	v.	**give up, stop, cease**	그만두다
[kwit] start		After two years, he *quit* school and went to live with his uncle.	

Glossary ───────────────────

⑨ guarantee 보증   ⑩ autonomy 자치   ⑪ influential 유력한   ⑫ initial 처음의, 최초의

⑬ apologize 사과하다   ⑭ extraordinary 몹시, 엄청나게

24 **remnant***	n.	trace, relics	잔재
[rémnənt]		It is possible that comets are primordial[15] *remnants* from the formation of the solar system.	

25 **remove****	v.	transfer, extract, transport carry	옮기다, 추출하다
[rimúːv]		His father *removed* him from Shrewsbury and entered him in the University of Edinburgh to study medicine.	

26 **shiver**	v.	tremble, quake, shudder shake	떨다
[ʃívər]		The little cat was *shivering* with cold.	

27 **sign**	n.	token, indication, hint trace, suggestion	흔적
[sain]		The country keeps all the *signs* of recent commotion.[16]	

28 **snare**	n.	trap, lure, bait	함정
[snɛər]		She tried to avoid falling into the *snare* he'd set for her, but it was in vain.	

29 **spite**	n.	ill-will, maliciousness, malice	악의
[spait] affection		His ability to avoid *spites* made many friends and few enemies.	

30 **stamp**	v.	trample, crush, pound	짓밟다
[stæmp]		The Aryan invaders[17] *stamped* Indian culture completely.	

31 **temporary**	adj.	transient, transitory, ephemeral fleeting	일시적인
[témpərəri] permanent		Regional inequalities[18] are not *temporary* but necessary features of industrial society.	

32 **tendency****	n.	trend, inclination, proneness bent	경향
[téndənsi]		There has been a recent *tendency* among teachers of giving more lenient punishments.	

Glossary

[15] primordial 최초의   [16] commotion 동요   [17] invader 침입자   [18] inequality 불평등

33 **tolerance**	n.	**toleration, patience**	관용
[tάlərəns] bigotry		Erasmus was a pacifist and a man of *tolerance*.	

34 **traffic**	n.	**trade**	거래
[trǽfik]		*Traffics* in illegal drugs should be brought to justice.	

35 **version**	n.	**translation**	번역
[və́:rʒən]		Erasmus published the Greek *version* of the New Testament in Latin.	

36 **whip**	v.	**beat, flog, thrash** lash	매질하다
[*h*wip]		The white master *whipped* and even executed[19] his runaway slaves.	

37 **yearning**	n.	**longing, craving, desire**	열망
[jə́:rniŋ]		Mrs. Clark felt a sudden *yearning* to free her mind.	

 lossary
⑲ execute 사형하다

▲ Choose the **synonym** of the highlightened word in the sentence.

1. **A symbolic system gives expression to alternate between nature and culture.**
   ⓐ depict   ⓑ parry   ⓒ solicit   ⓓ interchange

2. **Scientists believe we have an inborn urge to propagate our own genes.**
   ⓐ maladroit   ⓑ innate   ⓒ congenital   ⓓ acid

3. **They aggregated to discuss one of the principal elements of the Constitution.**
   ⓐ discourteous   ⓑ foremost   ⓒ gracious   ⓓ august

4. **The condensation begins when air is cooled at constant pressure.**
   ⓐ uniform   ⓑ vast   ⓒ bulky   ⓓ culpable

5. **Porpoises leap out of the water to escape the pull of surface drag.**
   ⓐ fit   ⓑ direct   ⓒ bound   ⓓ teem

6. **It was not possible to preserve the image that was produced in the box.**
   ⓐ limit   ⓑ keep   ⓒ overlook   ⓓ spread

7. **With its radiant color and plantlike shape, the sea anemone looks more like a flower than an animal.**
   ⓐ fascinating   ⓑ visible   ⓒ brilliant   ⓓ well-known

8. **The sound filled the room until the candle flame quivered and the wine spilled and the wails creaked and shivered from its force.**
   ⓐ trampled   ⓑ ceased   ⓒ trembled   ⓓ toiled

▲ Choose the **antonym** of the highlightened word in the sentence.

9. **His competition was defined as peaceful conflict.**
   ⓐ emphatic   ⓑ outstanding   ⓒ strong   ⓓ agitated

10. **Regional inequalities are not temporary but necessary features of industrial society.**
    ⓐ permanent   ⓑ facile   ⓒ offensive   ⓓ headstrong

Take a Break

Do Your Best

ABULARY
Hackers
TOEFL

49일

1 **ambling***	adj.	leisurely, easy	느긋한

[æmbliŋ]
hard

They watched the horse's *ambling* walk to the fence.①

2 **barter***	v.	trade, exchange, swap	교역하다

[báːrtər]

On the Gold Coast, the Europeans *bartered* gold for slaves.

3 **bulky***	adj.	large, huge, immense	거대한

[bʌ́lki]

The basket was heavy with a *bulky* woolen sweater.

4 **depict***	v.	represent, portray, picture render, interpret	묘사하다

[dipíkt]

Political opponents② *depicted* McKinley as Mark Hanna's puppet.③

5 **diminish***	v.	lessen, reduce, decrease shrink, abate	줄다

[dəmíniʃ]
intensify

Diminishing sea ice is contributing to the disappearance of seabirds called black guillemots.④

6 **duration***	n.	length, term, span	지속기간

[djuəréiʃən]

Hull enlisted⑤ on May 1, 1777, and served for the *duration* of the war.

7 **elevate**	v.	raise, lift, exalt heighten, increase	높이다

[éləvèit]
lower

The railway boom in 1903-1904 helped *elevate* the employment.

Glossary

① fence 울타리, 담장　② opponent 반대자, 상대　③ puppet 꼭두각시　④ guillemot 바다비둘기
⑤ enlist 입대하다

8 **fable**	n.	legend	전설

[féibəl]

It isn't hard to see why some of the *fables* were omitted[6] by Victorian translators.[7]

9 **favor**	n.	kindness, good-will	호의

[féivər]
depreciation

Galileo kept talking in *favor* of the Copernican doctrine.

10 **fervor***	n.	zeal, passion	열정

[fə́:rvər]
apathy

There was a kind of dry *fervor* in his voice.

11 **foliage***	n.	leaves	잎

[fóuliidʒ]

Dense *foliage* makes a great wind blocker and sun filter.

12 **free***	v.	liberate, release, emancipate	해방시키다

[fri:]
bond

In his will,[8] he ordered that his slaves be *freed* after the death of his wife.

13 **grieve**	v.	lament, mourn, sorrow bewail	슬퍼하다

[gri:v]
rejoice

Oscar was much *grieved* when his little daughter died.

14 **guide**	v.	lead, show, escort conduct	안내하다

[gaid]
distract

Guided by the Indians they safely passed through channels.

15 **hoist**	v.	raise, elevate, lift	올리다

[hɔist]
lower

We *hoisted* a sail[9] and flew before the wind.

16 **inaction***	n.	lack of action or activity	활동하지 않음

[inǽkʃən]
activeness

As a result of his *inaction*, we lost a lot of money.

glossary

⑥ omit 생략하다　　　⑦ translator 번역가　　　⑧ will 유언, 유서　　　⑨ sail 돛

17 **inanimate**	adj.	**lifeless**	생명이 없는
[inǽnəmit] living		Dust is one of the most common *inanimate* elements capable of conveying⑩ disease.	

18 **indispensable***	adj.	**essential, necessary, requisite**	필수적인
[ìndispénsəbəl] dispensable		He considered compromise⑪ an *indispensable* tool in a federal⑫ system.	

19 **join**	v.	**link, connect, unite** attach, combine	결합하다
[dʒɔin] separate		After filling in the forms, he *joined* the papers with a staple.	

20 **kill**	v.	**slaughter, slay, assassinate** massacre	죽이다
[kil]		He goes on saying that a lot of people were *killed*.	

21 **lag**	v.	**linger**	꾸물대다, 뒤쳐지다
[læg] hasten		American consumers' global perspective⑬ has *lagged* well behind that of Europeans.	

22 **lawful**	adj.	**legal, legitimate, valid**	합법적인
[lɔ́:fəl] illicit		He would not interfere with⑭ the *lawful* prerogatives⑮ of the state of Georgia.	

23 **lenient**	adj.	**mild, clement, merciful**	너그러운
[lí:niənt] caustic		Henry proved a more *lenient* judge than Ralph had hoped.	

24 **loose**	adj.	**lax, slack**	느슨한
[luːs] tight		Some of his trousers are a little *loose* at the waist.	

25 **loud**	adj.	**noisy, clamorous, deafening** resounding	시끄러운
[laud] low		The *loud* voices of Ms. Fine can be heard through the whole mansion.	

Glossary

⑩ convey 옮기다　　⑪ compromise 타협　　⑫ federal 연방의　　⑬ perspective 전망

⑭ interfere with ~을 간섭하다　⑮ prerogative 특권, 특전

| 26 **misery** | n. | **wretchedness, distress, suffering** torture | 고통 |

[mízəri]
blessedness

The *misery* of the terrible experience remained with him all his life.

| 27 **permanent** | adj. | **lasting, constant, everlasting** perpetual | 영구적인 |

[pə́ːrmənənt]
temporary

The colonists[16] decided to create a *permanent* settlement in the New World.

| 28 **permission** | n. | **leave, permit, allowance** | 허락 |

[pəːrmíʃən]
prohibition

She gave *permission* to call her by her Christian name.

| 29 **praise** | v. | **laud, commend, exalt** admire | 칭찬하다 |

[preiz]
blame

Columbus doesn't deserve to be *praised* for the discovery of America.

| 30 **rapidly**** | adv. | **quickly, fast** | 급속히 |

[rǽpidli]

His health declined *rapidly*, and in 1933, he died of cancer.

| 31 **remain** | v. | **last, abide, endure** | (~의 상태로) 지속되다 |

[riméin]
depart

Their membership in the club *remains* in effect until they withdraw from the club.

| 32 **rent*** | v. | **lease, let** | 빌리다 |

[rent]

He *rented* a house to stay in during the winter break.

| 33 **shining** | adj. | **radiant, gleaming, bright** brilliant, glistening | 빛나는 |

[ʃáiniŋ]

If an intruder[17] threatens, the bioluminescent[18] flashlight[19] fish can startle it with its *shining* light.

| 34 **smooth** | adj. | **level, even, plain** flat | 평탄한 |

[smuːð]
rugged

The course of the marriage was not always *smooth*.

Glossary ─────────────

[16] colonist 식민지 개척자   [17] intruder 침입자   [18] bioluminescent 생물발광   [19] flashlight 섬광

³⁵ **sparsely****	adv. **lightly, meagerly**	희박하게

[spɑ:rsli]
compactly

Turkey's *sparsely* populated eastern regions are home to 6 million Kurds.

³⁶ **spring**	v. **leap, jump, bound** hop, vault	도약하다

[spriŋ]

A group of passengers threatened to *spring* into a boat full of passengers.

³⁷ **stint****	v. **limit**	절약하다

[stint]

When he makes pizza, he doesn't *stint* cheese.

³⁸ **subsequently****	adv. **later**	이후에

[sʌ́bsikwəntli]
prior

He said he was a wealthy aristocrat, but it *subsequently* proved to be false.

³⁹ **terrestrial****	adj. **land, earthly, worldly**	지구의

[təréstriəl]
celestial

Lion is a *terrestrial* animal.

ᵍlossary ——————————————————————————

⑳ populate 살다, 거주시키다   ㉑ aristocrat 귀족

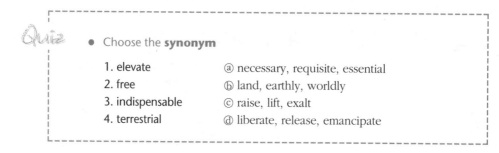

Quiz   ● Choose the **synonym**

1. elevate   ⓐ necessary, requisite, essential
2. free   ⓑ land, earthly, worldly
3. indispensable   ⓒ raise, lift, exalt
4. terrestrial   ⓓ liberate, release, emancipate

Answer   1. ⓒ   2. ⓓ   3. ⓐ   4. ⓑ

50일

1 **abate**
[əbéit]
augment

v. **reduce, let up, decrease** diminish, lessen 줄다

The demand for the product may now be *abating*.

2 **active**
[ǽktiv]
abeyant

adj. **lively, brisk, positive** 활동적인

Before he died in 1895, he stayed an *active* part of the United States.

3 **administer**
[ədmínəstər]

v. **manage, conduct, execute** direct, supervise 집행하다

The king must have full power to *administer* justice.

4 **avail***
[əvéil]
harm

v. **make use, serve** 도움이 되다

Our effort would not *avail* against the flood waters.

5 **bearing**
[béəriŋ]

n. **manner, behavior, conduct** 태도

He shows the whole *bearing* of an adult.

6 **cast***
[kæst]

v. **project, throw, hurl** pitch, fling 던지다

The government made the Indians *cast* off their savage① habits and become Christians.

7 **charge***
[tʃɑːrdʒ]

v. **impose responsibility** 책임을 지우다

She was *charged* with the duties of taking care of the youngest class.

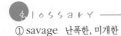

① savage 난폭한, 미개한

8 **chiefly**＊	adv.	**mainly**	주로
[tʃíːfli]		The arduous[2] task was done *chiefly* by slave labor.	

9 **coherent**＊	adj.	**logical, consistent**	논리적인
[kouhíərənt] illogical		Wilson provided a *coherent* explanation of the demise[3] of the Civil Rights Movement.	

10 **count**＊	v.	**matter, weigh, signify**	중요하다
[kaunt]		The design of a product often *counts* above its durability.[4]	

11 **discernible**＊	adj.	**noticeable, detectable, observable** perceivable	인식할 수 있는
[disə́ːrnəbəl] imperceptible		Their culture had developed over centuries without any *discernible* outside influence.	

12 **distinguished**＊＊	adj.	**pronounced, differentiated, renowned** eminent	두드러진
[distíŋgwiʃt] unremarkable		The most *distinguished* hero of the Battle of Bunker Hill was Peter Salem.	

13 **fidelity**	n.	**loyalty, faithfulness, devotion**	충성
[fidéləti] perfidy		Shaw enlisted in the army to prove his *fidelity* to his country.	

14 **frame**	v.	**make, shape, mold** produce, construct	만들다
[freim]		He tried to *frame* a revolutionary scientific theory, and he succeeded.	

15 **heap**	n.	**stack, pile, accumulation** mass	더미
[hiːp]		He has a *heap* of work to do.	

16 **huge**＊	adj.	**massive, mammoth, gigantic** colossal, immense	거대한
[hjuːdʒ] diminutive		The French owned a *huge* amount of land west of the United States.	

Glossary

[2] arduous 몹시 힘드는　　[3] demise 종료　　[4] durability 내구성

| 17 **insane** | adj. | **lunatic, crazy** | 제정신이 아닌 |

[inséin]
judicious

The *insane* were being jailed along with criminals in Ohio.

| 18 **livelihood** | n. | **living** | 생계 |

[láivlihùd]

Native Americans were deprived of⑤ their *livelihoods*.

| 19 **make*** | v. | **constitute, form, compose** | 만들다 |

[meik]

One and two *make* three.

| 20 **male** | adj. | **masculine, manly** | 남성의 |

[meil]
female

The *male* mentality⑥ of being tough was another result of Cavalier ways.

| 21 **malicious** | adj. | **malevolent, evil-minded** | 악의 있는 |

[məlíʃəs]
benevolent

Milton made up his mind to marry her not knowing the *malicious* rumor of her immoral⑦ conducts.

| 22 **mangle** | v. | **maim, ruin, spoil** | 망치다 |

[mǽŋgəl]

Dragged for two kilometers, the body was *mangled* beyond recognition.⑧

| 23 **manly** | adj. | **manful, brave, valiant** | 용기있는 |

[mǽnli]

He matured⑨ into a model of a *manly* individual.

| 24 **mark**** | n. | **note, notice, importance** distinction, eminence | 유명함, 주목 |

[mɑːrk]

Between ourselves, he is a man of *mark*.

| 25 **mechanism*** | n. | **instrument, system, means** | 도구 |

[mékənìzəm]

Loud noises instinctively signal⑩ danger to any organism with a hearing *mechanism*.

---

glossary
⑤ deprive~ of ~에게 ~을 빼앗다　　⑥ mentality 정신적 성향　　⑦ immoral 부도덕한
⑧ beyond recognition 알아볼 수 없을 정도로　　⑨ mature 성숙하다　　⑩ signal 신호하다

26 **miraculous**	adj.	**marvelous, wonderful, incredible**	놀랄만한
[mirǽkjələs] normal		According to the Bible, Samson possessed *miraculous* powers.	

27 **noble**	adj.	**lofty, honorable, dignified**　stately	고귀한
[nóubəl] base		The reporter delivered the news of the prince's apparent *noble* lineage.[11]	

28 **oppress**	v.	**maltreat, persecute**	억압하다
[əprés]		The administration[12] promised to free[13] *oppressed* peoples.	

29 **reward**	n.	**recompense, prize**	보답
[riwɔ́:rd]		For Tony Morrison's women, sexuality[14] is the *reward* of their gender.[15]	

30 **ripe**	adj.	**mature, mellow, developed**	무르익은
[raip] callow		The soft *ripe* fruits would drop to the ground by shaking them.	

31 **roam**	v.	**ramble, wander, stray**　rove	배회하다
[roum]		The unemployed *roamed* the country, hoping to find work.	

32 **sheen****	n.	**luster, brightness**	광채
[ʃiːn]		The girl's hair has a beautiful *sheen*.	

33 **situation**	n.	**condition, position, status**	상황
[sìtʃuéiʃən]		The influx[16] of weapons in schools creates a dangerous *situation* for teachers.	

34 **slack**	adj.	**loose, relaxed**	느슨한
[slæk] tight		After their successive[17] victories, most players have become *slack*.	

Glossary

⑪ lineage 혈통, 핏줄　　⑫ administration 행정기관　　⑬ free 해방시키다
⑭ sexuality 성적관심　　⑮ gender 성　　⑯ influx 유입　　⑰ successive 연속적인

35 **slender**	adj.	**slim, weak, fragile** delicate	날씬한, 가느다란
[sléndər]		She was *slender*, with delicate[18] wrists[19] and ankles.[20]	

36 **stroll**	v.	**ramble, wander, roam** rove	배회하다
[stroul]		They *strolled* around the park after dinner.	

37 **stuff**	n.	**material, substance, matter**	물질
[stʌf]		It's impossible to classify[21] all the medical *stuff*.	

38 **unparalleled**	adj.	**matchless, unequaled, unrivaled** peerless	비길 데 없는
[ʌnpǽrəlèld]		The Giants won an *unparalleled* success in yesterday's game.	

39 **virgin**	n.	**maiden, maid**	처녀
[və́:rdʒin]		It is believed that the Mother Mary was still a *virgin* when she gave birth to Christ.	

Glossary

⑱ delicate 가냘픈　　⑲ wrist 손목　　⑳ ankle 발목　　㉑ classify 분류하다

● Choose the **synonym**

1. abate   ⓐ slim, weak, fragile
2. discernible   ⓑ make, shape, mold
3. frame   ⓒ reduce, let up, decrease
4. slender   ⓓ noticeable, detectable, observable

Answer　1. ⓒ　2. ⓓ　3. ⓑ　4. ⓐ

51일

| 1 **attempt*** | v. | try, seek | 시도하다 |

[ətémpt]
accomplish

They *attempted* to create a Utopia in the New World.

| 2 **barbarian** | adj. | savage, primitive, barbarous | 야만적인 |

[bɑːrbɛ́əriən]
civilized

Gaiseric was the most perceptive[1] *barbarian* king of the 5th century.

| 3 **cohere*** | v. | adhere, stick, cling | 고수하다 |

[kouhíər]

Rural farmers tended to *cohere* to the original republican ideology.

| 4 **condition** | n. | state, situation, circumstance | 상태 |

[kəndíʃən]

The president's goal was to improve *conditions* for all Americans.

| 5 **confidence** | n. | trust, belief, faith   reliance | 신념 |

[kánfidəns]
diffidence

The Buddha's doctrine[2] allowed people to go about[3] their daily lives with *confidence*.

| 6 **cunning** | adj. | tricky, sly | 교활한 |

[kʌ́niŋ]
dull

She was *cunning* in her preparations for taking over the company.

| 7 **disinterested*** | adj. | impartial, unbiased, fair | 공정한 |

[disíntəristid]
prejudiced

The president appealed[4] to Americans to be *disinterested* in thought.

Glossary

① perceptive 통찰력있는   ② doctrine 교리   ③ go about 열중하다   ④ appeal 호소하다

8 faithful | adj. **loyal, allegiant** | 충실한
[féiθfəl]
disloyal

Her mother taught her to be *faithful* and to have strong family ties.

9 final | adj. **ultimate, conclusive** | 궁극적인
[fáinəl]
initial

He achieved a *final* agreement on limiting the proliferation[5] of nuclear weapons.

10 humble | adj. **unassuming, meek, modest** unpretending | 겸손한
[hʌ́mbəl]
ostentatious

She is *humble* in spite of her great success.

11 impartial* | adj. **disinterested, unbiased, fair** just | 공정한
[impá:rʃəl]
partial

The Proclamation[6] of Neutrality urged American citizens to be *impartial*.

12 impolite | adj. **uncivil, rude, discourteous** | 무례한
[ìmpəláit]
polite

He'd never said an *impolite* word to her in his life.

13 impregnable | adj. **unassailable, invincible** | 확고한
[imprégnəbəl]
susceptible

Her position in the company was *impregnable*.

14 indifference | n. **unconcern, apathy, inattention** | 무관심
[indífərəns]
interest

He received my criticism[7] with perfect *indifference*.

15 induce* | v. **persuade, instigate, urge** | 설득하다
[indʒúːs]
check

I tried to *induce* him to see a doctor.

16 intolerable | adj. **unbearable, unendurable** | 참을 수 없는
[intálərəbəl]
tolerable

Isabel began to moan[8] in her sleep as if she was in some *intolerable* grief.[9]

Glossary

⑤ proliferation 확산   ⑥ proclamation 선언, 성명   ⑦ criticism 비평   ⑧ moan 신음소리를 내다
⑨ grief 깊은 슬픔, 한탄

17 **jolt***	n.	**shock**, **impact**	충격
[dʒoult]		The famous Concord Coach could handle the hard *jolts* from rough roads.	

18 **lubricious**	adj.	**slippery**, **smooth**	매끄러운
[lu:bríʃəs]		Under the sun, his *lubricious* skin shone brightly.	

19 **negligible***	adj.	**insignificant**, **trivial**, **trifle** unimportant	하찮은
[néglidʒəbəl] significant		Methyl bromide[10] has a *negligible* effect on ozone depletion.[11]	

20 **obscure****	adj.	**dim**, **faint**, **unclear** indistinct, ambiguous	애매한
[əbskjúər] lucid		The transition[12] between slavery and feudalism[13] remains *obscure*.	

21 **omnipresent***	adj.	**ubiquitous**	어디에나 존재하는
[ɑ̀mnəprézənt] limited		Bible says that God is omnipotent[14] and *omnipresent*.	

22 **oppression**	n.	**tyranny**, **despotism**, **persecution**	억압
[əpréʃən]		The slaves lived under *oppression* for many years.	

23 **ordeal**	n.	**trial**, **test**	시련
[ɔ:rdí:əl]		Mickey told to rest up and recover from her *ordeal*.	

24 **overpower***	v.	**overwhelm**, **stagger**, **subdue** vanquish, subjugate	압도하다
[òuvərpáuər]		She felt *overpowered* by the strength of his personality.	

25 **peculiar****	adj.	**distinct**, **unusual**, **unique** eccentric, odd	색다른
[pikjú:ljər] normal		We were puzzled[15] by the *peculiar* behavior of the animal.	

ɡlossary

⑩ bromide 브롬화물   ⑪ depletion 감소, 고갈   ⑫ transition 변이, 변화   ⑬ feudalism 봉건주의
⑭ omnipotent 전능의   ⑮ puzzle 당황하게 하다

26 **prophetic****	adj.	predictive	예언적인
[prəfétik]		Hecuba was warned by a *prophetic* dream.	

27 **rank**	n.	position, standing, level	계급
[ræŋk]		Ulysses S. Grant was promoted⑯ to the *rank* of general.	

28 **referee**	n.	umpire, judge	심판원
[rèfərí:]		The baseball player was resistant⑰ at the judgment of the *referee*.	

29 **reliable**	adj.	trustworthy, dependable, infallible	의지할 수 있는
[riláiəbəl] dubious		She wanted to know that there was someone *reliable* in her life.	

30 **resort to***	v.	turn to	의지하다
		The beggar finally *resorted to* the charity⑱ house.	

31 **sad**	adj.	sorrowful, mournful	슬픈
[sæd] glad		We were greatly shocked at the *sad* news.	

32 **spin**	v.	turn, rotate	돌리다
[spin]		The machinery to *spin* and weave⑲ cotton into cloth would be driven by water power.	

33 **suspense**	n.	uncertainty, doubt, indecision misgiving	모호
[səspéns]		He is still in *suspense* as to resigning from the office.	

34 **tangled****	adj.	twisted together	뒤엉킨
[tǽŋgəl] untangle		Jack returned to North Bend to settle the *tangled* financial estate⑳ of his brother.	

ɢlossary

⑯ promote 승진하다   ⑰ resistant 저항하는   ⑱ charity 자선   ⑲ weave (천을) 짜다
⑳ estate 토지, 부동산

35 **vertical**	adj.	**upright, erect, perpendicular** plumb	수직의
[və́ːrtikəl] horizontal		The submarine's captain controls the *vertical* movement and direction of the submarine.	

36 **worry**	v.	**trouble, annoy, harass** pester, irritate	괴롭히다
[wə́ːri] comfort		The child *worried* her with lots of questions.	

37 **wretched**	adj.	**miserable, dejected, pitiful** pitiable, distressed	비참한
[rétʃid]		She looks so *wretched* after undergoing[21] such a terrible accident.	

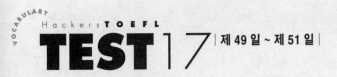

VOCABULARY

Hackers **TOEFL**
TEST 17 |제 49 일 ~ 제 51 일 |

▲ Choose the **synonym** of the highlightened word in the sentence.

1. **The shrubby tufts and strands hang like tangled hair.**

   ⓐ resourceful   ⓑ numerous   ⓒ twisted together   ⓓ insecure

2. **Psychologists have found that lie detectors are simply not reliable.**

   ⓐ initial   ⓑ trustworthy   ⓒ notorious   ⓓ decided

3. **The notion of system is not peculiar to sociology.**

   ⓐ aware   ⓑ certain   ⓒ unique   ⓓ unchanging

4. **Sociologists cohere to the sociological concern with the regularities of expected behavior.**

   ⓐ adhere   ⓑ distribute   ⓒ stun   ⓓ procure

5. **The manly torch-bearers will presently yield their place.**

   ⓐ quaint   ⓑ archaic   ⓒ brave   ⓓ annoying

6. **Mrs. Strickland's face was pleasing, chiefly, perhaps, on account of her kind brown eyes.**

   ⓐ infinitely   ⓑ mainly   ⓒ deliberately   ⓓ potentially

7. **Terrestrial radio communication entails the transmission of electromagnetic waves.**

   ⓐ Bare   ⓑ Earthly   ⓒ Aquatic   ⓓ Fiery

8. **Banana spoils fairy rapidly after ripening.**

   ⓐ quickly   ⓑ finally   ⓒ alternately   ⓓ remarkably

▲ Choose the **antonym** of the highlightened word in the sentence.

9. **The demand for the product may be abating.**

   ⓐ diminishing   ⓑ augmenting   ⓒ limiting   ⓓ remaining

10. **Our president tried to diminish the risk of war.**

   ⓐ respect   ⓑ evade   ⓒ intensify   ⓓ vaporize

299

Take a Break

"Courage" 용기(勇氣)

Courage stands halfway between cowardice and rashness, one of which is a lack, the other an excess of courage.
용기는 비겁함과 무모함의 중간에 있다. 그 중 비겁함은 용기가 부족한 것이고, 무모함은 용기가 지나친 것이다.
Plutarch 플루타르크

He who loses wealth loses much; 부(富)를 잃은 자의 손실은 크다.
he who loses a friend loses more; 친구를 잃은 자의 손실은 더 크다.
but he who loses courage loses all. 그러나 용기를 잃은 자는 더 이상 잃을 게 없다.
Cervantes 세르반데스

Often the test of courage is not to die but to live. 용기가 시험 당하는 때는 대개 죽으려 하는 때가 아니라 살려고 하는 때이다.
V.Alpierre V.알피에르(이탈리아 극작가)

Courage without conscience is a wild beast. 양심 없는 용기는 야수(野獸)와 같다.
R.G. Ingersoll R.G 잉거슬(미국정치가)

Courage is the ladder on which all the other virtues mount. 용기는 그 위로 다른 모든 미덕이 오를 수 있는 사다리이다.
C.B. Luce C.B 루스(미국 외교관, 작가)

52 일

1 abide**
[əbáid]
leave

v. inhabit, colonize, **reside**   remain, sojourn   살다, 머물다

The celestial Holy of Holies is the place where God *abides*.

2 accomplished*
[əkámpliʃt]

adj. skilled, proficient   재능 있는

He is *accomplished* in sculpting.①

3 average*
[ǽvəridʒ]

n. mean, median   평균

New cars and trucks should get an *average* 45 miles per gallon by 2010.

4 blend
[blend]
separate

v. mingle, mix   섞다

The Indians *blended* Catholicism with their traditional beliefs.

5 block*
[blɑk]

n. obstacle, barrier, blockade   blocking   장애물

She seems to have a mental *block* in using internet.

6 compel*
[kəmpél]

v. oblige, force, coerce   강요하다

Slave women were *compelled* to work at tedious② jobs long hours each day.

7 congress
[káŋgris]

n. meeting, assembly, conference   회의, 모임

Heads of the banks attended the annual World Bank *congress*.

---

lossary

① sculpt 조각하다   ② tedious 지루한, 싫증나는

8 **craft**	n.	**skill, ingenuity**	기술
[kræft]		Writing is a *craft* which takes a lot of practice.	

9 **disorder**	n.	**mess, confusion, chaos**	무질서
[disɔ́ːrdər]		The law was an attempt[3] to control the civil *disorder*.	

10 **dissolve**	v.	**melt, fuse**	녹이다
[dizálv] solidify		The medicine should be *dissolved* in water.	

11 **encounter**	v.	**meet, face**	마주치다
[enkáuntər] miss		Bill *encountered* so many obstacles that delayed his advance.	

12 **erroneous***	adj.	**incorrect, mistaken, false**	잘못된
[iróuniəs] accurate		All of us agreed that it is a *erroneous* conclusion.	

13 **error**	n.	**mistake, blunder, slip**	실수
[érər]		He tried to conceal[4] his *error* by changing the subject.	

14 **fame***	n.	**renown, reputation, eminence** celebrity	명성
[feim] disgrace		His bravery[5] spread his *fame* to nearby colonies and abroad.	

15 **fog**	n.	**mist, haze**	안개
[fɔ(ː)g]		*Fog* occurs when moisture[6] from the surface of the Earth evaporates.	

16 **gaiety**	n.	**mirth, glee, cheerfulness** joviality	즐거움
[géiəti] gloom		She remembered the *gaiety* of a time long passed.	

Glossary

[3] attempt 시도   [4] conceal 숨기다   [5] bravery 용기   [6] moisture 습기

17 **humane**	adj.	**merciful, benevolent, charitable** compassionate	자비로운

[*hju:méin*]
inhuman

Due to his *humane* character, he was always popular with kids.

18 **humility**	n.	**meekness, humbleness, modesty**	겸손

[*hju:míləti*]
arrogance

Roosevelt had intellectual *humility* and a genuine commitment⑦ to peace.

19 **ignoble**	adj.	**mean, base, degraded**	천박한

[*ignóubəl*]
noble

He didn't seem awkward or *ignoble* to me at all, for all his shyness.

20 **imitate****	v.	**mimic, copy, mock** reproduce	모방하다

[*ímitèit*]
originate

I always endeavored⑧ to *imitate* her discreet⑨ behavior.

21 **incredulous**	adj.	**skeptical, doubtful, dubious**	의심 많은

[*inkrédʒələs*]
trustful

Modern people are apt to be *incredulous* about ghosts.

22 **maltreat**	v.	**mistreat, abuse**	학대하다

[*mæltríːt*]

If one boy *maltreats* another in class, that is a matter for his teacher to settle.

23 **means***	n.	**method, way**	방법

[*miːnz*]

Martin Luther King, Jr. had to find alternate⑩ *means* to win rights with non-violent methods.

24 **medium***	n.	**means, instrument**	매개

[*míːdiəm*]

Silver circulated⑪ as a *medium* of exchange in the old colonial times.

25 **mislead**	v.	**misguide, misdirect**	잘못 인도하다

[*mislíːd*]

Wrong scientific data *misled* people about the dangers of smoking.

ℓlossary

⑦ commitment 서약, 공약　⑧ endeavor 노력하다　⑨ discreet 지각있는, 신중한　⑩ alternate 대체의
⑪ circulate 순환하다

26 **muse**	v.	meditate, ponder, brood	심사숙고 하다
[mjuːz]		Wrinkling her forehead, she *mused* the matter.	

27 **overwhelm**＊	v.	overpower, deluge, crush	압도하다
[òuvərhwélm]		Her heart was *overwhelmed* by a wave of intense[12] happiness.	

28 **phenomenon**＊	n.	occurrence, appearance	사건
[finámənàn]		He began to deal with the global warming *phenomenon*.	

29 **proverb**	n.	maxim, saying	속담
[právəːrb]		Schiff has chosen an old Russian *proverb* as her epigraph[13] to the last chapter.	

30 **rational**	adj.	reasonable, sensible	합리적인
[ræʃənl] absurd		We need *rational* thinking about the Palestinian-Israeli conflict.[14]	

31 **rear**＊	v.	raise, nurture, nurse	기르다
[riər]		She had so painfully *reared* three sons to be Christian gentlemen.	

32 **remember**	v.	recall, recollect	기억하다
[rimémbər] forget		Conway is *remembered* as one of the Nation's most popular entertainers.	

33 **repair**	v.	mend, amend, fix remodel	고치다
[ripέər]		Doctors say they can *repair* the heart of patients with coronary[15] failure.	

34 **scanty**	adj.	meager, insufficient, deficient inadequate	부족한
[skǽnti] plentiful		Because of a *scanty* breakfast, he felt hungry before long.	

Glossary ──

[12] intense 극도의　　　[13] epigraph 제명　　　[14] conflict 싸움, 분쟁　　　[15] coronary 관상동맥의

| 35 **scoff** | v. | **mock, scorn, ridicule** jeer, sneer | 조롱하다 |

[skɔ:f]
approve

A hundred years ago people *scoffed* at the idea that man would ever fly.

| 36 **sense*** | n. | **meaning, signification, denotation** significance | 의미 |

[sens]

He was not a communist[16] in the traditional *sense* of the term.

| 37 **sin** | n. | **transgression, trespass, violation** crime, offense | 죄 |

[sin]

She committed[17] an unforgivable *sin* in her days.

| 38 **supernatural** | adj. | **miraculous, abnormal** | 초자연적인 |

[sù:pərnǽtʃərəl]

Pharaoh was considered to have *supernatural* powers by the ancient Egyptians.

| 39 **tedious** | adj. | **tiresome, irksome, wearisome** tiring, monotonous | 지루한 |

[tí:diəs]
absorbing

McKinley's force--roughly 600 men--began the *tedious* but necessary task of digging in.

| 40 **volume** | n. | **size, measure, magnitude** mass | 규모 |

[válju:m]

Many employees were needed to produce the given *volume* of output.[18]

Glossary

⑯ communist 공산주의자   ⑰ commit 범하다   ⑱ output 생산, 산출량

 Quiz ● Choose the **synonym**

1. abide   ⓐ mistaken, incorrect, false
2. erroneous   ⓑ remain, sojourn, reside
3. muse   ⓒ tiresome, irksome, wearisome
4. tedious   ⓓ meditate, ponder, brood

53 일

1 adjacent*	adj. **near, adjoining**	인접한
[ədʒéisənt] remote	The land *adjacent* to the southern Nile was called Upper Egypt.	

2 alter**	v. **modify, change, metamorphose** vary	변환하다
[ɔ́:ltər] fix	Vital coastal habitats① are being *altered* or destroyed by construction and development.	

3 ambíguous	adj. **unclear, vague**	모호한
[æmbígjuəs] lucid	Public reaction to crime is far more variable and *ambiguous*.	

4 appoint	v. **nominate, name, designate**	임명하다
[əpɔ́int] exclude	He was *appointed* as minister to Great Britain by President Polk .	

5 bare	adj. **naked, nude, exposed**	벌거벗은
[bɛər] covered	The workers dug ditches② with their *bare* hands.	

6 burden	n. **load**	짐, 부담
[bə́:rdn]	The people in the colony were groaning③ from the *burden* of taxation.④	

7 climb	v. **mount, ascend, scale**	오르다
[klaim]	The unemployment rate has *climbed* over 6 percent.	

Glossary

① habitat 서식지　　② ditch 수로, 도랑　　③ groan 신음하다　　④ taxation 과세

---

8 contend

[kənténd]

v.   **struggle, strive, fight**   battle, compete   싸우다

Throughout his public life, Washington *contended* with obstacles and difficulties.

---

9 damp

[dæmp]
dry

adj.   **moist, humid, wet**   축축한

She noticed that the tips of his hair were slightly *damp*.

---

10 dumb

[dʌm]
articulate

adj.   **mute, speechless**   무언의

He was *dumb* on the subject that most interested us.

---

11 endless*

[éndlis]

adj.   **limitless, incessant**   끊임없는

I walked up the *endless* stairs of the house in which he lived.

---

12 especially*

[ispéʃəli]

adv.   **notably, specifically, particulary**   특히

Environmentalists called for stricter regulation⑤ of the pesticide,⑥ *especially* in agricultural areas.

---

13 forbid**

[fərbíd]
permit

v.   **ban, inhibit, prohibit**   금하다

The Islamic belief system *forbids* suicide⑦ and encourages patient perseverance.⑧

---

14 grave

[greiv]

adj.   **momentous, important, consequential**   serious   중대한

The situation was critically *grave* for the school teachers.

---

15 guard

[gɑːrd]

v.   **protect, shield, defend**   shelter   보호하다

Parents tried to carefully *guard* their children against dangers.

---

16 hold*

[hould]

v.   **include, contain, accomodate**   수용하다

The classroom *holds* 30 students.

Glossary
⑤ regulation 규제   ⑥ pesticide 살충제   ⑦ suicide 자살   ⑧ perseverance 인내

17 **inherent***	adj.	**innate, built-in, congenital** natural, intrinsic	선천적인
[inhíərənt] adventitious		The law of nature somehow exists as an *inherent* part of the human psyche.	

18 **insult**	v.	**scorn, slander, abuse**	모욕하다
[insʌ́lt] honor		The drunken old man began to *insult* people around him.	

19 **miser**	n.	**niggard**	구두쇠
[máizər]		Scrooge is a *miser* thinking Christmas is only a waste of time.	

20 **motive**	n.	**motivation, stimulus, incentive** inducement, spur	동기
[móutiv]		It is obvious[9] that Columbus' main *motive* for exploration was greed.[10]	

21 **occult**	adj.	**mysterious, secret, unknown** mystical	신비스러운
[əkʌ́lt]		She is preoccupied[11] with *occult* symbols such as the circle, pentagram, number 6, etc.	

22 **pecuniary**	adj.	**monetary, financial**	금융상의
[pikjú:nièri]		He tried to relieve the government's *pecuniary* embarrassment.	

23 **rebellion**	n.	**mutiny, revolt**	폭동
[ribéljən]		The city's destruction would be the signal for a slave *rebellion*.	

24 **reciprocal****	adj.	**mutual**	상호적인
[risíprəkəl]		He always thought that protection and patriotism[12] are *reciprocal*.	

25 **remarkable***	adj.	**significant, conspicuous, noteworthy** extraordinary	주목할만한
[rimá:rkəbəl]		Dickens had a *remarkable* mental and physical energy.	

♣lossary

⑨ obvious 명백한   ⑩ greed 탐욕   ⑪ preoccupy ~을 몰두 시키다   ⑫ patriotism 애국심

| 26 **requisite** | adj. | **necessary, essential, indispensable** | 필수적인 |

[rékwəzit]
needless

The West derives from the East supplies *requisite* to its growth and comfort.

| 27 **righteous** | adj. | **moral, upright, virtuous** equitable | 올바른 |

[ráitʃəs]
iniquitous

His role as president was that of a *righteous* watchdog⑬ looking after other politicians.

| 28 **short-sighted** | adj. | **near-sighted, indiscreet, imprudent** | 경솔한 |

[ʃɔ́ːrtsáitid]
discreet

The executive's⑭ *short-sighted* policy finally caused bankruptcy.⑮

| 29 **sizable**** | adj. | **large** | 꽤 큰 |

[sáizəbəl]

The U.S. suffered a *sizable* trade deficit⑯ with Japan.

| 30 **slay** | v. | **murder, kill, slaughter** massacre, assassinate | 살해하다 |

[slei]

Arrested three days later, he confessed to the *slaying* of a drug dealer.

| 31 **still**** | adj. | **calm, motionless, stationary** tranquil, placid | 정지한 |

[stil]
noisy

David had been dancing about like a child, but suddenly he stood *still*.

| 32 **temperate** | adj. | **moderate, self-restrained, sober** | 절제하는 |

[témpərit]
prodigal

His attitude was far more *temperate* and balanced than the earlier reaction.

| 33 **touching**** | adj. | **moving** | 감동적인 |

[tʌ́tʃiŋ]
unimpressive

The scene of two lovers' parting at the station is the most *touching* in the movie.

| 34 **tragic** | adj. | **mournful, pathetic, disastrous** pitiful | 비극적인 |

[trǽdʒik]
comic

The American Civil War was truly *tragic* in terms of human life.

ℓ o s s a r y

⑬ watchdog 감시자   ⑭ executive 경영진   ⑮ bankruptcy 파산, 도산   ⑯ deficit 적자

35 **transfer***	v.	**move**, remove, relocate	이동하다
[trænsfə́:r]		Personal checks may ordinarily be *transferred* to other people by endorsement.[17]	

36 **unassuming**	adj.	**modest, unpretending, humble** unpretentious	겸손한
[ʌ̀nəsjú:miŋ] presumptuous		I suspected that the *unassuming* Mr. Barnes was a bit of a hypocrite.[18]	

37 **unite**	v.	**join, combine, connect** incorporate, associate	결합하다
[ju:náit] alienate		The opposition[19] parties were *united* against the proposed tax increase.	

38 **valid**	adj.	**just, sound, logical** effective, legal	타당한
[vǽlid] groundless		The farmers had a *valid* complaint against railroad shippers.	

39 **vociferous***	adj.	**noisy**	시끄러운
[vosífərəs] quiet		The *vociferous* voices of Ms. Fine can be heard through the whole mansion.	

40 **wise**	adj.	**sagacious, reasonable, sage** judicious, sensible	현명한
[waiz] foolish		Potatoes are not always a *wise* choice for a garden crop.	

*G*lossary ———————————————————————————————

⑰ endorsement 배서   ⑱ hypocrite 위선자   ⑲ opposition party 야당

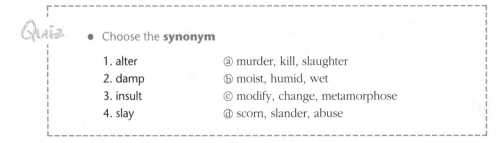

Quiz   ● Choose the **synonym**

1. alter   ⓐ murder, kill, slaughter
2. damp   ⓑ moist, humid, wet
3. insult   ⓒ modify, change, metamorphose
4. slay   ⓓ scorn, slander, abuse

Answer   1. ⓒ   2. ⓑ   3. ⓓ   4. ⓐ

54일

1 capricious **	adj. **unpredictable, impulsive**	변덕스러운
[kəpríʃəs] constant	A leader should follow the way of righteousness[1] without a *capricious* attitude.	
2 casual	adj. **unexpected**	우연의
[kǽʒuəl] deliberate	Saturday's meeting was nothing more than a *casual* occasion.	
3 combine *	v. **incorporate, unite, associate** join	결합시키다
[kəmbáin] part	The artist *combined* the richness of Venetian color and the vast of Italian compositions.[2]	
4 conceive	v. **understand, apprehend, comprehend**	이해하다
[kənsí:v]	I find it difficult to *conceive* why the committee adopted[3] the policy.	
5 disloyal	adj. **unfaithful**	불성실한
[dislɔ́iəl] faithful	He found anti-British ethnic[4] groups *disloyal*.	
6 excite	v. **stimulate, encourage, stir** incite, arouse	자극하다
[iksáit] quiet	Students are *excited* for innovative[5] opportunities at colleges.	
7 extent **	n. **scope, range, space** stretch	범위
[ikstént]	To some *extent*, success depends on the strength of the economy.	

Glossary
① righteousness 정직, 공정   ② composition 기질   ③ adopt 채택하다   ④ ethnic 민족의
⑤ innovative 혁신적인

8 **fusion****	n.	union	통합
[fjúːʒən]		His work is a *fusion* of several different types of music.	

9 **grasp**	v.	seize, hold, grip clutch, grab	붙잡다
[græsp]		The human imagination can scarcely⑥ *grasp* what future will be like.	

10 **hunt**	v.	seek, scour	~을 쫓다
[hʌnt]		*Hunting* a bear was extremely dangerous.	

11 **illicit***	adj.	unlawful, illegitimate, illegal	불법적인
[ilísit] licit		The pirates⑦ are notorious⑧ for an *illicit* trade in drugs.	

12 **improper**	adj.	unfit, inappropriate	부적절한
[imprápər] apposite		John made *improper* advances to the wife of a friend.	

13 **incessant**	adj.	ceaseless, constant, uninterrupted continuous	끊임없는
[insésənt] intermittent		Success of the operation depends on an *incessant* drive to the west and northwest.	

14 **inhospitable***	adj.	unfavorable	비우호적인
[inháspitəbəl]		The Sinai was one of the world's most *inhospitable* places.	

15 **intact***	adj.	undamaged, uninjured, sound unimpaired	손상되지 않은
[intǽkt] defective		The environment must be maintained⑨ in as much of its *intact* state as possible.	

16 **mighty**	adj.	powerful, potent	강력한
[máiti]		King Darius III defeated the Macedonians who dared invade his *mighty* empire.	

Glossary

⑥ scarcely 거의 ~아닌   ⑦ pirate 해적   ⑧ notorious 악명 높은   ⑨ maintain 유지하다

312

17 **objective**	adj.	**unprejudiced, unbiased, impartial** fair	객관적인
[əbdʒéktiv] subjective		I decided to investigate⑩ it in a purely *objective* way.	

18 **pore****	v.	**stare**	응시하다
[pɔːr]		He spent many hours in the library *poring* on the documents.	

19 **proponent***	n.	**advocate, supporter**	지지자
[prəpóunənt] opponent		Huxley's grandfather was a famous biologist⑪ and *proponent* of Darwin.	

20 **pure****	adj.	**clear, uncontaminated, spotless** immaculate, unpolluted	순수한
[pjuər]		Her ring is made of *pure* gold.	

21 **rebuke**	v.	**reprove, reprimand, censure** reproach, scold	비난하다
[ribjúːk]		Adams was sharply *rebuked* in the patriot⑫ newspapers.	

22 **regular**	adj.	**usual, normal, customary** habitual	일상적인
[régjələr] irregular		Hitler was a *regular* reader of the paper claiming that the German race was superior.⑬	

23 **rough**	adj.	**uneven, irregular, rugged** violent	거친
[rʌf] flat		They completed the trip over the *rough* mountain road to Price.	

24 **sheer**	adj.	**1. unmixed, pure**	완전한
[ʃiər]		Christine fell asleep quickly due to *sheer* exhaustion.⑭	
	adj.	**2. steep, precipitous, abrupt**	가파른
		His house lies in a *sheer* slope.	

Glossary

⑩ investigate 조사하다   ⑪ biologist 생물학자   ⑫ patriot 애국자   ⑬ superior 뛰어난, 우수한
⑭ exhaustion 기진맥진

25 sober	adj.	**unintoxicated, sane, sound**	제정신의
[sóubər] drunken		He was a reliable soldier when he was *sober*.	

26 spread	v.	**unfold, extend, stretch** expand	확산시키다
[spred] fold		Roosevelt began to *spread* the benefits of democracy® throughout the world.	

27 stationary**	adj.	**unmoving**	정지된
[stéiʃənəri] moving		A *stationary* target is easy to aim at.®	

28 submarine**	adj.	**underwater**	해저의
[sʌ́bmərì:n]		His research project is relating to *submarine* plant life.	

29 suffer	v.	**undergo, experience, tolerate**	겪다
[sʌ́fər]		She *suffers* a headache every time she prepares for an exam.	

30 ugly	adj.	**unlovely, unsightly, homely**	흉한
[ʌ́gli] beautiful		She used to be an *ugly* little girl, but now is one of the prettiest girl in her class.	

31 unbearable	adj.	**unendurable, intolerable, insufferable** insupportable	참을 수 없는
[ʌnbɛ́ərəbəl] bearable		After fighting under *unbearable* conditions, he had been changed completely.	

32 unbounded	adj.	**boundless, limitless, interminable**	무한한
[ʌnbáundid] limited		The news gave his family *unbounded* joy.	

33 unequaled**	adj.	**matchless, unparalleled, peerless**	무적의
[ʌní:kwəld]		His talent in playing guitar was *unequaled* in the class.	

Glossary
⑮ democracy 민주주의   ⑯ aim at 겨냥하다

34 **unsteady**	adj.	unsettled, changeable, unstable	불안정한
[ʌ̀nstédi]		He poured the tea into the mugs with an *unsteady* hand.	

35 **untie**	v.	unfasten, loose, unknot	풀다
[ʌ̀ntái] fasten		The two Germanys *untied* the knots that had bound them in enmity.[17]	

36 **unwittingly****	adv.	unintendedly	무의식 중에
[ʌ̀nwítiŋli]		He was dozing[18] *unwittingly* in the math class.	

37 **wave**	v.	undulate, fluctuate	물결 치다
[weiv]		When peace came, strikes for higher wages *waved* in the nation.	

glossary —————————————————————————

[17] enmity 원한, 증오   [18] doze 졸다

▲ Choose the **synonym** of the highlightened word in the sentence.

1. The arithmetic average of a set of values is obtained by adding the values together and dividing by the number of items in the set.
   ⓐ mean   ⓑ allusion   ⓒ chaos   ⓓ dishonor

2. Before long the Communist regimes disintegrated in most of central and eastern Europe, and in 1991 the Soviet Union itself dissolved.
   ⓐ united   ⓑ melted   ⓒ polluted   ⓓ distinguished

3. Perhaps, Arntzen mused, food could be genetically engineered to produce vaccines.
   ⓐ quaked   ⓑ stopped   ⓒ brooded   ⓓ roamed

4. We altered the internal electrically active unit by keeping just the "electron-sucking" nitro group, NO2.
   ⓐ rotated   ⓑ exceeded   ⓒ surveyed   ⓓ modified

5. The endless supply of carbon was offset by the erosion of silicate rocks.
   ⓐ incessant   ⓑ prodigious   ⓒ adept   ⓓ fast

6. The World Federation for Mental Health shares informal reciprocal functions with several United Nations agencies, including the World Health Organization.
   ⓐ pure   ⓑ mutual   ⓒ uninterested   ⓓ decent

7. Two teams of researchers were excited by their success in obtaining a new form of matter.
   ⓐ feeble   ⓑ stirred   ⓒ brutal   ⓓ infinite

8. Only in the twentieth century did the pharaoh reach fame, for his tomb was found nearly intact.
   ⓐ queer   ⓑ lasting   ⓒ wily   ⓓ unimpaired

▲ Choose the **antonym** of the highlightened word in the sentence.

9. The Mycenaean collapse was more the result of its own weaknesses combined with natural catastrophes.
   ⓐ parted   ⓑ attained   ⓒ submitted   ⓓ donated

10. Skill is a social construct as well as a reference to real attributes of knowledge and/or manual dexterity, and is thus an ambiguous concept.
    ⓐ profound   ⓑ superficial   ⓒ lucid   ⓓ husky

Take a Break

멕시코 전쟁

1845년 대통령 J.K. 포크는 목화재배 확대를 바라는 대농장주(大農場主) 들의 요구에 따라 멕시코와 텍사스 매수교섭을 벌였으나 실패하였다. 양국 군대간의 충돌은 계속되었고, 미국의회는 1846년 5월 11일 멕시코에 대하여 정식으로 전쟁을 선포하였다. 이 전쟁은 노예문제를 둘러싼 대립격화를 두려워한 대서양 연안의 각 주(州)의 반대에도 불구하고 미국군의 승리로 끝났다. 1948년 2월 양국은 과달루페-이달고 조약을 체결, 미국은 희망하는 서부의 영토확장을 달성하였지만, 정치적으로 남부의 발언권이 증대되고, 노예제를 둘러싼 논쟁이 더욱 격화되는 결과를 가져왔다.

원래 인디언들의 땅이었던 텍사스에 백인이 나타난 것은 1591년 에스파냐의 피네다가 최초였다. 17세기 후반부터 에스파냐 인이 텍사스에 정착하기 시작하여 1691년에는 에스파냐 령이 되었다. 점점 늘어나던 미국인 이주자들이 1835년 반란을 일으켰지만 알라모 요새의 싸움에서 패배하였다. 하지만 센해싱트 싸움에서는 멕시코 군을 격파하고 이듬해에는 독립을 이룩하여 텍사스 공화국을 세웠다. 1945년 미국에 병합되어 그 해 12월 29일 텍사스 주(州)가 되었다. 이러한 발전과정 때문에 텍사스 주에는 멕시칸 이라고 부르는 메스티소의 비율이 높다.

55일

1 **absent-minded**
adj. **oblivious, inattentive**   부주의한

Mike seemed nervous and *absent-minded*.

wide-awake

2 **abuse**
[əbjúːz]

v. **1. misuse, ill-use**   오용하다

The use of the information available to many persons must not be *abused*.

esteem

v. **2. maltreat, slander, reproach**   모욕하다

She was *abusing* him with a bold, bright smile.

3 **accommodate**
[əkámədèit]

v. **1. adapt, suit, fit**   적응하다

Ancestral[1] horse teeth had to *accommodate* to hard siliceous[2] grass.

v. **2. make room for, hold, contain**   수용하다

The resorts were carefully planned to *accommodate* large numbers of tourists.

4 **affront**
[əfrʌ́nt]

v. **offend, insult, abuse**   모욕하다

Many older people were deeply *affronted* by his impudent[3] manner.

laud

5 **aggressive**
[əgrésiv]

adj. **forceful, offensive, assaulting**   militant   공격적인

Saddam said he would stop UN from continuing *aggressive* action.

unassertive

Glossary
① ancestral 조상의   ② siliceous 실리카를 함유한   ③ impudent 뻔뻔스러운, 경솔한

6 **base**	adj.	**mean, degraded**	천한

[beis]
noble

He thinks of his job as a *base* occupation.④

7 **celebrate***	v.	**commemorate, observe**	축하하다

[séləbrèit]

Farmers *celebrate* their crops with their chief religious ceremony.⑤

8 **crime**	n.	**offense, sin, felony**	범죄

[kraim]

As punishment for his *crimes*, the court sentenced⑥ him to death.

9 **derive***	v.	**obtain, draw, receive**	얻다.

[diráiv]

The name of the city was *derived* from the Spanish word for 'village'.

10 **despite***	prep.	**notwithstanding, nevertheless**	~에도 불구하고

[dispáit]

Despite a lack of money for college, he managed to obtain a good education.

11 **dim****	adj.	**obscure, faint, weak**	희미한

[dim]
bright

Rosie flipped⑦ on a *dim* lamp that colored the room with light and shadows.

12 **disgusting***	adj.	**offensive, sickening, nauseating**	지긋지긋한

[disgʌ́stiŋ]

He felt the war was unnecessary and *disgusting*.

13 **event**	n.	**occurrence, happening, incident**	사건

[ivént]

No *event* in American history matches the drama of emancipation.⑧

14 **feed****	v.	**nourish, graze**	기르다

[fiːd]

He must continue to work to *feed* his family.

---

glossary

④ occupation 일, 직업　　⑤ ceremony 의식　　⑥ sentence 판결을 내리다　　⑦ flip (스위치를)탁 켜다
⑧ emancipation 해방

15 happen	v. **occur, befall**	발생하다
[hǽpən]	A tragedy like World War Ⅱ will never have to *happen* again.	

16 honesty	n. **uprightness, justice**	정직함
[ánisti] deceit	He was expected to bring greater *honesty* and sincerity[9] to the presidency.	

17 infamous	adj. **notorious, disgraceful**	악명 높은
[ínfəməs] illustrious	During the *infamous* Atlantic slave trade, thousands of Muslims were kidnapped.[10]	

18 inform	v. **notify, acquaint**	알리다
[infɔ́ːrm]	The purpose of the club was to *inform* women of their rights.	

19 innovation**	n. **novelty, new idea**	혁신
[ìnouvéiʃən]	The new product is an evidence of recent *innovation* in biology.[11]	

20 jeer	v. **scoff, mock, ridicule**	조롱하다
[dʒiər] toady	A band of children began to *jeer* at him, and throw stones.	

21 many	adj. **numerous, abundant, innumerable**	많은
[méni] few	Never before have so *many* Americans died in battle.	

22 naked	adj. **nude, bare, stripped** unaided	벌거벗은
[néikid] covered	The phases of Venus are undetectable[12] with the *naked* eye.	

23 noticed*	adj. **observed**	주목 받는
[nóutist]	The young actress tried to get *noticed*.	

| 24 **nourish**[*] | v. | **feed, nurture, breed** | 기르다, 키우다 |

[nə́ːriʃ]

Many educational programs aim to *nourish* students' souls as well as their minds.

| 25 **observation** | n. | **noticing, perceiving, watching** | 관찰 |

[àbzərvéiʃən]

He made another important *observation* of sunspots.[13]

| 26 **obstacle** | n. | **obstruction, hindrance, impediment** | 장애물 |

[ábstəkəl]
aid

Apart from Eisenhower's inexperience,[14] other *obstacles* impeded[15] his efforts.

| 27 **paramount** | adj. | **supreme, chief, principal** | 최고의 |

[pǽrəmàunt]

London was *paramount* as the headquarters of international exchange and banking.

| 28 **ponder** | v. | **deliberate, muse, weigh** meditate, contemplate | 심사 숙고하다 |

[pándər]

He *pondered* the letter so long that his wife noticed his preoccupation.[16]

| 29 **procurement**[**] | n. | **obtaining** | 획득, 확보 |

[proukjúərmənt]

Nowadays, the *procurement* of shipping place is really difficult.

| 30 **propose** | v. | **offer, proffer, suggest** | 제안하다 |

[prəpóuz]
withdraw

I *propose* to examine why they failed in realizing their goals.

| 31 **prosperous**[*] | adj. | **thriving, successful, flourishing** | 번영하는 |

[práspərəs]
decrepit

For most Americans, the 1920s were *prosperous* years.

| 32 **purpose** | n. | **object, aim, end** intent, intention | 목적 |

[pə́ːrpəs]

The *purpose* of his thesis[17] is to illustrate the end of the Civil War.

Glossary

⑬ sunspot 태양흑점　　⑭ inexperience 미경험　　⑮ impede 지체시키다, 방해하다
⑯ preoccupation 몰두　　⑰ thesis 학위논문

33 **scent***	n.	fragrance, odor, perfume	냄새
[sent]		The hounds followed the wolf's *scent*.	

34 **slip**	v.	mistake, error, blunder	실수하다
[slip]		He often *slips* up his grammar.	

35 **stubborn**	adj.	obstinate, dogged, rigid persistent, headstrong	완고한
[stʌ́bərn] docile		Japan's *stubborn* adherence[18] to the absurd[19] policy would jeopardize[20] the relations among the countries.	

36 **subject**	adj.	subordinate, subjected, obedient submissive	종속적인
[sʌ́bdʒikt]		All human beings are *subject* to the laws of nature.	

37 **substance**	n.	matter, material, stuff	물질
[sʌ́bstəns]		The *substance* causing insomnia came from the food.	

38 **territorial****	adj.	of or being land	영토의
[tèrətɔ́:riəl]		The two countries have a *territorial* dispute[21] over the island.	

Glossary
⑱ adherence 고수   ⑲ absurd 불합리한   ⑳ jeopardize ~을 위태롭게 하다   ㉑ dispute 분쟁

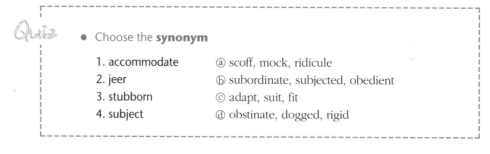

Quiz ● Choose the **synonym**

1. accommodate   ⓐ scoff, mock, ridicule
2. jeer   ⓑ subordinate, subjected, obedient
3. stubborn   ⓒ adapt, suit, fit
4. subject   ⓓ obstinate, dogged, rigid

Answer   1. ⓒ   2. ⓐ   3. ⓓ   4. ⓑ

56일

1 ancient
[éinʃənt]
modern

adj. **old, aged, antique**   antiquate

옛날의

Most *ancient* Greek philosophies① denied the existence of God.

2 annihilate*
[ənáiəlèit]
restore

v. **remove, clear, abolish**   exterminate, eradicate

전멸시키다

Old economic folkways② were *annihilated* by the Industrial Revolution.

3 antagonist
[æntǽgənist]
supporter

n. **opponent**

반대자

He was an extreme *antagonist* towards the segregation③ policy.

4 appease
[əpíːz]
annoy

v. **soothe, calm, tranquilize**   pacify, quiet

달래다

Bush tried to *appease* both sides of politicians.

5 arrange*
[əréindʒ]
jumble

v. **order, array**

배열하다

Ann *arranged* a number of candles in a rough circle around the room.

6 contour*
[kántuər]

n. **outline**

윤곽

The *contours* of the Atlantic coast are very irregular.

7 contradictory
[kàntrədíktəri]

adj. **opposing, paradoxical, contrary**   inconsistent

모순된

The voters were puzzled by General Howe's *contradictory* behavior.

Glossary

① philosophy 철학   ② folkways 습속, 민습   ③ segregation 인종차별

8 **converse***	adj.	**opposite, reverse**	반대의
[kənvə́:rs]		His opinion is exactly *converse* to mine.	

9 **deliver**	v.	**rescue, save**	구조하다
[dilívər] imprison		He *delivered* us from the tedious math class.	

10 **depose***	v.	**oust**	쫓아내다
[dipóuz] inaugurate		The trustees[4] of Princeton *deposed* the president in 1902.	

11 **distress**	n.	**pain, agony, anguish** anxiety	고통
[distrés] comfort		They couldn't find a solution of the increasing economic *distress*.	

12 **exclamation**	n.	**outcry**	외침
[èksklǝméiʃǝn]		Presented with unexpected evidence in court, she uttered[5] an audible[6] *exclamation*.	

13 **exterior**	adj.	**outer, outside, external**	외부의
[ikstíǝriǝr] interior		There are few buildings with signboards[7] on their *exterior* walls in Western countries.	

14 **gasp**	v.	**pant**	숨이 차다
[gæsp]		Max *gasped* in horror, the blood draining[8] from his face.	

15 **hole****	n.	**pit, pore, opening** cavity, hollow	구멍
[houl]		A *hole* in the ozone layer lets the dangerous rays come through.	

16 **ignore**	v.	**overlook, disregard, neglect**	무시하다
[ignɔ́:r]		He *ignored* many of the decisions made by the Supreme Court.	

Glossary

④ trustee 임원, 이사   ⑤ utter (소리)내다   ⑥ audible 목소리를 알아들을 수 있는   ⑦ signboard 간판
⑧ drain 흘러나오다

| 17 **jam** | v. | **pack, force, squeeze** | 쑤셔넣다 |

[dʒæm]

The street was *jammed* with persons of every description.⁹

| 18 **legitimate** | adj. | **licit, legal, lawful** | 합법적인 |

[lidʒítəmit]
illegitimate

Nothing can prohibit doctors prescribing⁰ the *legitimate* practice⑪ of medicine.

| 19 **neat**＊ | adj. | **orderly, trim, tidy** | 단정한 |

[ni:t]
messy

The room was *neat* and clean enough, with a pink-flowered paper.

| 20 **notion**＊ | n. | **opinion, view** | 의견 |

[nóuʃən]

All of the teachers opposed the *notion* and stood by their claims.

| 21 **old-fashioned** | adj. | **outmoded, antique, archaic** | 구식의 |

contemporary

Rather *old-fashioned* buildings are erected⑫ along the street.

| 22 **pack** | n. | **package, bundle, parcel** | 꾸러미 |

[pæk]

Every time the price of a *pack* of cigarettes goes up, more people quit smoking.

| 23 **partake** | v. | **participate, share** | 참여하다 |

[pɑːrtéik]

He found it impossible to *partake* of the communion.⑬

| 24 **persecute** | v. | **oppress, harass, molest** afflict | 박해하다 |

[pə́ːrsikjùːt]

The natives were heavily *persecuted* because of their religious practices.

| 25 **portion** | n. | **part, segment, fragment** section | 부분 |

[pɔ́ːrʃən]

The most useful *portions* of the collection are the Xerox and microfilm copies.

Glossary ―――――――――――――――――――――――――――

⑨ of every description 모든 종류의　⑩ prescribe 처방하다　⑪ practice 업무　⑫ erect (건물)세우다
⑬ communion 교제

26 prescribe	v.	**ordain, direct, dictate** decree	규정하다
[priskráib]		The law *prescribes* that a search warrant[14] must be obtained.	

27 prestige	n.	**reputation, influence, distinction**	명성
[prestí:dʒ]		He had the *prestige* that allowed him to make the decisions for the whole tribe.	

28 **prized***	adj.	**something worthy of a prize, outstanding, prominent**	뛰어난
[praizd]		What is *prized* today as the highest wisdom can be overthrown tomorrow.	

29 quiet	adj.	**pacific, calm, tranquil** serene	조용한
[kwáiət] disturbed		She listened to all he said with a *quiet* smile on her lips.	

30 **result***	n.	**product, outcome, consequence** effect	결과
[rizʌ́lt] origin		The gold came in as a *result* of trade with the south of Europe.	

31 revolution	n.	**overturn, revolt**	혁명
[rèvəlú:ʃən]		In the 1960s, the United States underwent a social *revolution*.	

32 **rich**	adj.	**opulent, affluent, ample** abundant	풍부한
[ritʃ] destitute, sparse		We are getting rid of *rich* agricultural soils by creating pavement.[15]	

33 showy	adj.	**flamboyant, ostentatious, gaudy**	허세부리는
[ʃóui] subdued		She got a lovely way with words without ever sounding *showy*.	

34 sole	adj.	**only, single, solitary**	유일한
[soul]		Although the king was the *sole* ruler, the nobility[16] of the nation kept a wary[17] eye on his activities.	

ʔlossary ──────────

[14] search warrant 수색 영장　　[15] pavement 포장도로　　[16] nobility 귀족　　[17] wary 경계하는

35 **sore**	adj.	**painful, aching, afflicative**	아픈
[sɔːr]		He consulted the doctor[18] on his *sore* throat.	

36 **stingy**	adj.	**parsimonious, miserly, mean**	인색한
[stíndʒi] generous		He is much too *stingy* to buy anyone a drink.	

37 **surmount****	v.	**overcome, conquer**	정복하다
[sərmáunt]		He tried to *surmount* the Greeks, but failed.	

38 **uninterested**	adj.	**unconcerned, indifferent**	무관심한
[ʌníntərəstid]		She seemed *uninterested* in his exciting stories.	

39 **verbal**	adj.	**oral, spoken**	말의(구어적인)
[vɜ́ːrbəl]		Many women in Turkey complain about *verbal* and physical harassment.[19]	

40 **vibrate**	v.	**oscillate, shake, tremble** quiver, shiver	진동하다
[váibreit]		Before the earthquake[20] happened, the surface had slightly *vibrated*.	

Glossary
[18] consult a doctor 의사의 진찰을 받다   [19] harassment 괴롭힘, 희롱   [20] earthquake 지진

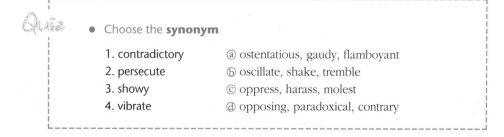

Quiz

● Choose the **synonym**

1. contradictory   ⓐ ostentatious, gaudy, flamboyant
2. persecute   ⓑ oscillate, shake, tremble
3. showy   ⓒ oppress, harass, molest
4. vibrate   ⓓ opposing, paradoxical, contrary

Answer   1. ⓓ   2. ⓒ   3. ⓐ   4. ⓑ

57일

---

1 apply
[əplái]

v. **use, employ, utilize**　　　　　　　사용(적용)하다

We *apply* individualism① to all aspects of our lives.

---

2 appreciate
[əpríːʃièit]
disapprove

v. **value, estimate**　　　　　　　(진가를) 인정하다

His sacrifices② would be *appreciated* by future generations.

---

3 available
[əvéiləbəl]

adj. **usable**　　　　　　　사용할 수 있는

His *available* funds consisted of precisely two dollars and a quarter.

---

4 capital
[kǽpitl]

adj. **primary, major, leading**　principal, prime　　주요한

His creativeness is a *capital* asset③ for the work.

---

5 conceit
[kənsíːt]

n. **vanity, complacency**　　　　　　　자만심

Factory workers took great *conceit* in their handicraft④ skills.

---

6 consumption*
[kənsʌ́mpʃən]
production

n. **use, waste**　　　　　　　소비

The eighteenth amendment⑤ banned the sale or *consumption* of alcohol anywhere in the US.

---

7 disappear
[dìsəpíər]
appear

v. **vanish, fade**　　　　　　　사라지다

The Indian village of Hochelaga had *disappeared*, and there were only a few Algonquin Indians.

Glossary

① individualism 개인주의　② sacrifice 희생　　③ asset 자산, 재산　　④ handicraft 손재주
⑤ amendment 수정안

8 **encircle**	v.	**surround, encompass, enclose**	에워싸다
[ensə́:*r*kl]		The security[6] was guaranteed[7] by the seas which *encircle* the coasts of England.	

9 **erect**	adj.	**upright standing, vertical**	수직의
[irékt] recumbent		Hominids[8] walked *erect* and learned to share food with one another.	

10 **exceptional**	adj.	**unusual, extraordinary, abnormal**	예외적인
[iksépʃənəl] average		A prior restraint[9] of publication would be allowed only in the most *exceptional* cases.	

11 **express***	v.	**disclose, reveal, manifest** state, utter	표명하다
[iksprés] hint		Missionaries *expressed* their disliking for Muslims.	

12 **godly**	adj.	**pious, saintly, devout** holy	믿음이 깊은
[gádli]		Henry gave his children an understanding of their *godly* inheritance.[10]	

13 **habitual***	adj.	**customary, regular, usual** accustomed	습관적인
[həbítʃuəl] sporadic		As he grew older, he became an increasingly *habitual* liar.	

14 **harness***	v.	**utilize**	이용하다
[háː*r*nis]		The old Egyptians *harnessed* the power of water in agriculture.	

15 **helpful**	adj.	**useful, advantageous, profitable**	유용한
[hélpfəl] ineffectual		Neighbors were really *helpful* to the newly-moved couple.	

16 **improvident**	adj.	**unthrifty, extravagant, prodigal** imprudent	낭비하는
[imprávədənt] thrifty		His financial distress resulted from the debts of his *improvident* son.	

🄖 l o s s a r y

⑥ security 안전   ⑦ guarantee 보증하다   ⑧ Hominid 인류, 인간   ⑨ restraint 제지, 제재
⑩ inheritance 전통

17 inapt	adj.	**unsuited, unsuitable, inappropriate** unfit 부적당한
[inǽpt] germane		His *inapt* comment puzzled all of people at the meeting.

18 indefinite	adj.	**vague, obscure, confusing** uncertain 불명확한
[indéfənit] exact		The term, community, is one of the most elusive⑪ and *indefinite* in sociology.⑫

19 institute*	v.	**start, establish** 설립하다
[ínstətjù:t] abrogate		The attempt to *institute* a new order of society is being carried out in Russia.

20 integrity	n.	**uprightness, honesty, righteousness** 정직함
[intégrəti]		In financial matters, he insisted on exactitude⑬ and *integrity*.

21 laud	v.	**praise, exalt, applaud** 칭찬하다
[lɔːd] revile		The French *laud* Jeanne d' Arc as a holy girl.

22 obsolete**	adj.	**unused, out-moded** 쇠퇴한
[àbsəlíːt] current		Pager is becoming *obsolete* with increased mobile communications.

23 odd	adj.	**unusual, strange, weird** queer, quaint, eccentric, bizarre 이상한
[ad]		She seemed *odd* to us because we had never encountered a nun who wore a sari.

24 overthrow	v.	**upset, overturn, subvert** 전복하다
[òuvərθróu] establish		Socialists were considered as subversives⑭ trying to *overthrow* the government.

25 pathetic	adj.	**pitiable, touching, moving** 감동적인
[pəθétik]		An immigrant babysitter lady spent her days in *pathetic* conversations with 4-year olds.

ℓlossary

⑪ elusive 정의하기 어려운   ⑫ sociology 사회학   ⑬ exactitude 정확함   ⑭ subversive 위험분자

| 26 **peaceable** | adj. | **pacific, peaceful, amicable** amiable, mild | 평화로운 |

[pí:səbəl]
contentious

After two hours' discussion, they reached a *peaceable* agreement.

| 27 **prevail*** | v. | **triumph, master, overcome** | 이기다 |

[privéil]

The northern states *prevailed* in 1865, freed the slaves and introduced adult male suffrage.

| 28 **recede**** | v. | **withdraw, retreat** | 물러나다 |

[risí:d]
proceed

The sound of the siren *receded* into the distance.

| 29 **reluctant**** | adj. | **unwilling, disinclined, loath** averse | 꺼리는 |

[rilʌ́ktənt]

Many school educators are *reluctant* to add ethical computer education.

| 30 **riot** | n. | **uproar, disturbance** | 폭동 |

[ráiət]

Between 1965 and 1968, there were over three hundred race *riots* in American cities.

| 31 **rouse** | v. | **stir, excite, stimulate** awaken, provoke | 자극하다 |

[rauz]
calm

The threat of attack on the Protestant religion *roused* resistance to James II.

| 32 **stale** | adj. | **vapid, old, decayed** | 진부한 |

[steil]
fresh

He repeated the same *stale* old jokes whenever we got together.

| 33 **trifling** | adj. | **trivial, unimportant, petty** insignificant, negligible | 하찮은 |

[tráifliŋ]

Maxwell broke away from the *trifling* conversation he was involved in.

| 34 **uncompromising** | adj. | **unyielding, inflexible, rigid** firm, obstinate | 단호한 |

[ʌnkámprəmàiziŋ]

Her belief in his recovery was so *uncompromising* that they couldn't tell his death.

Glossary

35 **void**	adj.	**useless, ineffectual, vain**	쓸모없는

[vɔid]
useful

All the prayers and sacrifices of the priests seemed to be *void*.

36 **wielding***	adj.	**using, exerting, exercising**	(권력 등을) 행사하는

[wiːldiŋ]

The Molasses Act was a good example of the British *wielding* control over America.

37 **win**	v.	**obtain, gain, procure** earn, acquire	얻다

[win]
lose

South Carolinians *won* a reputation for hard fighting.

VOCABULARY

Hackers **TOEFL**

TEST 19 |제 55 일 ~ 제 57 일 |

▲ Choose the **synonym** of the highlightened word in the sentence.

1. Mrs. Strickland's sympathy was often **abused** by those who are conscious of its possession.
   ⓐ scoured   ⓑ misused   ⓒ healed   ⓓ impeded

2. She was suckling a new-born child, and another child, stark **naked**, was playing at her feet.
   ⓐ unique   ⓑ profitable   ⓒ astonishing   ⓓ bare

3. Neanderthal's ritual is thought to **appease** hunted bears' spirits.
   ⓐ cover   ⓑ fasten   ⓒ soothe   ⓓ escape

4. A fashionable courtier wore his hair cut in **neat** geometric layers.
   ⓐ trim   ⓑ ingenious   ⓒ vertical   ⓓ analogous

5. The architect **partook** of the infinite calm in which he lay.
   ⓐ collided   ⓑ shared   ⓒ exchanged   ⓓ executed

6. Polygraph tests should not be used as the **sole** evidence of guilt.
   ⓐ adequate   ⓑ excellent   ⓒ single   ⓓ reliable

7. Evidence of the degeneration largely **disappeared** by the time the dogs were six months old.
   ⓐ vanished   ⓑ devoted   ⓒ gainsaid   ⓓ proclaimed

8. With each new scientific development, medical practices of just a few years earlier became **obsolete**.
   ⓐ awkward   ⓑ clean   ⓒ unused   ⓓ refined

▲ Choose the **antonym** of the highlightened word in the sentence.

9. As floods **recede**, they leave puddles.
   ⓐ accost   ⓑ guide   ⓒ proceed   ⓓ bewail

10. Today, where once **prosperous** cities covered the Mesopotamian plain, there is only desert.
    ⓐ decrepit   ⓑ grand   ⓒ blameless   ⓓ meek

Take a Break

The Road Not Taken

Robert Frost

가지 않는 길

로버트 프로스트

Two roads diverged in a yellow wood,	노란 숲속에 난 두 갈래 길
And sorry I could not travel both	아쉽게도 한 사람 나그네
And be one traveler, long I stood	두 길 갈 수 없어 길 하나
And looked down one as far as I could	멀리 덤불로 굽어드는 데까지
To where it bent in the undergrowth;	오래도록 바라보았다.
Then took the other, as just as fair,	그리곤 딴 길을 택했다. 똑같이 곱고
And having perhaps the better claim,	풀 우거지고 덜 닳아 보여
Because it was grassy and wanted wear;	그 길이 더 마음을 끌었던 것일까.
Though as for that the passing there	하기야 두 길 다 지나간 이들 많아
Had worn them really about the same.	엇비슷하게 닳은 길이었건만.
And both that morning equally lay	그런데 그 아침 두 길은 똑같이
In leaves no step had trodden black.	아직 발길에 밟히지 않은 낙엽에 묻혀 있어
Oh, I kept the first for another day!	아, 나는 첫째 길을 후일로 기약해 두었네!
Yet knowing how way leads on to way,	하지만 길은 길로 이어지는 법이라
I doubted if I should ever come back.	되돌아올 수 없음을 알고 있었다.
I shall be telling this with a sigh	먼 훗날 어디선가 나는
Somewhere ages and ages hence:	한숨 지으며 이렇게 말하려나
Two roads diverged in a wood, and I ---	어느 숲에서 두 갈래 길 만나, 나는--
I took the one less traveled by,	덜 다닌 길을 갔었노라고
And that has made all the difference.	그래서 내 인생 온통 달라졌노라고.

58일

1 **apparent****

adj. **obvious, evident, plain** conspicuous, manifest

[əpǽrənt]
obscure

명백한

It is becoming more *apparent* that the same problems are going to continue.

2 **ardent****

adj. **enthusiastic, passionate, fervent** intense, eager

[á:rdənt]
composed

열정적인

He began his political career as an *ardent* nationalist.

3 **capture****

v. **seize, catch, snare**

[kǽptʃər]

포획하다

The African people were *captured* in local wars and sold into slavery.

4 **column**

n. **pillar**

[káləm]

기둥

He turned his eyes upwards to the *columns,* and remained motionless.

5 **compassion**

n. **pity, sympathy, mercy**

[kəmpǽʃən]
relentlessness

동정심

I bought his pictures out of *compassion*.

6 **convince**

v. **persuade, assure**

[kənvíns]

설득시키다

The explorers were *convinced* that they would find treasure.

7 **execute**

v. **perform, achieve**

[éksikjù:t]

수행하다

Peter *executed* his work with satisfaction.

 Glossary

8 **fragrant**	adj.	**perfumed, aromatic, savory**	향기로운
[fréigrənt] fetid		People sat in the chocolate house and enjoyed the *fragrant* drink.	

9 **gainful***	adj.	**profitable, paying, lucrative**	이득이 되는
[géinfəl]		She was happy about her *gainful* employment.	

10 **ghost**	n.	**phantom, spirit**	유령
[goust]		She sometimes felt like a *ghost* walking through other people's lives.	

11 **given***	adj.	**particular, specified**	한정된
[gívən]		They hurried to the train station to reach the meeting place in a *given* time.	

12 **incisive**	adj.	**penetrating, biting, acute**	예리한
[insáisiv]		Madison had a more subtle and *incisive* political sense than anyone else.	

13 **irreversible***	adj.	**permanent, irrevocable**	되돌릴 수 없는
[ìrivə́:rsəbəl] reversible		The gender transformation is an *irreversible* historical trend.	

14 **locale***	n.	**place**	장소
[loukǽl]		We must choose suitable *locale* for taking good pictures.	

15 **manifold**	adj.	**various, numerous**	다양한
[mǽnəfòuld] uniform		Most of the troubles in the world came from the *manifold* disharmonies.	

16 **monetary**	adj.	**pecuniary**	재정적인
[mánətəri]		The expedition① was a costly one from the *monetary* point of view.	

ᵍlossary

① expedition 원정

17 obstinate [ɑ́bstənit] pliable	adj.	**unyielding, headstrong, dogged** stubborn, inflexible 완고한

He had no hope of shaking her resolution; she was as *obstinate* as a mule.②

18 orbit [ɔ́:rbit]	n.	**path, course** 궤도

The satellite itself fell from *orbit* three months after launch.

19 pacific [pəsífik] bellicose	adj.	**peaceful, calm, tranquil** quiet 평화로운

He agreed to settle all disputes by *pacific* means.

20 peek [pi:k]	v.	**peep, peer, pry** 살짝 엿보다

The sun *peeks* through the curtains and Fran opens her eyes.

21 penetrate [pénətrèit]	v.	**pierce, permeate, perforate** 관통하다

Carbon dioxide created a 'greenhouse', allowing solar energy to *penetrate* the atmosphere.

22 persevere [pə̀:rsəvíər] give up	v.	**persist, endure** 참다

The soldiers *persevered* under appalling③ conditions during the First World War.

23 pervade [pərvéid]	v.	**permeate, penetrate** ~에 스며들다

The social idealism *pervaded* the theological atmosphere of the time.

24 phase** [feiz]	n.	**period, stage, aspect** 시기, 단계

The first *phase* of construction on the fort was completed before the War of 1812.

25 pinion* [pínjən]	n.	**feather** 깃털

A peacock④ displays his beautifully colored *pinions*.

---

lossary

② mule 노새   ③ appall 놀라게 하다   ④ peacock 공작

26 **pitiful** [pítifəl]	adj.	pitiable, pathetic, piteous	불쌍한

There was something so *pitiful* in the movements of her hands.

27 **pity** [píti]	n.	sympathy, compassion	동정

Whenever she spoke of her husband, it was with *pity*.

28 **religious** [rilídʒəs] ungodly	adj.	pious, devout, reverent	신앙심 깊은

The Puritans were a *religious* group of settlers.

29 **ruthless** [rú:θlis]	adj.	pitiless, cruel, relentless harsh, unrelenting	무자비한

He is *ruthless* about eliminating⑤ those who stood in his way.

30 **sanction**** [sǽŋkʃən] interdiction	n.	approval, permission, ratification authorization	허가

The special envoy⑥ acted only with the *sanction* of the president.

31 **seep**** [si:p]	v.	pass through slowly, ooze	(물, 공기 등이) 새다

Water *seeped* into the house from the crack in the roof.

32 **snatch**** [snætʃ]	v.	seize	붙잡다

The cat *snatched* a mouse in the corner.

33 **subjective** [səbdʒéktiv] objective	adj.	personal, individual	주관적인

The way they recorded their history was highly *subjective*.

34 **sweat** [swet]	n.	perspiration	땀

After jogging, he wiped off *sweat* from his face.

Glossary
⑤ eliminate 없애다   ⑥ envoy 특사

35 **trap**	n.	**pitfall, snare**	덫
[træp]		Jack has fallen in a *trap* devised by the two tricky veterans, Bill and Danny.	

36 **unique****	adj.	**particular, sole**	유일한, 독특한
[ju:ní:k]		The *unique* concern of the architect is the definition of exterior space.	

37 **vice**	n.	**wickedness, evil**	악
[vais] virtue		War, from the perspective of the revolutionary in America, was seen as a *vice*.	

38 **wage**	n.	**pay, salary, earnings**	임금
[weidʒ]		There is no employee who is willing to work under the minimum *wage*.	

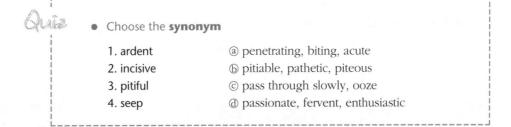

Quiz

● Choose the **synonym**

1. ardent   ⓐ penetrating, biting, acute
2. incisive   ⓑ pitiable, pathetic, piteous
3. pitiful   ⓒ pass through slowly, ooze
4. seep   ⓓ passionate, fervent, enthusiastic

Answer   1. ⓓ   2. ⓐ   3. ⓑ   4. ⓒ

59일

1 abundant*
[əbʌ́ndənt]
scarce

adj. plentiful, ample 풍부한

The plants are extremely *abundant* on the east coast of North America.

2 acute
[əkjúːt]
dull

adj. 1. keen, sharp, poignant 예리한

He was very *acute* in his criticisms of the book.

adj. 2. severe, critical, dire 심각한

The EPA has documented many cases of *acute* injury and death from fires.

3 authority
[əθɔ́ːriti]

n. power 권위

He accepted a job placing him in high *authority* at the Federal Institute of Technology.

4 bias*
[báiəs]
justness

n. prejudice 편견

His words betray a deeply conservative political *bias*.

5 civil
[sívəl]
uncouth

adj. polite, courteous, civilized 예의 바른

After the exchange of a few *civil* inquiries, she took leave of Mrs. Golden.

6 contaminate
[kəntǽmənèit]
purify

v. pollute, stain, corrupt 오염시키다

The river was rapidly *contaminated* with toxic[1] wastes.

Glossary
① toxic 독성의

7 **destitute**	adj.	**devoid, poor**	부족한
[déstətʃùːt] full		Inmates[2] of the apartments often were believed to be *destitute* of human feeling.	

8 **exercise***	v.	**practice, use**	활용하다
[éksərsàiz]		The students must *exercise* the texts in order to follow the lecture.	

9 **exhibit**	v.	**present, display, show** demonstrate	보여주다
[igzíbit]		Mr. Wheeler *exhibited* the farm to Claude as if he were a stranger.	

10 **extol***	v.	**praise**	칭찬하다
[ikstóul] decry		The refugee defamed[3] his government to *extol* another.	

11 **fat**	adj.	**plump, stout, obese**	살 찐
[fæt] lean		I am growing *fat* on all the wonderful meals they give me here.	

12 **feasible****	adj.	**possible, workable, practicable** viable	실행할 수 있는
[fíːzəbəl] impossible		Workfare[4] is a *feasible* solution to teaching people how to become independent.	

13 **flexible***	adj.	**pliable, plastic, adaptable** adjustable	유연한
[fléksəbəl] rigid		The *flexible* tongue can be used to shape a wide variety of sounds.	

14 **forecast**	v.	**predict, foretell, foresee**	예상하다
[fɔ́ːrkæst]		The parachute was one of several inventions that were *forecasted* by Leonardo da Vinci.	

15 **fun**	n.	**pleasure, amusement**	즐거움
[fʌn]		Crusoe found a way in having *fun* in the desert island.	

Glossary

② inmate 일원　　　　　③ defame 비방하다　　　　　④ workfare 노동자 재교육

16 **glory**	n.	honor, renown, eminence	영광
[glɔ́:ri]		They could imagine the *glory* of the king who had once lived in the palace.	

17 **homely**	adj.	plain, unattractive, ugly simple	흉한
[hóumli] comely		Bridwell's tall, *homely* appearance and commanding voice proved of great effect.	

18 **hypocrite**	n.	pretender, imposter	위선자
[hípəkrìt]		Jefferson is an *hypocrite*, which can be seen throughout his administration.	

19 **illegal**	adj.	unlawful, illegitimate, illicit	불법의
[ilí:gəl] lawful		The law prohibits employers from hiring *illegal* aliens.	

20 **inquiry***	n.	scrutiny, examination, investigation research	조사
[inkwáiəri]		Warner's committee investigated the accident after the Navy completed its *inquiry*.	

21 **issue***	n.	matter, point, problem question	논점
[íʃu:]		Nowhere in their documents did they address the *issue* of racial slavery.	

22 **jest**	n.	joke	농담
[dʒest] seriousness		In the second part of her speech, she shifted from *jest* to earnest.⑤	

23 **plight**	n.	predicament, dilemma	곤경
[plait]		Northerners grew increasingly sympathetic⑥ to the *plight* of the Blacks in the South.	

24 **posture**	n.	pose, attitude	자세
[pástʃər]		*Posture* probably influences the development of the body.	

Glossary ──────────────────────────────────────
⑤ earnest 진지함　　⑥ sympathetic 동정적인

| 25 **potential*** | adj. | **possible**, **latent** | 잠재적인 |

[poutén∫əl]
actual

The rise of antislavery sentiment was a *potential* threat to national unity.

| 26 **potentially*** | adv. | **possibly** | 아마도 |

[poutén∫əli]

Potentially human beings are the only possible source of ethics on Earth.

| 27 **privilege** | n. | **prerogative**, **right** | 특권 |

[prívəlidʒ]

America gives more *privileges* to its women than most other countries.

| 28 **prone**** | adj. | **tend to**, **susceptible**, **inclined** disposed, liable | ~하는 경향이 있는 |

[proun]

He is very *prone* to writing things on the backs of letters.

| 29 **scheme** | n. | **plan**, **design**, **plot** | 계획 |

[skiːm]

Any *scheme* to produce plastics should consider reducing greenhouse gas emissions.

| 30 **share** | n. | **portion**, **part**, **allotment** | 몫 |

[∫ɛər]

To help pay for the *share* of the rent, he took a job at the library.

| 31 **status** | n. | **position**, **standing**, **rank** | 지위 |

[stéitəs]

The document showed how the social *status* of men could be destroyed by alcohol.

| 32 **strength*** | n. | **force**, **power**, **might** | 힘 |

[streŋkθ]
weakness

Cuban-Americans have attained political *strength* commensurate[⑦] with their numbers.

| 33 **tempt** | v. | **attract**, **decoy**, **lure** induce, allure | (관심, 주의를) 끌다 |

[tempt]
discourage

Einstein was *tempted* to return to Germany to become a research director.

Glossary

⑦ commensurate 비례한

34 **tiresome**	adj.	**wearisome, tedious, dull**	지루한
[táiərsəm]		We are sick of the literature teacher's *tiresome* repetitions.	

35 **urgent***	adj.	**pressing, imperative, exigent**	긴급한
[ə́:rdʒənt]		The next morning, I got an *urgent* call from Tony.	

36 **vigorous**	adj.	**strong, robust, sturdy** energetic, powerful	힘찬
[vígərəs] lethargic		Adams' European experience made him a *vigorous* supporter of Washington's policy.	

37 **virtual***	adj.	**practical, implicit**	실질적인
[və́:rtʃuəl]		Pierce spent his last years in *virtual* seclusion.⑧	

38 **vow**	n.	**pledge, promise**	서약
[vau]		After they had recited their *vows,* they were declared married.	

Glossary
⑧ seclusion 은둔

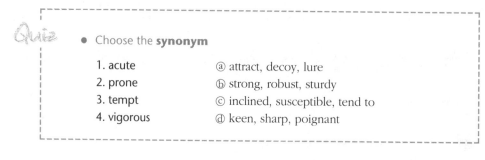

Quiz ● Choose the **synonym**

1. acute	ⓐ attract, decoy, lure
2. prone	ⓑ strong, robust, sturdy
3. tempt	ⓒ inclined, susceptible, tend to
4. vigorous	ⓓ keen, sharp, poignant

Answer   1. ⓓ   2. ⓒ   3. ⓐ   4. ⓑ

60일

1 **allow***
[əláu]
reject

v. **enable, permit, grant**　　　　허용하다

When the Civil War began, blacks weren't *allowed* to fight in the Union army.

2 **carriage**
[kǽridʒ]

n. **vehicle, conveyance**　　　　탈 것

Maxwell offered Francine his arm and escorted her to the *carriage*.

3 **cease**
[si:s]
continue

v. **stop, terminate**　　　　중지하다

The rain had *ceased,* but the wind still blew strong from the southwest.

4 **clean**
[kli:n]
dirty

adj. **unstained, clear, pure**　　　　깨끗한

They made many efforts to keep the environment *clean*.

5 **dare**
[dɛər]
evade

v. **venture, risk, challenge**　defy　　　감히 ~하다

He wanted to say something but didn't *dare* to speak.

6 **diverse***
[divə́:rs]
identical

adj. **dissimilar, various, manifold**　　　　다양한

His genius lays in getting people of *diverse* background to work together.

7 **empty****
[émpti]
full

adj. **vacant, hollow, void**　unoccupied, blank　　　텅 빈

There was an *empty* bottle which had contained milk.

lossary

8 **evaporate**	v.	**vaporize**	증발하다
[ivǽpərèit]		Fog occurs when moisture from the surface of the Earth *evaporates*.	

9 **even****	adj.	1. **level, flat, plane**	평평한
[íːvən] uneven		The water of the sea was as *even* as land.	
	adj.	2. **unchanging, constant**	한결같은
		After an hour, the wounded recovered the *even* beat of the heart.	

10 **exceed****	v.	**surpass, go beyond, excel**	~보다 뛰어나다
[iksíːd]		Her yearly income *exceeded* his total earnings for the previous 14 years.	

11 **extreme**	adj.	**ultimate, excessive, unreasonable**	극도의
[ikstríːm] moderate		Brian was an *extreme* conservative in domestic policy.	

12 **hardy**	adj.	**sturdy, robust, stout**	튼튼한
[háːrdi] tender		The olive tree is a *hardy* shrub that can live for 1,500 years.	

13 **immoral**	adj.	**vicious, corrupt, amoral**	부도덕한
[imɔ́(ː)rəl] moral		In the eyes of the majority, he was probably an *immoral* and irreligious man.	

14 **indecent**	adj.	**vulgar, coarse, immodest**	품위 없는
[indíːsnt] decent		Students are being exposed to *indecent* and harmful environments more and more.	

15 **lane**	n.	**path, way, alley**	통로
[léin]		The streets and *lanes* of both were filled with wrecked and burning tanks.	

| 16 **loiter** | v. | linger, loaf | 빈둥거리다 |

[lɔ́itər]

The four robbers *loitered* near the bank.

| 17 **mask** | v. | veil, disguise | 가장하다 |

[mask]

He tried to *mask* his enmity[1] under an appearance of friendliness.

| 18 **matchless** | adj. | unrivaled, unequaled, unparalleled | 뛰어난 |

[mǽtʃlis]
matchable

Thomas Jefferson addressed on the aspirations[2] of the new nation in *matchless* phrase.

| 19 **merit** | n. | value, worth, excellence | 가치 |

[mérit]
fault

The great *merit* of the poems is that they make us aware of previously unperceived possibilities.

| 20 **miserable** | adj. | wretched, unhappy | 비참한 |

[mízərəbəl]
happy

Cathy looked *miserable* over her disappointed hopes.

| 21 **oral** | adj. | verbal, spoken, vocal | 말의(구어의) |

[ɔ́:rəl]
written

The first black literature in America was preserved in an *oral* tradition.

| 22 **pale** | adj. | wan | 창백한 |

[peil]
flushed

I found her face turning *pale* with indignation.[3]

| 23 **passion** | n. | zeal, ardor, fervor | 열정 |

[pǽʃən]
dispassion

Albert's mother had an intense *passion* for music and literature.

| 24 **perspective** | n. | view, prospect | 전망 |

[pə:rspéktiv]

The data provides a fascinating new *perspective* on the pattern of industrial development.

Glossary

① enmity 적의   ② aspiration 강렬한 소망, 동경   ③ indignation 분개

25 poison	n.	**venom**	독
[póizən]		He grows ever more sleepy as if some *poison* were numbing⑧ him.	

26 prey**	n.	**victim**	희생자
[prei]		The *prey* got a chance to escape during the ensuing struggle between predators.	

27 profession	n.	**vocation, calling, business**	직업
[prəféʃən]		She continued teaching while her husband became established in his *profession*.	

28 recast**	v.	**transform**	고치다
[ri:kǽst]		The cabinet was completely *recast* after the inauguration of new president.	

29 relax	v.	**loosen, slacken**	늦추다
[rilǽks] tense		He *relaxed* the trade embargo⑤ against the hostile country.	

30 sensual	adj.	**voluptuous, sensuous**	감각적인
[sénʃuəl]		The young couples tend to seek purely *sensual* pleasures.	

31 skip	v.	**spring, jump, leap**	뛰어다니다
[skip]		The children were *skipping* about in the park.	

32 stray	v.	**wander, roam, ramble**	헤매다
[strei]		During the storm, the boat had *strayed* helplessly off course.	

33 strenuous	adj.	**vigorous, energetic, ardent**	격렬한
[strénjuəs]		*Strenuous* efforts were made to improve the school system.	

Glossary

④ numb 마비시키다　　⑤ embargo 입출항 금지명령

34 **submit**	v.	yield, surrender, obey	복종하다

[səbmít]
resist

We will *submit* to the judgment of the majority of our town.

35 **trace****	n.	vestige, mark, sign	자취

[treis]

The evidence included *traces* of viruses that long ago
invaded our DNA.

36 **vibrant**	adj.	vibrating, shaking, oscillating	진동하는

[váibrənt]

The great industrial slump made the foundations of Western
capitalism *vibrant*.

37 **watchful**	adj.	vigilant, alert, attentive	조심하는

[wátʃfəl]

He turned a *watchful* ear to their discourse.

Glossary

▲ Choose the **synonym** of the highlightened word in the sentence.

1. Any unpleasantness the man endured in his native land did not impair his **ardent** patriotism.
   ⓐ fervent ⓑ grand ⓒ ugly ⓓ ghastly

2. The hideous lust that **pervades** the air is oppressive and horrible.
   ⓐ imputes ⓑ verifies ⓒ liberates ⓓ permeates

3. Some water **seeps** down in fissures until it reaches very hot rocks in the earth's interior.
   ⓐ subverts ⓑ oozes ⓒ quakes ⓓ drenches

4. Water is present in **abundant** quantities on and under the Earth's surface.
   ⓐ plentiful ⓑ jovial ⓒ ingenious ⓓ stark

5. Junior colleges usually offer a variety of **flexible** programs that are nontraditional in content.
   ⓐ detailed ⓑ adaptable ⓒ eminent ⓓ modest

6. Women's occupational disadvantages must also be related to their role, or **potential** role, in the family.
   ⓐ cynical ⓑ tranquil ⓒ uniform ⓓ possible

7. Chessman took on the status of romantic hero as an activist movement organized around his **plight**.
   ⓐ alley ⓑ phantom ⓒ predicament ⓓ perspiration

8. Many tribes **submitted** peacefully to being moved to the West.
   ⓐ yielded ⓑ adjusted ⓒ baited ⓓ eased

▲ Choose the **antonym** of the highlightened word in the sentence.

9. Stroeve reminded her of the jolly, **fat** merchants that Rubens painted.
   ⓐ lean ⓑ solemn ⓒ distressed ⓓ proficient

10. The olive tree is a **hardy** shrub that can live for 1,500 years.
    ⓐ slender ⓑ vital ⓒ tender ⓓ obedient

Take a Break

Toefl을 마치고 모두 함께 원 샷!

Hackers
Vocabulary
TEST Answer

	1	2	3	4	5	6	7	8	9	10
제1-3일	c	a	b	c	a	c	b	a	b	c
제4-6일	d	a	b	c	a	c	b	a	c	a
제7-9일	b	c	b	b	b	b	a	d	a	b
제10-12일	b	d	a	b	d	c	a	a	c	b
제13-15일	b	b	a	b	c	b	a	c	c	b
제16-18일	a	c	c	d	a	a	c	b	a	a
제19-21일	c	b	c	c	b	b	c	d	a	c
제22-24일	a	c	a	b	b	d	c	a	d	b
제25-27일	c	a	d	d	a	c	b	b	c	a
제28-30일	c	a	b	b	c	d	a	d	d	b
제31-33일	a	b	c	b	a	d	a	a	c	b
제34-36일	c	a	b	b	b	d	d	b	a	d
제37-39일	a	a	d	c	b	b	a	c	d	c
제40-42일	c	c	d	b	a	b	d	d	a	c
제43-45일	c	b	d	a	d	c	b	d	a	c
제46-48일	d	b	b	a	c	b	c	c	d	a
제49-51일	c	b	c	a	c	b	b	a	b	c
제52-54일	a	b	c	d	a	b	b	d	a	c
제55-57일	b	d	c	a	b	c	a	c	c	a
제58-60일	a	d	b	a	b	d	c	a	a	c

ConfuVoca

'Hackers Voca'내의 혼돈을 주는 단어(Confusing Vocabulary)를
모아서 정리했습니다.

1. **adapt** 적응시키다 : adjust, modify
   adept 숙련된 : skillful, expert

2. **adversary** 적 : antagonist, opponent, enemy, foe
   adversity 재난 : calamity, catastrophe, disaster, misfortune

3. **affectation** 꾸밈 : airs, pretence
   affection 애정 : attachment, amity, love

4. **aggravate** (1) 성나게 하다 : annoy, irritate (2) 악화시키다 : intensify, worsen
   aggregate 모으다, 집합 : entire, total, combine

5. **appall** 오싹하게 하다 : frighten, horrify, terrify, shock
   appeal 호소하다 : entreaty, request, petition
   appreciate 평가하다 : value, estimate
   appropriate 적당한 : suitable, proper

6. **bland** 온화한 : mild, tasteless, dull
   blend 섞다 (n)혼합 : mix, mingle, combine (n) mixture, combination
   blind 눈 먼 : sightless

7. **celebrity** 유명인, 명성 : a famous person, hero, notable
   celerity 속력 : velocity, speed

354

8. **commence** 시작하다 : begin, initiate, start
   commerce 상업 : trade, business

9. **command** 명령하다 : order, bid, instruct
   commend 맡기다, 칭찬하다 : entrust, laud, praise, exalt, applaud

10. **contemptible** 비열한 : mean, abject, base
    contemptuous 경멸하는 : scornful, sneering

11. **convey** 수송하다 : carry, transport, transmit
    convoy 호송 : escort

D
12. **deliberate** 신중한 : careful, thoughtful, cautious
    debilitate 쇠약하게 하다 : weaken

13. **decent** 예의바른 : nice, modest
    descent 하강 : falling, descending

14. **desperate** 절망적인 : hopeless, desolate
    despairing 자포자기의 : discouraging, disheartening
    despondent 낙담한 : hopeless, desperate

15. **devise** 고안하다 : invent, plan, figure out
    device 장치 : instrument, tool, mechanism

E
16. **enlighten** 계몽하다 : illumine
    enliven 활기를 띠게 하다 : invigorate, animate

17. **entitle** ...에게 자격을 주다 : empower, qualify
    entity 존재물 : thing, individual, object

18. **exploit** 업적 : feat, accomplishment
    explicit 명백한 : clear, unambiguous, definite

19. **extract** 추출하다 : draw, pull out
    protract (기간을)연장하다 : prolong

F
20. **freight** 화물 : cargo, shipment, load
    fright 공포 : dismay, terror, panic

H
21. **humid** 습기 찬 : damp, moist
    humiliate 욕보이다 : degrade, disgrace, shame
    humility 겸손 : meekness, humbleness, modesty

I

23. **impair** 손상시키다 : injure, deteriorate
    impart 주다 : give, bestow, grant, confer
    impartial 공평한 : unbiased, just, fair, disinterested

24. **impudent** 뻔뻔스러운 : brazen, insolent, rude
    impunity 면제 : exemption
    impute ...의 탓으로 돌리다 : attribute, ascribe, refer

25. **ingenious** 재능이 있는 : skillful, adroit, resourceful, inventive
    ingenuous : 솔직한 frank, candid, open, naive

26. **intricate** : 복잡한 complex, elaborate, complicated
    intrigue : (1) ...의 호기심을 돋구다 attract, interest (2) 음모 plot, conspiracy
    intrude : 침입하다 trespass, encroach, violate

J

27. **jeer** : 조롱 scoff, mock, ridicule
    jolt : 심하게 흔들리다 shock, startle

L

28. **lane** : 통로 path, way, passage, alley
    laud : 찬양하다 praise, exalt, applaud
    loud : 시끄러운 noisy, clamorous, resounding, deafening

29. **lean** : 기대다, 굽히다 incline, bend
    leap : 뛰다 jump, bound, spring, vault, hop
    lure : 유혹하다 allure, decoy, attract, tempt, seduce

M

30. **mass** : 집단 aggregation, collection, accumulation, pile
    mess : 혼란 confusion, muddle

31. **mean** : 의미하다 (1) signify, imply, express (2) 비열한 humble, ignoble, vulgar
    mirth : 명랑 gaiety, glee, merriment

32. **moan** : 신음 groan, mourn
    mock : 조롱하다 ridicule, sneer
    mutiny : 폭동 revolt, rebellion, uprising, rebel

N

33. **naive** : 순진한 ingenuous, candid, downright
    nasty : 더러운 filthy, dirty, foul, impure, polluted
    natty : 말쑥한 neat, trim, smart

O

34. **obscure** : 모호한 unclear, uncertain, ambiguous, indistinct, blurred
    obvious : 명백한 plain, manifest, evident, clear, apparent, distinct

35. pact : 조약 compact, contract, bond
    pale : 창백한 wan
    pant : 헐떡거리다 gasp

36. peak : 절정 top, zest, summit, acme, pinnacle
    peek : 살짝 엿보다 peep, peer, pry
    peer : 대등하다 equal, mate, match
    pit : 구멍 hole, cavity

37. probe : 조사하다 examine, explore, investigate
    prone : ...의 경향이 있는 inclined, disposed, liable, tending
    prodigal : 풍부한, 낭비하는 squander, profuse, lavish
    prodigious : 거대한, 경이로운 enormous, extraordinary, marvelous
    prodigy : 신동 person with exceptional talents

38. quake, quaver, quiver : 진동하다 shake , shiver, tremble, shudder
    quaint : 기이한 strange, odd
    acquaint : 익히 알게 하다 make familiar

39. radical : (1) 근본적인 fundamental, basic
            (2) 급진적인 extreme, revolutionary

40. reprove : 비난하다 rebuke, censure, reprimand, scold, admonish, blame
    retrieve : 회복하다 recover, regain, reclaim, restore

41. refer : ...의 탓으로 돌리다 impute
    referee : 중재인 umpire, judge
    reference : 언급 allusion

42. refuge : 피난처 sanctuary, haven
    refuse : 거절하다 decline, rebuff
    rehearse : 연습하다 drill, recite, train, practice

43. remark : 비평 comment, utterance
    remarkable : 주목할 만한 notable, unusual

44. replace : 대신하다 supersede, supplant, substitute
    repress : 억제하다 check, suppress, subdue, quell

45. reproach : 비난하다 abuse, reprimand, condemn, rebuke, scold, blame
    reprove : 비난하다 rebuke, blame, admonish

46. request : 간청하다 sue, supplicate, solicit, beseech
    require : 요구하다 demand, enjoin

47. **respectable** : 존경할 만한 estimable, honorable
respectful : 공손한 courteous, polite, civil

48. **reverse** : 거꾸로 하다 invert
revert : 되돌아가다 return, revisit
revolution : 혁명 revolt, overthrow

49. **rob** : 빼앗다 deprive, plunder, pillage
robust : 튼튼한 sturdy, vigorous

50. **satire** : 풍자 irony
satiate : 만족시키다 satisfy

51. **savage** : 잔인한 wild, cruel
salvage : 구출하다 rescue, save

52. **scarce** : 희귀한 rare
scare : 겁주다 terrify

53. **sensitive** : 민감한 impressionable
sensual : 관능적인 sensuous, voluptuous
sententious : 간결한 concise, terse, succinct

54. **serve** : 봉사하다 assist, succor
sever : 나누다 separate, rend
severe : 가혹한 rough, harsh

55. **shade** : 가리다 screen, hide
shed : 발산하다 emit, radiate, diffuse

56. **shrivel** : 위축되다 shrink, contract, diminish
shiver : 덜덜 떨다 tremble, quake
showy : 화려한 loud, gaudy, ostentatious

57. **sip** : 마시다 sup, drink, absorb
slip : 실수 mistake

58. **slander** : 비방하다 defame, scandalize, vilify
slender : 가느다란 slim, weak, fragile

59. **slay** : 살해하다 murder, kill
sly : 교활한 cunning, artful

60. **speculation** : 추측 supposition, conjecture, surmise
    speculative : 1.이론적인 academic, abstract 2.사색적인 thoughtful, reflective
    splendor : 화려함 brilliance, grandeur, pomp
    squander : 낭비하다 waste, lavish

61. **stab** : 찌르다 thrust
    stable : 안정된 steadfast, constant

62. **smother** : 질식하다 stifle, suffocate
    stammer : 말을더듬다 stutter, hesitate, falter

64. **stringent** : 엄격한 severe
    stagnant : 침체한 inert, inactive

65. **stick** : 달라붙다 adhere, cohere
    stock : 재고 hoard, store

66. **strife** : 불화 conflict, discord
    strike : 치다 pound, slap, hit
    strive : 노력하다 endeavor, try

67. **stupefy** : 대경실색하다 stun, amaze, bewilder, daze
    sturdy : 튼튼한 strong, stalwart

68. **subdue** : 정복하다 conquer, subjugate, defeat
    submerse : 가라앉다 dip, sink
    subscribe : 동의하다 agree, assent
    subsidize : 보조금을 주다 back, finance, fund
    subtract : 제하다 deduct, discount

69. **succinct** : 간결한 concise, brief, terse
    suspect : 추측하다 surmise, imagine, conjecture
    suspend : 1.연기하다 defer, postpone, 2.멈추다 stop, cease, arrest
    suspense : 모호 doubt, uncertainty, indecision
    suspicion : 의혹 doubt, mistrust, distrust

70. **temperament** : 기질 disposition, make-up, temper, nature
    temperate : 알맞은 moderate, self-restrained
    temporary : 일시적인 transient, fleeting

71. **tendency** : 경향 trend, inclination
    tender : 부드러운 soft, delicate ,mild

72. **touch** : 감동을 주다 impress, move, strike, stir
    tough : 단단한 firm, strong, hard, sturdy

73. **transparent** : 투명한 clear, pellucid, lucid, limpid
    transport : 옮기다 carry, convey

74. **undermine** : 손상시키다 ruin, thwart
    undertake : 떠맡다 assume
    unlawful : 불법의 illegal, illicit, illegitimate
    unmindful : 무관심한 heedless, regardless

75. **variable** : 변하기 쉬운 changeable, inconstant, fickle, unsteady
    various : 다양한 diverse, varied

76. **vibrant** : 진동하는 vibrating, shaking, oscillating
    vibrate : 진동하다 oscillate, shake, tremble, shiver

77. **vigilant** : 방심하지 않는 wary, awake, watchful
    vigorous : 원기 왕성한 strong, robust, sturdy, powerful
    villain : 악당 rascal, scoundrel

78. **virtual** : 실질상의 practical
    virtually : 1. 실질적으로 In fact or to all purposes, practically
                     2. 거의 nearly
    virtue : 미덕 goodness, uprightness, morality, justice

79. **visible** : 명백한 apparent, obvious, open, clear
    visionary : 환상의 fanciful, imaginary

80. **ware** : 상품 good, merchandise
    wary : 조심하는 alert, careful, cautious
    weary : 피곤한 tired, exhausted

81. **wholesale** : 대규모의 extensive
    wholesome : 건전한 healthful, salutary

82. **withdraw** : 물러가다 retire, retreat, secede
    withhold : 보류하다 reserve, retain

83. **yearn** : 갈망하다 crave, desire
    yawn : 하품하다 gape